D0192906

TIPBOEK ELEKTRISCHE GITAAR EN BASGITAAR

Tipboek
Elektrische
gitaar & basgitaar
De complete gids

Hugo Pinksterboer

Tipboek Elektrische gitaar & basgitaar

De complete gids

The Best Guide to Your Instrument!

www.tipbook.com

Vierde, herziene en uitgebreide druk.

ISBN 978-90-8767-005-4

NUR: 667

Bedankt:

Voor hun tijd, informatie, tips, suggesties en commentaren bedanken we de volgende muzikanten, leraren, technici en andere (bas)gitaarexperts:

John van der Veer, Will Vermeer, Elliot Freedman, Henny van Ochten (Texas & Tweed, Oost-Souburg), Stephen White (Guitar Tech, USA), Anderson Page (Modulus Guitars, USA), Wouter Zimmerman (Electric Sound, Almere), Co Koenen (*Gitarist*), Nicky Moeken (*GitaarPlus*), Kaj Ringenier (The American Guitarstore, Enschede), Ron Knotter, Mark Zandveld, Gerard Braun, Wim Dijkgraaf, Willy Heijnen (†1999), Jos Kamphuis, Heino Hoekema, Frans van Ingen, Jean Zijta, Edwin Dijkman en Sander Ruijg (Muziekhandel Dijkman, Amsterdam), Bart en Barry Witte (Dirk Witte, Amsterdam), Harm van der Geest, Chris Teerlink en Martin van de Lucht (Luthiers Gitaren, Den Bosch), Anno Galema, Ulbo de Sitter, Harold Koenders (JIC), Ton Keverkamp (Serlui), Keith Brawley (Brawley Guitars, USA), Ron Knotter, Harry de Jonge en medewerkers (Sacksioni Gitaren, Amsterdam), René van Loon (Vox Humana, Vlaardingen), Ido Hurkmans (gitaarnet.nl), Nils Krook (Nils Guitars, Amsterdam), Nikola Adamovic (bas-/gitaarbouwer, Haarlem), Jan Verweij (PMSystems, Zaandam), Jean Zijta en Lex Horst.

Een speciaal woord van dank voor gitarist en gitaardocent Gerard Braun, die de akkoordentabellen in dit boek samenstelde.

De makers

Journalist, tekstschrijver en muzikant **Hugo Pinksterboer** publiceerde honderden interviews, cd-recensies en besprekingen van muziekinstrumenten in binnen- en buitenlandse muziekbladen. Verder schreef hij onder meer de NPMB-cursus *Verkoper in de muziekdetailhandel* en is hij als adviseur betrokken bij de muziekmethode *Muziek op maat.*

Illustrator, vormgever en muzikant **Gijs Bierenbroodspot** was artdirector van een groot aantal publiekstijdschriften en ontwikkelde daarnaast talloze reclamecampagnes. Op zoek naar informatie over saxofoonmondstukken bedacht hij het concept van de Tipboek-serie, waarvoor hij nu onder meer de vormgeving en de illustraties voor zijn rekening neemt.

Fotografie omslag: René Vervloet
Eindredactie: René de Graaff
Drukwerk: Drukkerij Krips, Meppel

Iets gemist?

Zijn er nog dingen die je in dit boek miste, of kan er hier en daar nog iets verbeterd worden, laat het ons dan weten. Al je suggesties en opmerkingen zijn welkom bij The Tipbook Company, Postbus 189, 2100 AD Heemstede, of e-mail naar info@tipbook.com.

Inhoud

In 't kort

Ben je van plan om een elektrische gitaar of een bas te kopen? Of wil je meer weten over het instrument waar je al op speelt? Dan vind je hier alle antwoorden. In veertien overzichtelijk hoofdstukken komt alles aan bod. De belangrijkste onderdelen van het instrument, leren spelen, body's en bruggen, koppen en kale snaren, slagplaten en stemmechanieken, stemmen en onderhoud, de geschiedenis, de productie en de familie van het instrument, en nog veel meer.

Met al die kennis in huis wordt het een heel stuk makkelijker om een nieuwe gitaar of een bas te gaan kopen, of om te kiezen welke snaren je wilt gaan gebruiken, bijvoorbeeld. Heb je al een (bas)-gitaar, dan lees je in dit boek hoe je daar alles uit haalt wat erin zit. En omdat alle vaktermen – ook de Engelse! – glashelder uitgelegd worden, zijn andere boeken, websites en tijdschriften over je favoriete instrument makkelijker te lezen.

De eerste vier

Als je net begonnen bent of nog niet zo lang speelt, neem dan beslist ook de eerste vier hoofdstukken door. Je leest er hoe de belangrijkste onderdelen van je instrument heten, waarom (bas)-gitaarlessen handig zijn, en je krijgt algemene kooptips over prijzen, winkels en nieuw of tweedehands kopen

De diepte in

Speel je al langer, dan kun je met hoofdstuk 5 beginnen. Daar lees je alles wat je moet weten om een gitaar of bas goed te kunnen beoordelen, en om tests van deze instrumenten goed te kunnen lezen. Hoofdstuk 6 biedt vergelijkbare informatie over snaren, en in hoofdstuk 8 komen koffers, plectrums en andere accessoires aan bod.

Stemmen en onderhoud

Verder is er ruim aandacht voor het schoonhouden en verwisselen van je snaren (hoofdstuk 7), het stemmen (ook voor gevorderde spelers!) en het onderhoud van je instrument, inclusief bekende en minder bekende intonatietips.

Achtergrondinformatie

De laatste vier hoofdstukken bieden korte achtergrondinformatie over de geschiedenis, de familie, de productie en de bekendste fabrikanten van bassen en gitaren.

En meer

Elke Tipboek heeft een uitgebreide woordenlijst met een korte uitleg van de belangrijkste vaktermen. Met de index is alles makkelijk terug te vinden. Wie meer wil weten, vindt achterin ook nog informatie over tijdschriften, boeken en websites voor gitaristen en bassisten.

Akkoorddiagrammen

Veel lezers van eerdere edities van dit Tipboek vroegen of het mogelijk was om akkoorddiagrammen in het boek op te nemen. Dat is dus gebeurd. Diezelfde diagrammen zijn natuurlijk ook op internet te vinden, maar een boek is makkelijker meenemen (en je hoeft het niet aan te zetten). Om er direct mee aan de slag te kunnen, zijn er een paar voorbeelden van akkoordenschema's aan toegevoegd. Veel plezier ermee!

Hugo Pinksterboer

Zien en horen wat je leest met tipcode

www.tipbook.com

Naast de talrijke illustraties op de volgende pagina's biedt dit Tipboek je nóg een manier om te zien waarover je leest. Op www.tipbook.com zijn onder meer korte filmpjes en geluidsvoorbeelden te vinden die de tekst nog eens extra verduidelijken. De zogenaamde Tipcodes die je in dit boek regelmatig tegenkomt, geven je toegang tot die extra informatie.

Het werkt heel eenvoudig. Een voorbeeld: op bladzijde 111 van dit boek lees je over het opzetten van nieuwe snaren. Bij die alinea staat **Tipcode EGTR-009**. Die code type je in op de Tipcode-pagina op www.tipbook.com. In een kort filmpje zie je dan hoe dat precies gaat.

Code invoeren, film zien

Als je de Tipcode ingevoerd hebt, krijg je meestal binnen vijf tot

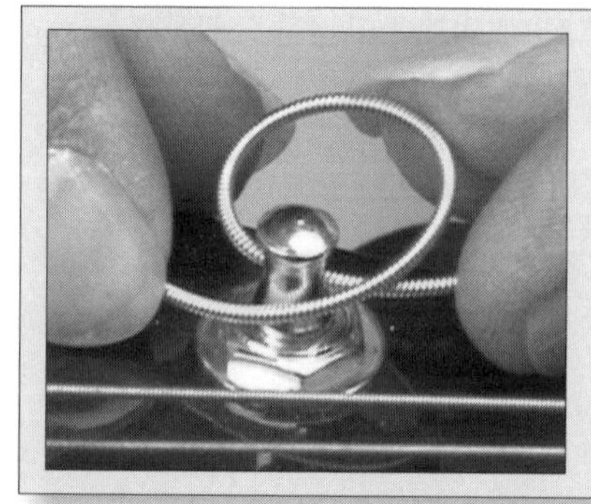

Tipcode EGTR-009

In deze Tipcode zie je hoe je een snaar aan de stemas van het mechaniek vastmaakt.

tien seconden de bijbehorende beelden te zien. Sommige Tipcodes geven alleen beeld, andere alleen geluid, en sommige geven beeld én geluid.

Alle Tipcodes op een rij

Om het je gemakkelijk te maken, vind je op bladzijde 194 alle Tipcodes uit dit Tipboek nog eens op een rij.

Snel

De filmpjes, klankfragmenten en fotoseries zijn zo gemaakt dat je ze snel binnenhaalt. Niet in één keer gezien wat er gebeurde? Dan kun je ze natuurlijk ook herhalen. Gaan ze te snel? Gebruik dan de pauzetoets onder het filmvenster.

Hier kies je wat je wilt gebruiken: Tipcodes, grepentabellen of het woordenboek.

In het Tipcode-venster verschijnen filmpjes, diashows, grepen, akkoorden en de verklaringen van de woorden uit het woordenboek.

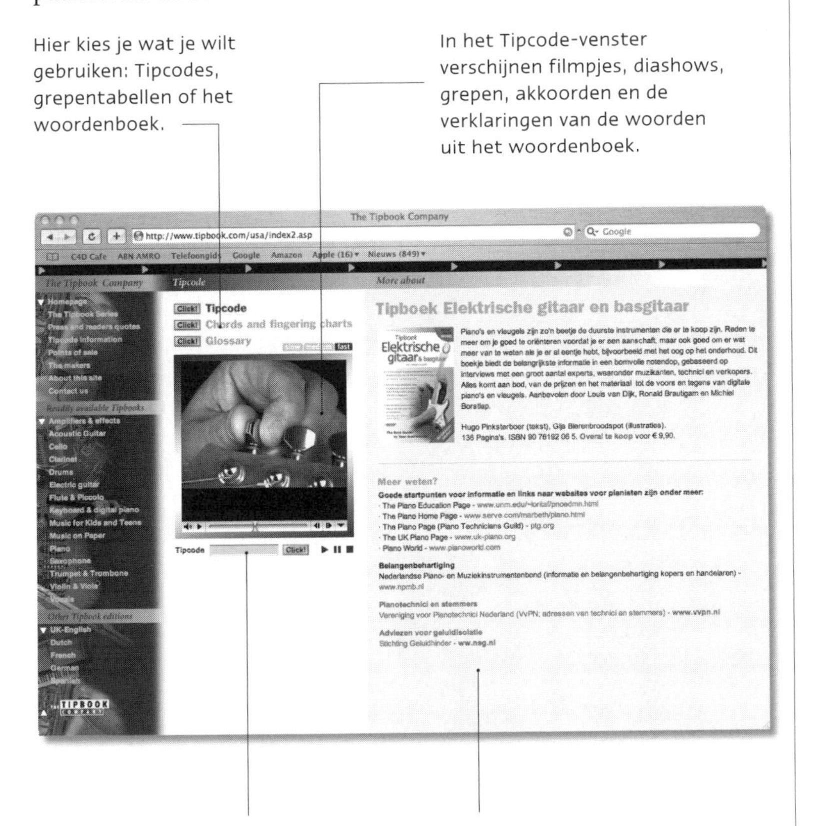

Vul hier een Tipcode in en klik op de knop ernaast. Nog een keer kijken? Nog een keer klikken.

Deze knoppen en links brengen je rechtstreeks naar andere interessante sites.

Plug-ins

Het kan zijn dat je bepaalde programma's die nodig zijn om de filmpjes of de foto's te bekijken, nog niet geïnstalleerd hebt. Dat merk je vanzelf: je krijgt automatisch te zien welk programma ontbreekt en waar je dat dan kunt downloaden. Deze programma's (plug-ins) zijn gratis.

Nog meer op www.tipbook.com

Op www.tipbook.com is nog veel meer informatie te vinden. Zo kun je woorden opzoeken in de woordenlijsten uit alle tot nu toe verschenen delen uit de Tipboek-serie. Voor gitaristen en pianisten zijn er akkoorddiagrammen, voor fluitisten, klarinettisten en saxofonisten zijn er grepentabellen en voor drummers zijn er de rudiments. Voor alle muzikanten zijn er links naar andere informatieve websites.

1

Gitaristen, bassisten?

Gitaristen kunnen snoeihard scheuren, gillende akkoorden door de speakers rammen, supersnelle licks spelen of heel bescheiden een zangeres begeleiden. Bassisten kunnen hun instrumenten laten knallen of laten zingen, en alles daartussenin. En allebei zijn ze onmisbaar in talloze bands in talloze muziekstijlen.

Als gitarist of bassist heb je ruim de keuze. Je kunt bijvoorbeeld rock spelen, of country, of soul, jazz, folk, latin, pop of zelfs klassiek. En dat kun je allemaal met hetzelfde instrument doen, maar je kunt ook voor elke soort muziek een andere bas of gitaar aanschaffen: ze zijn er in honderden verschillende uitvoeringen. Met zes of zeven snaren, met een massieve of een holle body, met één of drie elementen, met een kortere of een langere hals…

Alles anders

Een jazzgitarist en een metalgitarist spelen allebei gitaar. Maar verder zie je meer verschillen dan overeenkomsten: ze gebruiken een heel ander soort gitaar, andere snaren, een andere speeltechniek, andere versterkers en waarschijnlijk een ander plectrum.

Twee gitaren – talloze verschillen

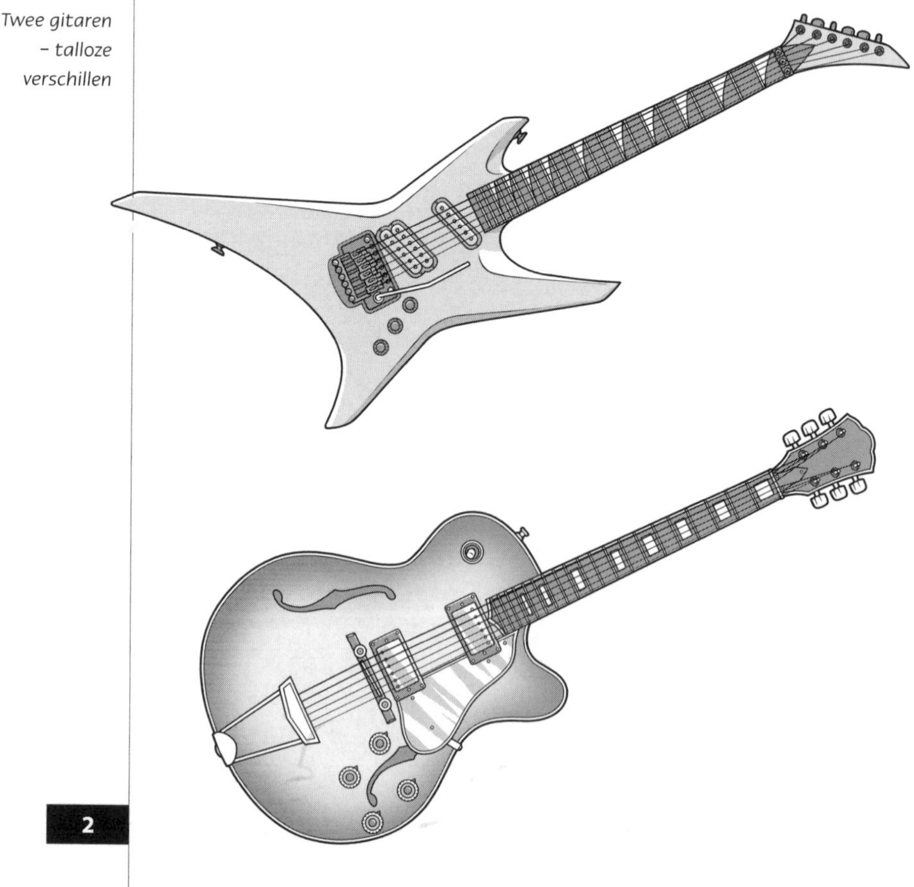

Bassisten ook
Dat geldt ook voor bassisten. De ene soort muziek vraagt om helder spetterende basnoten, de andere om donker brommende. Daarom zijn er ook heel verschillende bassen, bassnaren en basversterkers te koop.

Akkoorden
Net als op een piano of een synthesizer kun je op een gitaar meerdere noten tegelijk spelen (*akkoorden*). Of je kunt tegelijkertijd de melodie en de begeleiding spelen. Dat maakt een gitaar tot een soort eenpersoonsband, waarmee je jezelf ook kunt begeleiden als je zingt.

Zangers
Een overeenkomst tussen gitaristen en toetsenisten is dat ze vaak de muziek voor de band schrijven, en dat ze vaak ook de zangers zijn (als er geen aparte zanger of zangeres is). Er zijn ook bassisten die zingen. Denk maar aan artiesten als Paul McCartney, Jack Bruce, Sting, Lemmy Kilmister en Brian Wilson.

De basis
Toch zijn de meeste bassisten vooral begeleiders. Samen met de drummer vormen ze de basis van bijna elke band. Bassisten staan vaak wat verder naar achteren, terwijl gitaristen meestal helemaal voor op het podium staan.

Populair
Bassen en gitaren zijn populaire instrumenten, ook al omdat je er vrij makkelijk op leert spelen. Met een beetje aanleg speel je na een paar weken al een paar nummers.

Niet duur
Ze zijn ook populair omdat je al voor weinig geld een bruikbaar instrument koopt. Voor minder dan tweehonderdvijftig euro koop je een complete set met alles wat je nodig hebt om aan de slag te gaan: een (bas)gitaar, een versterker, een stemapparaat, een plectrum, een snoer en vaak ook nog een les-dvd.

Noten lezen
Gitaar en bas leren spelen kan ook makkelijk zonder noten te leren

lezen. Er zijn duizenden bekende gitaristen en bassisten die het zo gedaan hebben – maar er zijn er ook heel wat die het later toch leerden.

Jong

Je kunt al bas of gitaar gaan spelen als je handen groot genoeg zijn om er eentje vast te houden. Voor heel kleine handen zijn er speciale, kleine instrumenten. Op bladzijde 59 lees je daar meer over.

2

In vogelvlucht

Elke bas en elke gitaar heeft een body, een hals en een kop, vier of meer snaren en een handvol 'elektrische' onderdelen: elementen, snoertjes en regelaars. In dit hoofdstuk lees je hoe alles heet en waar het voor dient. Ook hollowbody-gitaren (met een 'holle' klankkast) en linkshandige instrumenten komen aan bod.

Elektrische gitaren heten 'elektrisch' omdat de trillingen van de snaren in elektrische signalen worden omgezet. Om ze te kunnen horen, heb je bovendien een 'elektrische' versterker nodig. Zonder versterker hoor je – bijna – niets.

Klankkast

Als je gitaar speelt, trillen de snaren. Bij een akoestische gitaar zorgt de grote, holle klankkast ervoor dat je die trillingen ook kunt horen. De klankkast versterkt de klank van de snaren. Op bladzijde 50 zie je twee akoestische gitaren.

Elementen

De meeste elektrische gitaren hebben geen klankkast. De trillingen van de snaren moeten dus elektrisch versterkt worden. Daarom hebben elektrische bassen en gitaren *pickups*. Die pickups of *elementen* 'pikken' de trillingen van de snaren op en zetten ze om in elektrische signalen.

Van gitaar naar versterker

Die elektrische signalen worden via je gitaarkabel naar de gitaarversterker gestuurd. Die versterkt ze en stuurt ze naar de luidsprekers. Geluid!

SOLIDBODY'S

Waar bij een akoestische gitaar de klankkast zit, hebben de meeste elektrische gitaren en bassen een massieve 'plank' ofwel een *solid body*. Hier worden solidbody gitaren ook wel planken genoemd.

Slagplaat

Op veel gitaren zit een *slagplaat* of *pickguard*. Die beschermt de body tegen krassen van plectrums en nagels.

Hals en kop

De snaren lopen langs de *hals*, van de body tot de *kop* (*headstock*) boven aan het instrument.

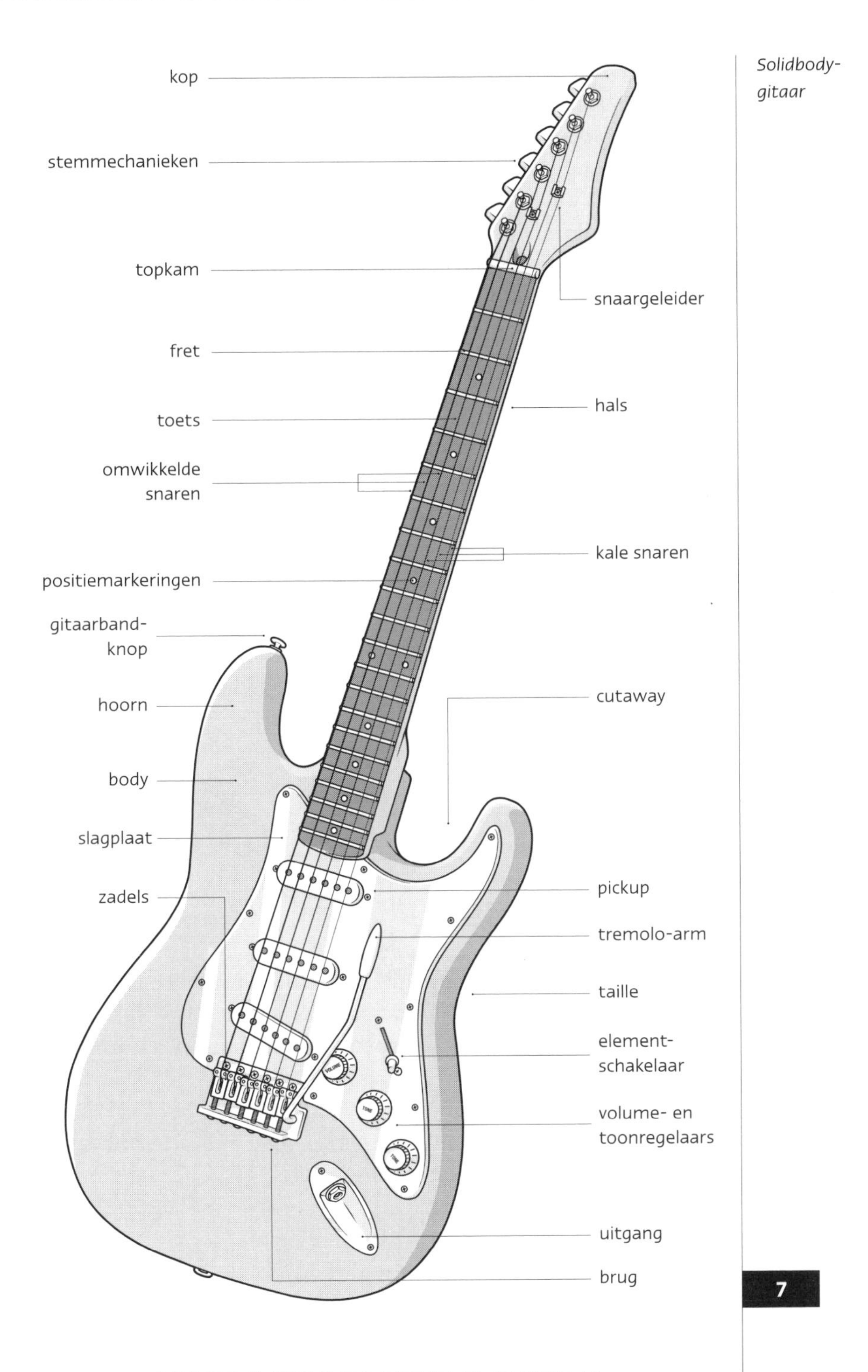

Solidbody-gitaar

Halspen

In de hals zit een verstelbare metalen pen. Deze *halspen* (*truss rod*) voorkomt dat de snaren de hals kromtrekken.

Toets

De meeste gitaren hebben zes snaren. Op elke snaar kun je verschillende tonen spelen. Dat doe je door een snaar met je vingers tegen de *toets* te drukken. De toets is de voorkant van de hals.

Korter

Een snaar klinkt het laagst als je hem niet indrukt. Dan kan hij helemaal, van begin tot eind, trillen. Als je een snaar indrukt, maak je hem eigenlijk korter. Daardoor klinkt hij hoger. Druk een snaar eerst bij het eerste vakje in, vlak bij de kop. Schuif dan steeds een vakje op, richting de body. Het trillende deel van de snaar wordt dan steeds iets korter en hij gaat steeds iets hoger klinken.

Solidbody-basgitaar

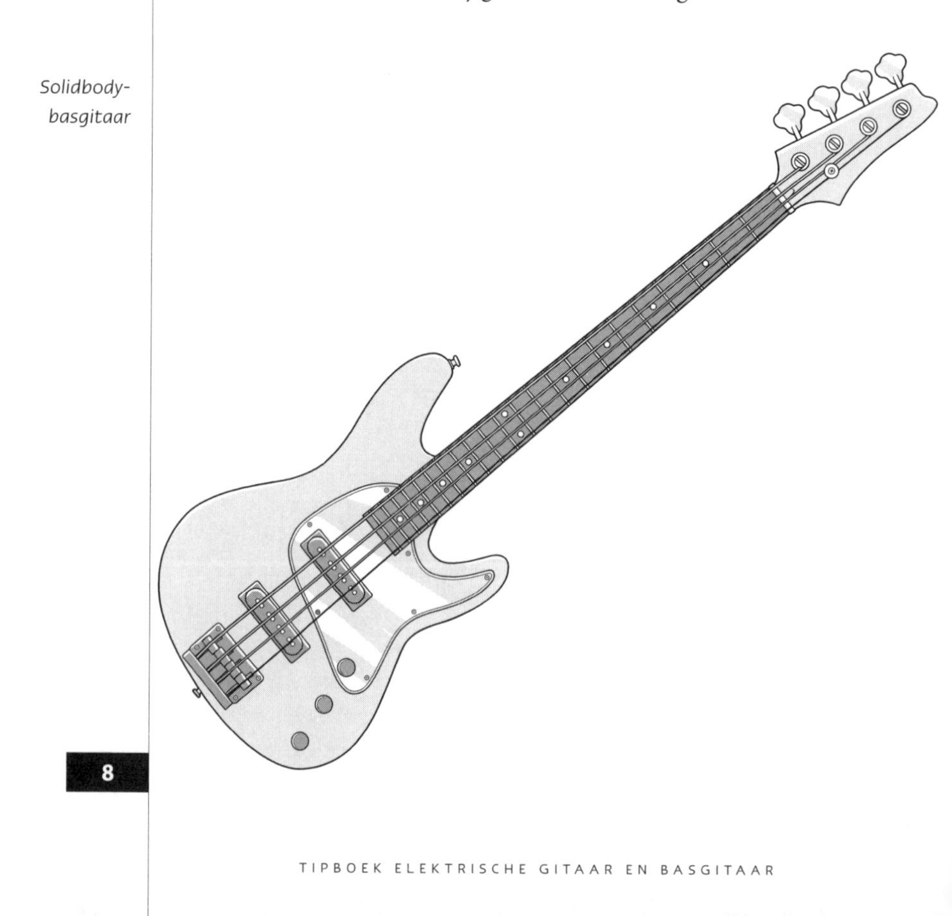

Frets

Op de toets zitten dunne metalen strips. Dit zijn de *frets.*

Posities

De frets verdelen de toets in vakjes of *posities.* Als je een snaar in de 'vijfde positie' speelt, druk je hem net achter de vijfde fret tegen de toets.

> **Fingerboard**
>
> *In het Engels heet de toets fretboard of fingerboard. Het is een dunne plank (board) met frets, waar je je vingers op zet.*

Positiemarkeringen

Op de toets zitten *positiemarkeringen.* Dat zijn ronde stippen, blokjes of andere figuurtjes waaraan je snel kunt zien waar je bent. Veel instrumenten hebben ook kleine markeringen aan de bovenkant van de hals. Als je speelt, zijn die vaak makkelijker te zien dan de markeringen op de toets.

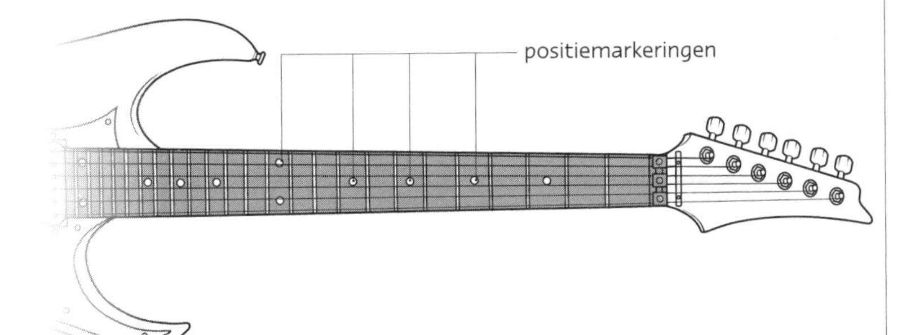

Cutaway

Om de allerhoogste posities makkelijk te kunnen spelen, hebben vrijwel alle gitaren en bassen een uitsparing in de body: de *positieholte* of *cutaway.* Het uitstekende stuk wordt de *hoorn* genoemd. Veel instrumenten hebben een dubbele cutaway: eentje onder en eentje boven de hals.

Binding

Sommige gitaren hebben een smalle, ingelegde rand rondom de body lopen. Deze *binding* loopt vaak ook rond de hals en de kop.

SNAREN

Gitaren hebben meestal zes snaren, bassen meestal vier.

E, A, D, G, B, E

Als je begint bij de dikste, laagst klinkende snaar, zijn de zes snaren van een gitaar gestemd op de noten E, A, D, G, B en E.

Tipcode EGTR-001
Hier hoor je de zes snaren van een elektrische gitaar, van de lage E naar de hoge.

Een Aap

Die volgorde is het makkelijkst te onthouden met een ezelsbruggetje als Een Aap Die Geen Bananen Eet.

Octaaf

Een octaaf is de afstand van acht witte toetsen op een piano. Op de bladzijde hiernaast zie je een pianoklavier. Op een gitaar of een bas laat je een snaar een octaaf hoger klinken door hem in het twaalfde vakje in te drukken. Die twaalfde positie wordt vaak met een extra grote of een dubbele positiemarkering aangegeven.

Basgitaar

De vier snaren van een basgitaar zijn gestemd op E, A, D en G. Dat zijn dezelfde noten als de laagste vier gitaarsnaren. Wat is dan het verschil? De bassnaren klinken precies één octaaf lager.

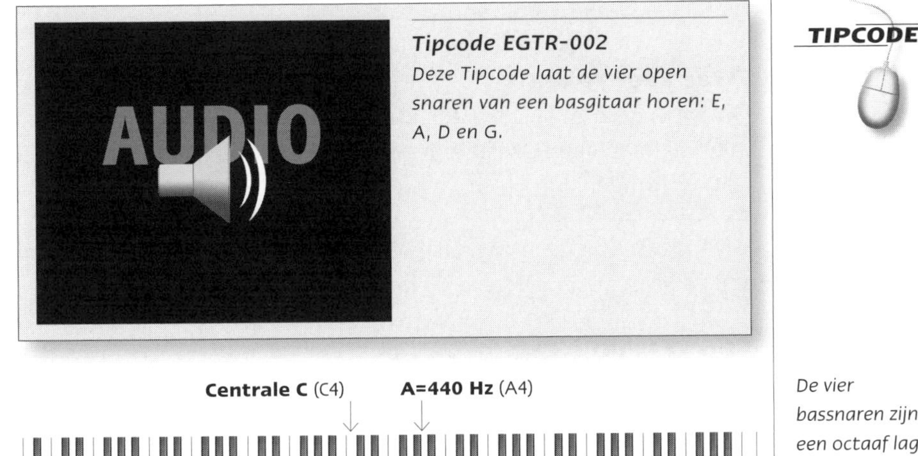

Tipcode EGTR-002
Deze Tipcode laat de vier open snaren van een basgitaar horen: E, A, D en G.

TIPCODE

Centrale C (C4) **A=440 Hz** (A4)

bas **E**1 **A**1 **D**1 **G**1

gitaar **E**2 **A**2 **D**3 **G**3 **B**3 **E**4

De vier bassnaren zijn een octaaf lager gestemd dan de vier dikste gitaarsnaren. De A=440 is de toon waar meestal op gestemd wordt (zie bladzijde 134).

Amerikaanse nummering

Op de tekening hierboven zijn de tonen van de snaren genummerd (E1, A1, enzovoort). Dat is een Amerikaanse nummering, die je ook op stemapparaatjes tegenkomt. Daarbij heet de laagste E van het pianoklavier E1. Op die toon wordt de E-snaar van een bas gestemd. De E rechts daarvan, op de piano, klinkt een octaaf hoger. Die heet E2, en dat is de E waar de lage E-snaar van een gitaar op gestemd wordt. De hoge E van een gitaar klinkt nog twee octaven hoger (E4).

Andere nummering

De gitaarsnaren zijn zelf ook genummerd. 't Is niet zo handig dat dat een heel andere nummering is. Hij begint bij de dunste snaar. Die krijgt het 'dunste nummer', de 1. Snaar zes is de dikte snaar, de lage E. Bij een bas is de G snaar 1, en de lage E is snaar 4.

Omwikkeld en kaal

Op de meeste elektrische gitaren zijn de drie dikste, laag klinkende snaren omwikkeld met metaaldraad. De drie dunste, hoog klinkende snaren zijn de *kale* snaren of *treble-snaren*. De Engelse vaktermen zijn *wound strings* voor de omwikkelde of omwonden snaren en *plain strings* voor de kale.

Twee keer zo dik

Om bassnaren zo laag te laten klinken, zijn ze bijna twee keer zo dik als gitaarsnaren, en ze zijn ook een stuk langer. Alle bassnaren zijn omwonden.

HARDWARE

De metalen onderdelen van een (bas)gitaar worden samen de *hardware* genoemd.

Stemmechanieken

Je stemt je instrument met de *stemmechanieken*. Elke snaar heeft zijn eigen mechaniek of *tuning machine*, *machine head* of *tuner*.

De stemmechanieken kunnen aan één kant van de kop zitten, of aan beide kanten.

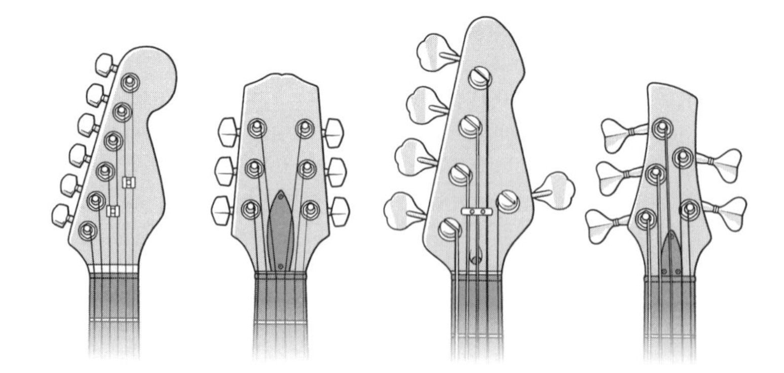

Topkam

Tussen de kop en de toets zit de *topkam* (*kam*, *nut* of *nutje*). De groeven in die kam houden de snaren op de juiste afstand van elkaar.

Brug en zadels

Aan het andere uiteinde van de snaren zit de *brug*. Bij de meeste gitaren en bassen loopt elke snaar daar over zijn eigen *brugzadel*. Ook in die brug of de brugzadels zitten groeven voor de snaren.

Tremolo

Veel elektrische gitaren hebben een soort pookje op de body. Met deze *tremolo-arm* kun je alle snaren tegelijk een stuk lager laten klinken. Daarmee zijn allerlei effecten mogelijk. Er zijn ook tremolo's waarmee je de stemming omlaag én omhoog kunt 'buigen'.

Tipcode EGTR-003

Een tremolo is te gebruiken om de stemming van alle snaren te verlagen of ook wel te verhogen. Hier hoor je hoe dat kan klinken.

ELEMENTEN EN REGELAARS

De meeste gitaren hebben twee of drie elementen. De meeste bassen hebben er één of twee.

Brug- en halselementen

Het *brugelement* of het achterste element (vlak bij de brug) klinkt altijd anders dan het element bij de hals, zelfs als het precies hetzelfde element is. Hoe komt dat? Als je een gitaarsnaar eerst vlak bij de hals speelt, en dan vlak bij de brug, hoor je hetzelfde verschil. Bij de brug klinkt het wat scherper; bij de hals juist wat ronder. Elementen pikken die verschillen ook op.

Elementschakelaar

Met de elementschakelaar kies je welk element je wilt gebruiken. De meeste bassen hebben geen elementschakelaar maar een balansknop. Draai hem helemaal naar links en je hoort het ene element. Draai hem helemaal naar rechts en je hoort het andere. Bij de standen daartussenin hoor je meer van het ene en minder van het andere element – en in het midden hoor je van elk element evenveel.

Volume en toon

Elektrische (bas)gitaren hebben een of meer *volume-* en *toonknoppen.* Met de toonknoppen kun je de klank een beetje bijsturen, net als op een versterker.

Uitgang

Het snoer dat naar de versterker gaat steek je in de *uitgang* of *jack output* van je instrument. Vaak wordt deze aansluiting de ingang genoemd, omdat je er een plug in steekt. Toch is het echt een uitgang: het signaal gaat de gitaar uit.

Ingang

De andere kant van het gitaarsnoer sluit je aan op de instrumentingang of *input* van je versterker: het signaal van je gitaar gaat daar de versterker in. Gitaar- en bassnoeren hebben altijd aan beide zijden een ¼" jackplug.

HOLLOWBODY-GITAREN

Elektrische gitaren met een holle klankkast worden meestal *hollowbody's* genoemd.

Archtop

Hollowbody-gitaren en -bassen heten ook wel *archtops*: het bovenblad van de klankkast (de *top*) is gewelfd (*arched*), net als bij een viool.

Zwevende brug

Bij hollowbody's wordt de brug door de spanning van de snaren

Hollowbody-gitaar

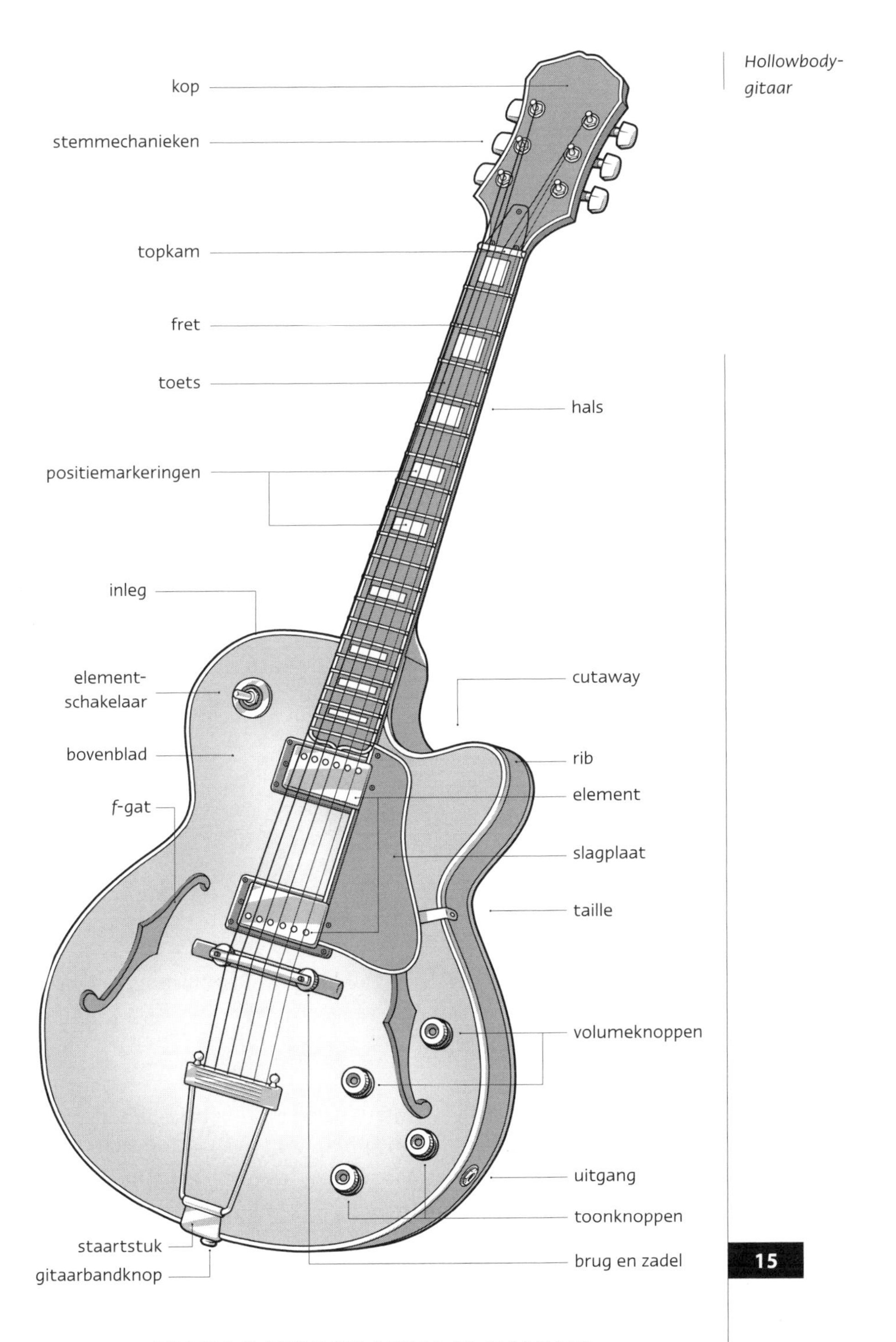

op z'n plaats gehouden. Een *floating bridge* heet dat dan, ofwel een zwevende brug. Ook de slagplaat is vaak zwevend, net als het *staartstuk* of de *snaarhouder*, waar de snaren aan vastzitten.

Dikker en dunner

Hollowbody's zijn er in verschillende diktes. Jazzgitaristen spelen vaak op een heel dikke *jazz box*; fusion-, blues- en countrygitaristen gebruiken meestal minder diepe instrumenten: *thinlines* of *slimlines*.

LINKSHANDIG

Voor linkshandige (bas)gitaristen zijn er instrumenten waarbij alles andersom zit: de snaren, de kop, de elementen, de knoppen... Jammer genoeg is de keus minder groot, en bij sommige merken betaal je voor een 'linkshandig instrument' iets meer.

Een linkshandige solidbody

Ook wel rechts

Niet alle linkshandige muzikanten spelen op zo'n linkshandig model. Er zijn er bijvoorbeeld die nooit wisten dat er linkshandige instrumenten bestonden, en dus gewoon 'rechts' leerden spelen. Ook zijn er gitaristen en bassisten die linksom op een rechtshandig instrument spelen. Dan zit de dunste snaar dus bij je duim, en de dikste snaar is de onderste snaar geworden.

Voordeel

Als je als linkshandige op een rechtshandig instrument leert spelen, kun je niet alleen uit meer (bas)gitaren kiezen als je een nieuwe gaat kopen, maar je kunt ook makkelijker even op een instrument van iemand anders spelen. Dat betekent niet dat er iets tegen linkshandig spelen op linkshandige instrumenten is, natuurlijk.

VERSTERKERS

Zonder versterker kun je niet spelen. De meeste gitaristen en bassisten gebruiken een *comboversterker*. Daarbij zitten de versterker en een of meer luidsprekers in één kast.

Karakter

Een versterker doet meer dan alleen versterken. Hij geeft je gitaar of je bas ook een bepaalde klank. Als je je instrument op verschillende versterkers aansluit, kun je dat goed horen. En net zoals je speciale instrumenten voor allerlei verschillende muziekstijlen hebt, is ook de ene versterker beter geschikt voor heavy metal en de andere juist voor jazz of country, bijvoorbeeld.

Twee delen

Een versterker bestaat uit altijd uit twee delen: de *voorversterker* (*pre-amp*) en de *eindversterker*.

- De **voorversterker** is de regelversterker: je regelt er je geluid mee. Dat doe je met de volumeknop en de andere knoppen op de versterker.
- De **eindversterker** heet in het Engels de *power amp*. Die naam laat zien dat dit deel van de versterker het zware werk doet: hij zorgt voor de power.

Twee kanalen

De meeste moderne gitaarversterkers hebben twee *kanalen*. Voor een onvervormd, clean geluid gebruik je het ene kanaal, dat bijvoorbeeld *normal, clean* of *rhythm* heet. Voor scheurende solo's en vette, vervormde akkoorden schakel je over naar het tweede kanaal. Dat kanaal heet meestal *drive, overdrive, lead* of *crunch.*

TIPCODE

Tipcode EGTR-004

In Tipcode EGTR-004 hoor je duidelijk het verschil tussen een cleane en een vervormde sound uit dezelfde versterker.

Gain

Bij gitaarversterkers met twee kanalen zit er op dat tweede kanaal een *gain*-regelaar. Daarmee kun je de voorversterker *oversturen* (te veel signaal geven). Het geluid gaat dan steeds meer vervormen of scheuren, en dat is dus precies de bedoeling. Ook eenkanaals gitaarversterkers hebben een gain-regelaar.

Volume en toon

Elk kanaal heeft z'n eigen volumeregelaar. Het is handig als elk kanaal ook zijn eigen toonregelaars heeft, waarmee je net als op een stereoversterker het hoog (*treble*) en het laag (*bass*) kunt bijregelen, en dan ook nog het midden (*mid*).

Voetschakelaar

Versterkers met twee of meer kanalen hebben meestal een voetschakelaar om van kanaal te wisselen.

Gain voor bassen

Ook op basversterkers zit meestal een gain-regelaar. Niet voor een vervormd geluid (de meeste bassisten spelen 'clean'), maar om de versterker te kunnen aanpassen aan de sterkte van het signaal van de bas. Bij bassen zitten daar nogal grote verschillen in.

Buizen of transistors

Versterkers werken met transistors (*solid state amplifiers*) of met buizen (*tube* of *valve amps*). Buizenversterkers zijn duurder en kwetsbaarder. Toch kiezen veel gitaristen daarvoor. De buizen zorgen voor een vette, warme sound. Vooral het vervormde geluid is voller, vetter of warmer. Er zijn ook versterkers die zowel buizen als transistors gebruiken (*hybrid amps*).

Modeling

Met modeling versterkers kun je de typische klank van allerlei bekende gitaar- of basversterkers nabootsen. Ze werken met digitale 'modellen' van die versterkers. Modeling versterkers hebben ook altijd een heel stel digitale effecten aan boord. De eerste modeling versterker verscheen in 1993.

Vermogen

Als het om versterkers gaat, is de eerste vraag bijna altijd 'hoeveel watt' hij is. Voor een oefenversterkertje voor thuis heb je aan 10 of 15 watt vermogen al voldoende. Ga je met een band repeteren of optreden, dan moet je al snel een versterker met zo'n 60 tot 80 watt hebben – maar er zijn ook 30-watters die hard genoeg gaan. *Tip:* om twee keer zo hard te klinken, moet een versterker niet twee, maar tien keer zoveel vermogen hebben!

Basversterkers

Basversterkers hebben meer vermogen nodig: het kost veel power om lage tonen strak en onvervormd te kunnen versterken. Voor bandrepetities en optredens moet je al snel aan een 100 watt versterker denken.

Mini(bas)gitaarversterkers

Speel je echt alleen maar thuis, en wil je je gitaar flink laten scheuren zonder iemand lastig te vallen? Kijk dan eens naar een speciale hoofdtelefoonversterker. De kleinste hoofdtelefoonversterkers zijn net iets groter dan een pakje lucifers, en je steekt ze zo in de uitgang van je instrument.

Veel meer

Er is natuurlijk nog veel meer te vertellen over versterkers, luidsprekers en alles wat daarbij hoort. Lees daarvoor *Tipboek Versterkers en effecten* (zie bladzijde 249).

EFFECTEN

De meeste gitaristen en veel bassisten gebruiken een of meer effecten om hun geluid te kleuren, te vervormen of op een andere manier wat extra's te geven. Veel versterkers hebben één of twee effecten ingebouwd, en soms zelfs meer. Daarnaast kun je allerlei losse *effectpedaaltjes* en *multi-effectprocessors* kopen.

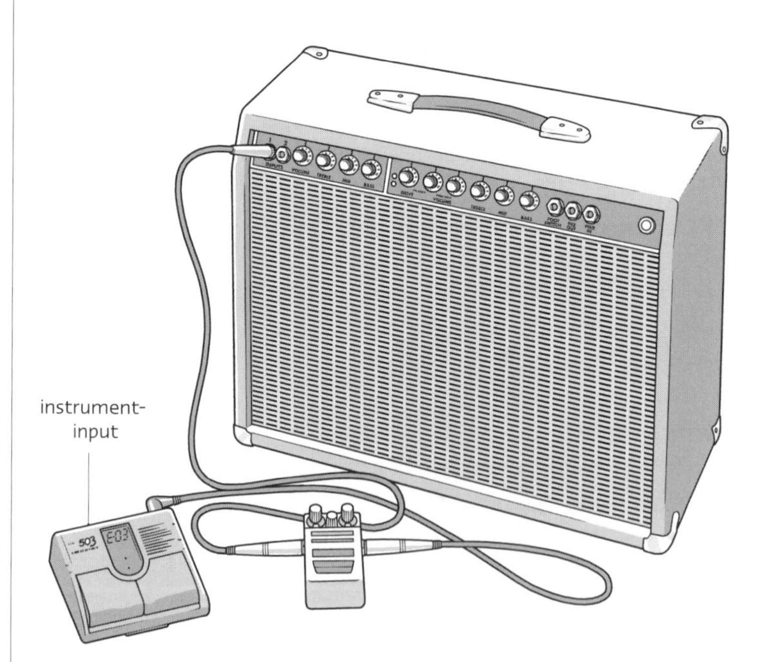

Een versterker, een programmeerbare effectprocessor en een effectpedaaltje

Galm

Als gitarist kun je nauwelijks zonder een beetje galm (*reverb*) in je geluid. Dit effect maakt de klank groter en ruimtelijker. Veel gitaarversterkers hebben een ingebouwde reverb.

Vervorming

Zoals je hierboven las, kun je een vervormde gitaarsound met je versterker maken, maar er zijn ook talloze losse *distortionpedaaltjes* te koop. Het verschil? Net als elke versterker en elke gitaar heeft ook elke distortion zijn eigen klank. Dat zie je al aan de namen die fabrikanten aan hun distortioneffecten meegeven, van Metal, Smokin' en Grunge tot Grilled Cheese.

Andere effecten

Een paar andere populaire effecten zijn bijvoorbeeld:

- **chorus**: maakt je geluid wat breder en laat het een beetje zweven.
- **flanger**: lijkt op een chorus en geeft een metalig randje aan je geluid.
- **delay**: herhaalt wat je speelt, heel snel of langzamer, als een soort echo.
- **wah-wah**: klinkt precies zoals het heet.

Tipcode EGTR-005
Deze Tipcode laat een aantal populaire gitaareffecten horen, zoals een wah-wah, een chorus en een delay met verschillende instellingen.

Effectpedalen

Losse effectpedaaltjes hebben meestal een voetschakelaar om het effect aan of uit te zetten, en drie of meer draaiknoppen. Op een delaypedaal, bijvoorbeeld, kun je met die knoppen het volume van het effect regelen (hoeveel delay je hoort), hoe vaak de noten herhaald worden, en de delaytijd (hoe lang het duurt voor je de 'echo' hoort). Die tijd is dan in te stellen van duizendsten van een seconde (maakt je klank 'dikker') tot een seconde of meer, zodat je over jezelf heen kunt spelen.

Multi-effecten

Een *multi-effect* of multi-effectprocessor is een kastje met een hele rij effecten waarvan je er steeds een of meer kunt gebruiken. Met een programmeerfunctie kun je thuis allerlei verschillende instellingen maken (*presets*), die je dan op het podium met één druk op de knop kunt oproepen. Vaak hebben effectprocessors een ingebouwde metronoom en een stemapparaatje aan boord. Met een hoofdtelefoonuitgang kun je er ook diep in de nacht nog mee spelen en experimenteren.

Combineren

Pedaaltjes en multi-effecten zijn tegelijk te gebruiken. Op bladzijde 20 zie je zo'n combinatie. Je steekt je gitaar in het multi-effect. Daar wordt er bijvoorbeeld galm of chorus aan toegevoegd. Dan gaat het via het korte kabeltje naar het effectpedaaltje voor een extra effect, en daarvandaan naar de ingang op de versterker.

3

Leren spelen

Op weinig instrumenten leer je zo makkelijk spelen als op een bas of een gitaar. Met een klein beetje aanleg en een paar uur per week oefenen kun je in een maand of twee al je eerste nummers spelen. Wil je het echt goed leren, dan kost dat je met een gitaar of een bas net zoveel tijd als met elk ander instrument: je kunt er je leven lang mee bezig zijn.

Veel beroemde nummers, van de blues en de Beatles tot Metallica en Madonna, bestaan uit maar drie of vier verschillende akkoorden. Als je die akkoorden uit je hoofd leert en een paar weken oefent, kun je zo'n nummer al spelen.

Diagrammen

Wil je akkoorden leren spelen, dan kom je al een heel eind met een serie *akkoorddiagrammen*. Zoals je hieronder kunt zien, geeft een akkoorddiagram aan welke snaren je in welke vakjes moet zetten om een bepaald akkoord te spelen. Zet je vingers waar ze horen,

Zet je wijsvinger (1) op snaar 3 in het eerste vakje, je middelvinger (2) op snaar 5 in het tweede vakje en je ringvinger (3) op snaar 4 in het tweede vakje. Dan heb je een E-majeur-akkoord.

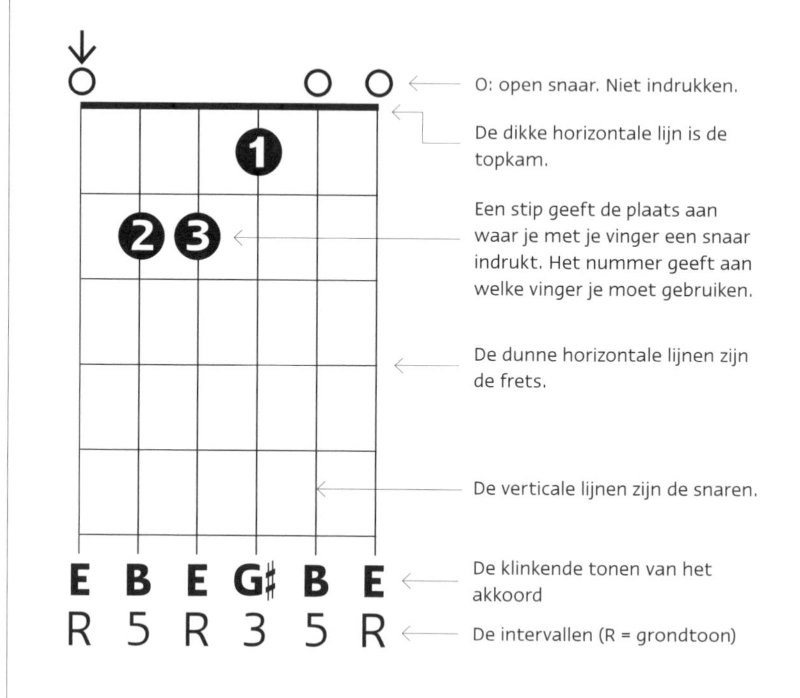

Makkelijk?

Sommige akkoorden zijn heel makkelijk te spelen: je zet je vingers heel eenvoudig in de juiste vakjes op de toets. Andere akkoorden kosten duidelijk meer moeite. Je hoort dan niet alle snaren klinken, of sommige snaren ratelen een beetje – maar dat is een kwestie van blijven oefenen.

sla de snaren aan, en daar klinkt je eerste akkoord. Op bladzijde 204-239 vind je tientallen akkoorddiagrammen.

Songboeken

Er zijn talloze songboeken met hits van bekende bands, zangers en zangeressen. Daarin vind je behalve de tekst en het traditionele notenschrift ook de namen of symbolen van de akkoorden. Met die akkoordsymbolen en de akkoorddiagrammen uit dit boek kun je jezelf talloze nummers leren spelen.

Een bluesje

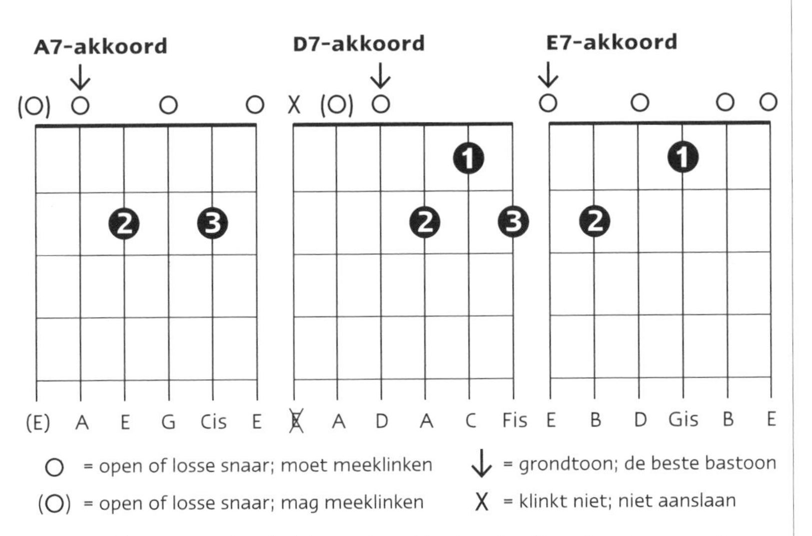

Om een bluesje te spelen, heb je aan deze drie simpele akkoorden al genoeg. Een blues bestaat uit twaalf maten van elk vier tellen. Speel 1x (een maat) A7, 1xD7, 2xA7, 2xD7, 2xA7, 1xE7, 1xD7, 1xA7 en 1xE7. Dat herhaal je tot je er genoeg van hebt. De laatste keer dat je die twaalf maten speelt, eindig je het nummer door ook de laatste maat A7 te spelen, in plaats van E7.

Tipcode AGIT-003

In Tipcode Agit-003 wordt bovenstaande blues gespeeld. De drie akkoorden die je daarbij gebruikt zie je zowel op de hals van de gitaar als in de akkoorddiagrammen daaronder.

Digitaal

Je kunt gitaarakkoorden ook vinden in kleine, digitale apparaatjes in creditcard- of luciferdoosformaat. Met een paar knopjes kun je duizenden verschillende akkoorddiagrammen op het display laten verschijnen. Extraatjes zijn bijvoorbeeld een aanraakscherm, een ingebouwd stemapparaat, of de mogelijkheid om alle akkoorden ook in linkshandige versies te tonen.

Tablatuur: solo's en baslijnen

Niet alleen akkoorden, maar ook gitaarsolo's en baslijnen zijn zonder noten op papier te zetten. Dat gaat met het *tablatuursysteem*. Tablatuur of tabs laten je per noot zien met welke vinger je welke snaar in welke positie moet indrukken. Hieronder staat een voorbeeld. Tablatuur wordt in veel songboeken gebruikt, en er zijn ook oefenboeken in tablatuur.

De 'tablatuurbalk' (zes lijntjes) is eigenlijk een horizontale gitaarhals.

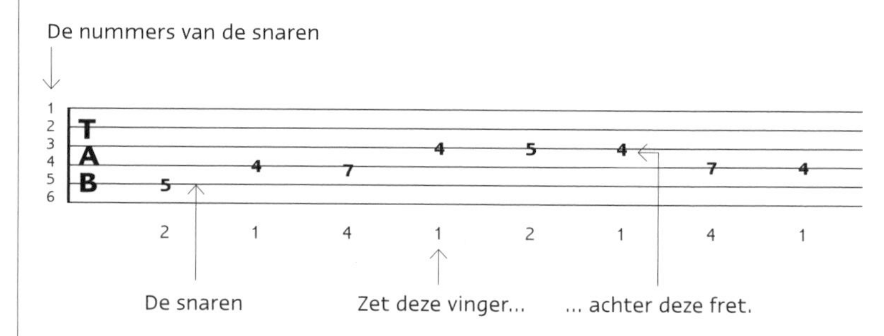

Niet ritmisch

Het nadeel van tabs is dat ze niet precies aangeven wat je ritmisch moet spelen (wanneer je een noot speelt, of hoe lang hij duurt). Daarom staan er vaak 'gewone noten' bij. Als je het nummer al kent, heb je die meestal niet nodig.

Gewone noten

Met akkoorddiagrammen en tablatuur kun je dus een heel eind komen. Toch is het geen slecht idee om ook het gewone, traditionele notenschrift te leren lezen. Waarom?

- Omdat je daarmee toegang krijgt tot nog **veel meer muziek** op papier, in boeken en tijdschriften en op internet.

- Omdat het notenschrift en de kennis die daarbij hoort je **meer inzicht** geven in hoe akkoorden en nummers zijn opgebouwd.
- Omdat het je makkelijker maakt **je eigen nummers**, oefeningen en ideeën op papier te zetten – ook voor andere muzikanten.
- Omdat je ook muziek kunt lezen die voor **pianisten, blazers** of andere muzikanten geschreven werd.
- Omdat je er **meer muzikant** van wordt, in plaats van 'alleen maar' bassist of gitarist.
- Omdat je in veel meer bandjes en groepen terechtkunt, en er dus **meer werk** voor je is – ook als amateur.
- En omdat het lang **niet zo moeilijk** is als vaak gedacht wordt. In *Tipboek Muziek op papier* (zie bladzijde 245) leer je de basis in een handvol hoofdstukken, en verder is het een kwestie van vaak doen.

LESSEN

Ook zonder lessen kun je een heel eind komen, en er zijn duizenden gitaristen en bassisten die dat bewezen hebben. Toch is leren spelen met een leraar een stuk makkelijker, al was het alleen maar omdat je dan niet alles zelf hoeft uit te vinden.

Meer dan alleen spelen

Een goede leraar leert je niet alleen akkoorden, solo's of baspartijen spelen, maar besteedt ook aandacht aan een goede techniek, klank, houding, oefentips, stemmen, noten lezen, het gebruik van effecten, versterkers en andere apparatuur, en nog veel meer.

Waar lessen?

Op vrijwel elke muziekschool vind je een of meer gitaar- en basleraren. Er zijn ook privéleraren. Wat is beter? Moeilijke vraag. Stedelijke of gemeentelijk muziekscholen zijn soms goedkoper, omdat ze subsidies krijgen. Ook worden er tegenwoordig vaak groepslessen gegeven. Dan heb je dus met twee of meer mensen tegelijk les. Bij een privéleraar kun je meestal makkelijker kiezen hoe vaak en hoe lang je les hebt. Een voordeel van een muziekschool is dan weer dat de meeste scholen bands, ensembles of eigen orkesten hebben, waar je als leerling in mee kunt doen.

Particuliere muziekscholen

Naast gemeentelijke of stedelijke muziekscholen zijn er ook ongesubsidieerde particuliere muziekscholen. Meer informatie over deze en andere organisaties en lesvormen is te vinden in *Tipboek Muziek voor kinderen* (zie bladzijde 248), waarin je ook leest over alle mogelijke andere kanten van het muziek leren maken.

Wat kost het?

De prijzen voor lessen bij gesubsidieerde muziekscholen zijn heel verschillend, van een paar honderd tot duizend euro of meer per jaar. Wat je betaalt, hangt bijvoorbeeld af van je leeftijd, van je inkomen of dat van je ouders, of van het soort lessen: individueel of in een groep. Veel gesubsidieerde muziekscholen hebben ook eigen kortingsregelingen, bijvoorbeeld voor leden van muziekverenigingen. Privéleraren kosten meestal zo tussen de vijfentwintig en vijfendertig euro per uur.

Examens

Bij sommige muziekscholen ben je verplicht aan muziekexamens mee te doen. Andere scholen bieden ze wel aan, maar vrijwillig. Meer informatie over dit onderwerp is te vinden in **Tipboek Muziek voor kinderen.**

België

De Belgische muziekacademies worden aanzienlijk zwaarder gesubsidieerd dan de Nederlandse muziekscholen. Naast deze academies zijn er ook particuliere opleidingen en muziekopleidingen met gemeentelijke subsidies.

Vragen, vragen

Als je naar een muziekschool of een leraar toe stapt, vraag dan niet alleen wat het kost. Een paar tips:

- Kun je een **introductieles** krijgen? In zo'n les kom je erachter of het klikt tussen jou en de leraar – en de gitaar.
- Kun je hier les krijgen als je alleen **maar voor de lol** wat wilt spelen, of moet je elke dag twee uur studeren?
- Zijn er **gitaar- en bas-dvd's** te leen?
- Moet je een hele **stapel boeken** aanschaffen of is het lesmateriaal inbegrepen?
- Kun je je **lessen opnemen**, zodat je thuis alles nog eens kunt beluisteren?
- Is deze leraar goed thuis in **de soort muziek** die je wilt spelen?

Akoestische lessen
Veel elektrische gitaristen en bassisten zijn ooit op akoestische gitaar begonnen. Omdat je er vaak meer voor moet doen om uit zo'n akoestisch instrument een mooie toon te halen, is dat een prima basis – maar je kunt natuurlijk ook meteen elektrisch leren spelen.

OEFENEN

Je kunt gitaar spelen zonder noten te lezen en zonder leraar lukt het ook. Zonder oefenen gaat het nooit.

Hoe lang?
Hoe lang je per dag moet oefenen, hangt af van wat je wilt bereiken en van hoeveel talent je hebt. Veel topmuzikanten hebben een paar jaar lang vier tot acht uur per dag geoefend. Of langer... Als idee: met een half uur per dag schiet je al aardig op. Lijkt een half uur erg lang? Probeer dan 's twee keer een kwartier. Het is vooral belangrijk dat je elke dag speelt, als je echt vooruit wilt gaan.

Wat
In plaats van te kijken hoe lang je moet oefenen, kun je jezelf ook een bepaalde opdracht geven. Je wilt bijvoorbeeld de eerste acht

maten van een nummer onder de knie krijgen, of een bepaalde oefening, een basloopje of een solo tien keer achter elkaar foutloos kunnen spelen. Als je zo gaat oefenen, ben je vooral met de muziek bezig en niet met de klok. Vaak speel je dan langer – en dat is alleen maar goed!

Stilte

Een van de grootste voordelen van een (bas)gitaar is dat je in alle stilte kunt oefenen. Om te beginnen kun je gewoon onversterkt spelen. Dat is een prima oefening. Vaak is het toch leuker om meer te horen dan alleen de dunne klank van je onversterkte snaren. Gebruik dan een hoofdtelefoon. Veel (bas)gitaarversterkers en multi-effecten hebben een hoofdtelefoonuitgang, en er zijn speciale kleine en goedkope hoofdtelefoonversterkertjes te koop (zie bladzijde 19). Belangrijke tip: wees voorzichtig met de volumeknop. Met een hoofdtelefoon speel je al snel harder dan je denkt, en aan gehoorschade is meestal niets te doen.

Lawaai

Ook oefenen of spelen met een band geeft kans op gehoorbeschadiging, zelfs als je maar een uur per week speelt. Er zijn steeds meer muzikanten die daarom oordopjes of andere gehoorbeschermers gebruiken.

Goedkoop of duur

Met de allergoedkoopste oordopjes, voor een euro of wat te koop bij drogisterijen, doe-het-zelfwinkels en muziekwinkels, klinkt alles of je door een dichte deur heen luistert. Dat is dus niet echt prettig. De allerduurste gehoorbeschermers worden op maat gemaakt. Instelbare of verwisselbare filters zorgen ervoor dat alles klinkt zoals het moet klinken, alleen veel zachter. Zulke beschermers kosten makkelijk honderd euro per stel. Veel geld, maar een stuk goedkoper dan een gehoorapparaat.

Welke?

Tussen die twee heel goedkope en dure uitersten zijn er nog allerlei andere gehoorbeschermers. Er een stel uitproberen werkt vaak het best. Dat kost wel wat, maar een gehoorapparaat is duurder. Vraag ook andere muzikanten naar hun ervaringen met bepaalde gehoorbeschermers.

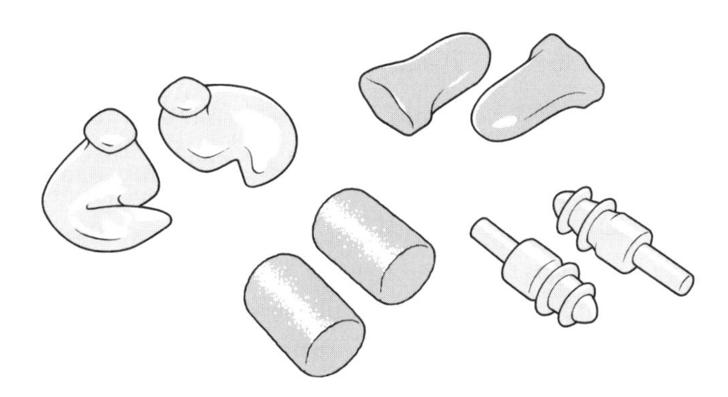

Verschillende gehoorbeschermers

In-ear monitors

Ook op het podium zie je steeds vaker muzikanten met oordopjes. Dat zijn dan meestal *in-ear monitors*, ofwel oordopjes met ingebouwde luidsprekers. Zo kun je zelf bepalen hoe hard je de rest van de band en je eigen spel in je oren krijgt– en als het goed is, is dat veel minder hard dan het volume dat je normaal op het podium hoort.

Boeken, dvd's, cd's, internet

Uitgeoefend, geen ideeën meer, op zoek naar inspiratie? In elke muziekwinkel vind je rijen boeken met oefeningen, solo's en ander materiaal om mee aan de slag te gaan – op elk niveau. En dat is niet alles.

- Bij sommige boeken zit een **cd of dvd** waarop alle oefeningen voorgespeeld zijn, of met opnames van de hele band minus de gitarist of de bassist, zodat je kunt meespelen.
- Les-dvd's worden meestal gemaakt door **bekende muzikanten**, die je stap voor stap laten zien hoe ze het doen. Die videolessen duren meestal tussen de dertig en negentig minuten. Vaak zit er een boekje met oefeningen bij.

- Er zijn ook **cd-rom**s met gitaar- en bascursussen op verschillende niveaus.
- Op **internet** kun je op allerlei sites terecht voor gratis en betaalde lessen, voor akkoorddiagrammen en baspartijen, en allerlei andere informatie. Op bladzijde 192-193 staat een aantal sites.

Metronoom

Bij de meeste muziekstukken is het de bedoeling dat je aan het eind nog net zo snel speelt als aan het begin. Een metronoom helpt daarbij. Zo'n opwindbaar of elektronisch apparaatje geeft piepjes of tikjes in het tempo dat je zelf hebt ingesteld. Zo hoor je meteen of je sneller of langzamer gaat spelen.

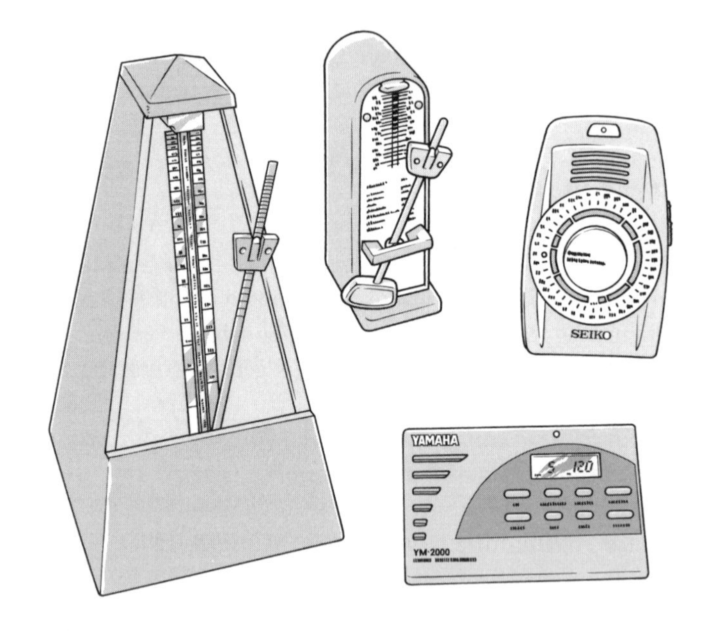

Twee opwindbare en twee elektronische metronomen

Drumcomputer

Een drumcomputer is leuker maar duurder. Er zitten meer klanken in, van bassdrums en snaredrums tot koebellen en bekkens. Ook zijn er vergelijkbare apparaten waar een complete programmeerbare band in zit. Heb je een computer met een geluidskaart, dan is er ook software waarmee je je computer als drumcomputer kunt gebruiken.

Phrasetrainers

Met een *phrasetrainer* kun je een muziekfragment van een cd of een mp3 opnemen en steeds herhalen, zo langzaam als je wilt. Dan zijn ook de allersnelste licks en basloopjes noot voor noot uit te zoeken. Als er een voorversterker aan boord is, kun je je gitaar op het apparaat aansluiten en jezelf via de hoofdtelefoonuitgang horen (mee)spelen. Sommige phrasetrainers bieden extraatjes zoals een stemapparaat, een metronoom of een aantal digitale effecten. *Tip:* er zijn ook programma's waarmee je muziekfragmenten kunt vertragen.

Opnemen

Als je je lessen opneemt, kun je thuis alles nog eens naluisteren. Wat er gezegd werd, en vooral ook hoe het klonk. Je hoort veel beter hoe je klinkt als je niet speelt. Daarom nemen muzikanten zichzelf vaak op als ze aan het oefenen zijn. Daar heb je geen dure apparatuur voor nodig. Het kan zelfs al met een mobiele telefoon of met een mp3-speler met een ingebouwde microfoon.

Beter

Hoe beter de apparatuur is die je gebruikt, hoe beter je natuurlijk kunt horen hoe je klinkt en wat je doet. Zo zijn er bijvoorbeeld al goede, kleine digitale recorders met ingebouwde microfoons voor rond de tweehonderd euro. Die kun je ook gebruiken om repetities of optredens mee vast te leggen.
Voor opnames thuis kun je natuurlijk een computer als recorder gebruiken. Installeer dan liefst wel een goede geluidskaart, waar je meestal opnamesoftware bij krijgt. Dat zijn dan vaak light-versies van bekende programma's, zoals Cubase of Logic. Heb je een

Zonder microfoon

Veel gitaar- en basversterkers hebben een uitgang die je rechtstreeks op een opnameapparaat of je geluidskaart kunt aansluiten. Dan heb je dus geen microfoon nodig en kun je opnemen zonder geluiden van buitenaf mee te pikken en zonder je huisgenoten of je buren te storen.

laptop, dan kun je die met een externe geluidskaart natuurlijk ook buiten de deur gebruiken.

Spelen

En tot slot: bezoek festivals, concerten en sessies. Ga kijken en luisteren naar bandjes en solisten. Een van de beste manieren om te leren spelen is door andere muzikanten aan het werk te zien. Toppers of amateurs: van iedereen steek je wat op. En de allerbeste manier om te leren spelen? Veel spelen!

4

(Bas)gitaar kopen?

Je koopt al een bas of een gitaar voor minder dan honderd euro, maar ze zijn er ook met prijskaartjes van een paar duizend euro – en zelfs meer. Voor versterkers geldt hetzelfde. In dit hoofdstuk lees je alles wat je weten moet voordat je de winkel instapt. Waar je dan in die winkel allemaal mee te maken krijgt, lees je in de hoofdstukken 5, 6 en 8.

Sommige merken verkopen je alles wat je nodig hebt in één pakket: instrument, versterker, snoer, plectrum, stemapparaat, een hoes, een les-dvd... Zulke sets zijn er al voor minder dan tweehonderdvijftig euro. Kijk wel wat je koopt: misschien vind je een andere gitaar of versterker toch mooier of lekkerder klinken dan wat er in die set zit.
Tip: de versterkers in deze *starter packs* of *gig rigs* zijn eigenlijk alleen bedoeld om thuis mee te oefenen. Ze hebben niet voldoende in huis om mee op te treden.

Al voor een paar honderd euro...

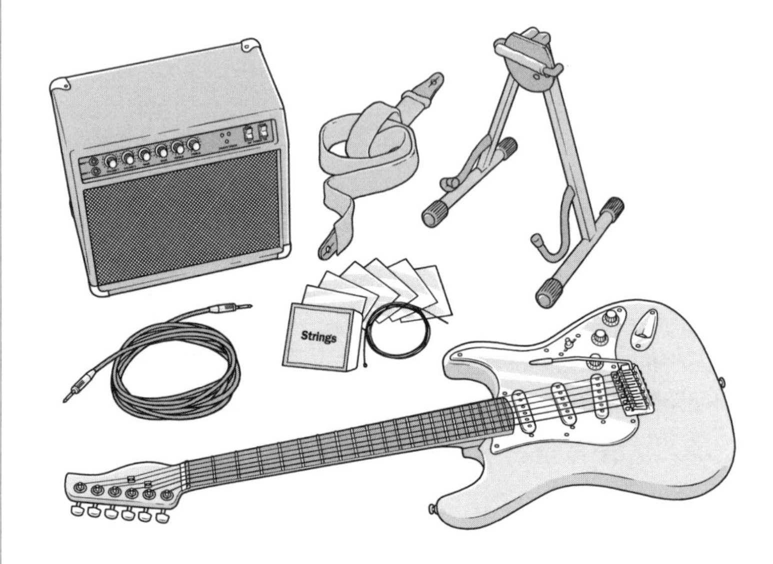

De allergoedkoopste

Leraren zeggen vaak dat je niet het allergoedkoopste instrument moet kopen: voor heel weinig geld kun je niet heel veel verwachten. Toch kun je ook van een goedkope gitaar of bas jarenlang plezier hebben, met een beetje geluk of een goed advies. De kwaliteit van goedkope instrumenten is een tijdlang enorm omhooggegaan. Vaak zien ze er veel duurder uit dan ze zijn, en soms klinken ze ook duurder dan ze zijn.

Drie of meer

Toch is het vaak slim om iets meer uit te geven. Dan mag je ook verwachten dat het instrument goed afgesteld is. Voor minder dan honderd euro kan dat nauwelijks. Reken op zo'n twee- tot driehonderd euro voor een gitaar of bas die goed genoeg klinkt, stemt en speelt om ermee op te kunnen treden. Voor een hollowbody-gitaar van vergelijkbare kwaliteit betaal je eigenlijk altijd iets meer.

Beter, beter, beter

Waar betaal je voor als je nog meer geld uitgeeft? Voor een betere kwaliteit hout, voor mooier hout, voor een nettere afwerking en een betere afstelling, voor betere onderdelen zoals stemmechanieken en elementen, voor vakmanschap, enzovoort. Het resultaat daarvan is een instrument dat beter speelt en klinkt, langer meegaat en een hogere inruilwaarde heeft. Bovendien heb je van een echt goed instrument vaak meer plezier.

Meer kiezen

Hoe meer geld je uitgeeft, des te kleiner wordt ook de kans dat je gewoon niet zo'n goede gitaar koopt. Daarnaast bieden duurdere instrumenten vaak meer keuzemogelijkheden: je kunt bijvoorbeeld meer kleuren kiezen, of voor een gitaar met bepaalde elementen of exotische houtsoorten... Prijzen van gitaren en bassen kunnen oplopen tot zesduizend euro en meer.

Op maat gemaakt

Wil je alles zelf kiezen, dan kun je een instrument op maat laten bouwen. Dat kan al voor minder dan vijftienhonderd euro – maar als je veel meer wilt uitgeven, is dat heel goed mogelijk. Bouwers vind je via je muziekwinkel, op internet of in de muziekbladen (zie bladzijde 190-193).

Afstellen

Hoe goed en hoe duur een instrument ook is, het moet goed afgesteld en gestemd zijn om goed te kunnen klinken en lekker te spelen. Jammer genoeg hangen er in winkels nog altijd instrumenten waar dat niet mee gebeurd is. Om te weten of een instrument niet goed is, of dat het alleen maar niet goed afgesteld is, moet je op z'n minst aardig kunnen spelen. Ben je net begonnen, neem dan liefst iemand mee die al een tijdlang speelt en er wat vanaf weet. Lukt dat niet, ga dan in elk geval naar een winkel waar iemand werkt die zelf ook speelt.

Internet

Je kunt ook via internet instrumenten kopen. Groot nadeel is natuurlijk dat je zo'n instrument niet met andere gitaren of bassen kunt vergelijken, en dat je hem niet kunt uitproberen (zie ook bladzijde 91). Wel kun je je aankoop altijd terugsturen. Vooral op buitenlandse sites vind je vaak heel aantrekkelijke prijzen. Let er wel op dat die prijzen een heel stuk hoger uitvallen als je je invoerrechten, het transport en de BTW erbij optelt. Bovendien is zo'n buitenlandse gitaar heel lastig als er iets mee is.

Versterker en effecten

Naast een gitaar of een bas heb je een versterker nodig. Voor een gitaarversterker met voldoende power en kwaliteiten om in een bandje te gebruiken, moet je toch al snel aan zo'n driehonderd euro denken. Een versterkertje om thuis te oefenen is al voor – veel – minder te koop. Bassisten moeten vaak iets meer uitgeven, ook al omdat een basversterker meer watts nodig heeft om tussen de gitaren hoorbaar te blijven.

Effecten

Veel versterkers hebben tegenwoordig een aantal ingebouwde digitale effecten. Losse effectpedaaltjes zijn er voor minder dan vijftig euro, en voor iets meer koop je al een multi-effectpedaal.

Meer weten?

Voor meer informatie over versterkers en effecten kun je natuurlijk terecht in *Tipboek Versterkers en effecten* (zie bladzijde 249).

TWEEDEHANDS

Er zijn volop tweedehands instrumenten en versterkers. Koop je bij iemand thuis, bijvoorbeeld op een advertentie uit de krant, dan kun je goedkoper uit zijn dan in de winkel. Tenslotte moet die winkelier ook wat verdienen. Het voordeel van tweedehands bij een winkel kopen is natuurlijk dat je terug kunt gaan als er iets stukgaat of omdat je vragen hebt. Die gitarist om de hoek hoeft je geen garantie te geven: een winkel doet dat meestal wel. En een winkelier zal je nooit het driedubbele vragen van wat een instrument waard is. Een particuliere verkoper kan dat wel doen. Omdat hij niet beter weet, of omdat hij denkt dat jij niet beter weet.

Merknaam
Instrumenten met een bekende merknaam kosten tweedehands vaak meer dan even goede 'onbekende' instrumenten. Daar kun je ook al rekening mee houden als je een nieuwe koopt, natuurlijk.

Vintage

Veel (bas)gitaristen spelen graag op oude, klassieke (vintage) instrumenten, liefst uit de jaren zestig of daarvoor. Omdat ze beter zouden klinken of beter gemaakt zouden zijn, om hun geschiedenis, of omdat ze zo zeldzaam zijn. Zulke instrumenten kosten vaak meer dan nieuwe van dezelfde kwaliteit. Tip: vintage instrumenten zijn zo populair dat verschillende fabrikanten ze nabouwen, compleet met krassen en roest (zie bladzijde 43-44)!

DE WINKEL

Een gitaar of een bas kiezen is vooral een kwestie van vergelijken, zeker als je je eerste instrument voorbij bent en iets beters zoekt. Dat betekent dat een winkel voldoende instrumenten in jouw prijsklasse in huis moet hebben. Of je liever naar een grote of juist naar een kleine winkel gaat, is vooral een kwestie van persoonlijke voorkeur. Zo kun je ook naar een algemene muziekwinkel met een goede gitaarafdeling stappen, of naar een gespecialiseerde zaak waar ze alleen gitaren of alleen bassen verkopen.

Tijd

Wat vooral belangrijk is, is dat je in verschillende winkels je licht opsteekt, dat je de tijd krijgt om instrumenten uit te proberen, en dat je te maken hebt met verkopers die lol in hun werk hebben, kunnen spelen en ook nog de nodige vakkennis hebben.

Service

Kijk ook altijd even hoe het met de service van de zaak zit. Kun je terugkomen als je vragen hebt? Helpen ze je met het opzetten van je snaren, als het de eerste paar keer niet lukt?

MEER WETEN

Op internet is eindeloos veel informatie over gitaren en bassen te vinden. Bezoek bijvoorbeeld de op bladzijde 192-193 genoemde websites, maar ook de sites van de fabrikanten van de merken waar je in geïnteresseerd bent. De folders van diezelfde fabrikanten zijn vaak ook goede informatiebronnen.

Tijdschriften en boeken

Tests van gitaren en bassen in tijdschriften geven vaak een beter beeld van een instrument dan online-recensies van muzikanten. In diezelfde tijdschriften (bladzijde 190) lees je ook meer over snaren, versterkers en andere producten. Voor wie nog meer wil weten, zijn er natuurlijk ook nog tal van boeken te vinden (bladzijde 191).

Tijd

Tot slot: neem er rustig de tijd voor, als je een nieuwe bas of gitaar gaat kopen. Je zult er meestal jaren op gaan spelen. En aan de andere kant: vaak koop je uiteindelijk, ook na lang zoeken, toch het instrument waarvan je bij de eerste paar tonen al wist dat dat 'm was...

5

Een goed instrument

Gitaren en bassen zijn er in talloze verschillende modellen, met verschillende houtsoorten, kleuren, afmetingen, elementen, halzen, frets, topkammetjes, bruggen, mechanieken, enzovoort. In dit hoofdstuk lees je over de invloed die al die dingen hebben op de klank, het speelgemak en de andere eigenschappen van een instrument.

Hoe een bas of een gitaar klinkt, hangt voor een deel af van de snaren, de plectrums en de kabels die je gebruikt. Die belangrijke onderdelen komen in hoofdstuk 6 en 7 aan bod. Versterkers en effecten zijn minstens net zo belangrijk, en daar lees je alles over in *Tipboek Versterkers en effecten* (zie bladzijde 249).

Dit hoofdstuk

Dit hoofdstuk begint met alles wat met de body te maken heeft. Daarna lees je onder meer over de hals en de toets (bladzijde 50), de mensuur (snaarlengte, bladzijde 59), de frets (60), de stemmechanieken (63), de brug (66), tremolosystemen (69), elementen (75), speel- en luistertips (91), en tips voor het kopen van tweedehands instrumenten (93).

Wie er gelijk heeft

Muzikanten zijn het maar zelden met elkaar eens, als het over instrumenten en klank gaat. In de komende hoofdstukken lees je niet wie er gelijk heeft of hoe het nu werkelijk zit, maar je leest hoe verschillende muzikanten, bouwers en andere experts over allerlei dingen denken. Wie er voor jou gelijk heeft, daar kom je alleen maar achter door veel te spelen en door veel te luisteren, naar gitaren en bassen en naar de mensen die erop spelen.

DE BODY

Gitaarbody's kunnen afgewerkt zijn met een dekkende lak, een transparante lak, een sunburst-finish in twee of meer kleuren, of met olie of met was, bijvoorbeeld. Bij enkele merken kun je zelfs je eigen design ontwerpen of een foto naar keuze op het instrument laten afdrukken.

Laksoorten

De meeste gitaren en bassen worden met polyurethaanlak afgewerkt: dat is hard en kan tegen een stootje. Organische laksoorten, zoals nitrocellulose- of olielak, worden eigenlijk alleen op duurdere instrumenten gebruikt. Net als bij violen, bijvoorbeeld,

Sunburst-finish

dragen die betere laksoorten in principe ook bij aan een beter geluid.

Slagplaat

Slagplaten zijn er in talloze kleuren en modellen. Heel populair zijn drielaags slagplaten, waarbij je aan de rand de wit-zwart-witte lagen kunt zien. Moderne plastic slagplaten trekken niet krom en zetten niet uit; met de oude celluloid slagplaten gebeurde dat nog wel eens.

Hardware

De hardware is meestal mat of glanzend verchroomd, zwart of verguld. Vaak hebben de elementen of de kapjes op de elementen een bijpassend uiterlijk.

Oud

Sommige oude instrumenten zijn zo populair dat er zelfs gloednieuwe 'oudjes' gemaakt worden, compleet met in de fabriek aangebrachte slijtageplekken en schrammen, verkleurde slagplaten

Relics, replica's en reissues

Kunstmatig verouderde instrumenten worden relics genoemd. Een replica is een exacte kopie van een (vaak ouder) instrument, en een re-issue is een nieuwe uitvoering van een oude (bas)gitaar.

en verroeste hardware, voor veel geld. Ook zijn er nieuwe instrumenten die eruitzien alsof ze jaren op zolder gelegen hebben, met kleine haarscheurtjes in de lak en een vergeelde slagplaat.

HOUT

De goedkoopste gitaren hebben vaak een body van spaanplaat of hout dat uit dunne laagjes is opgebouwd (gelamineerd). Een body van een of meer stukken massief hout geeft een rijkere klank en meer *sustain*: tonen houden langer aan. Zulke body's hebben meestal een aparte, dunne houten bovenlaag, de *top*.

Massieve body met ruimtes voor elementen en regelaars

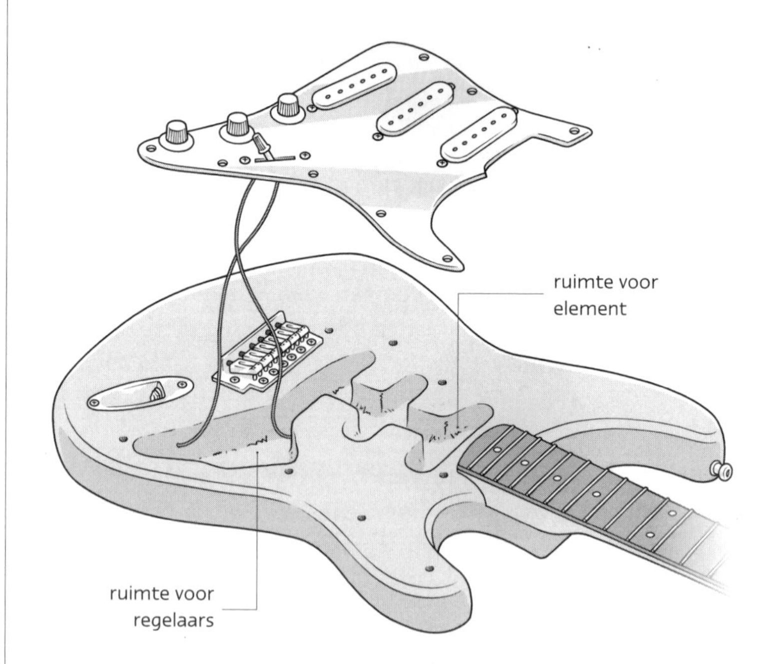

Ander hout, andere klank

De gebruikte houtsoort heeft invloed op de klank van je instrument. Zo geeft zwaarder en 'dichter' hout vaak een helderder toon en meer sustain. Belangrijk om te weten is dat er binnen één houtsoort en zelfs binnen het hout van één boom allerlei variaties mogelijk zijn. Het ene stuk maple kan heel andere klankeigenschappen hebben dan het volgende. Bovendien is de manier waarop het instrument gebouwd wordt zeker zo belangrijk als het hout zelf.

Mahonie of essen

Ook zijn er nogal wat fabrikanten die de houtsoort die ze voor een bepaald instrument gebruiken domweg laten afhangen van wat er op dat moment aangeboden wordt. Dus maken ze een bepaald type de ene keer van mahonie, en de volgende keer van essen – en niemand die het opvalt. De boodschap? Trek je van de gebruikte houtsoort niet zoveel aan, maar luister.

Licht of zwaar

Toch is het aardig om over een paar veelgebruikte soorten hout iets meer te weten.

- **Populier, lindehout** (*basswood*) en els (*alder*) zijn lichte houtsoorten waarvan meestal gezegd wordt dat ze voor een warmere, vollere, vettere sound zorgen.
- **Esdoorn** (*maple*) is zwaarder, en dat zou de klank dus iets helderder kunnen maken.
- Over **mahonie** wordt vaak gezegd dat het een warme klank geeft – maar er zijn maple gitaren die warmer klinken, al was het alleen maar omdat er talloze soorten mahonie bestaan.

Triple A

Vaak lees je over gitaren of bassen met een AAA-top. Die triple A geeft aan dat het om hout met een bijzonder mooie tekening gaat: de vlammen in flamed maple, bijvoorbeeld. Jammer genoeg mag elke gitaarbouwer zelf weten hoeveel A's hij zijn hout geeft. Een AA-topje van de ene bouwer kan dus best mooier zijn dan een AAA-top van een ander. Er is ook nóg mooier hout dan triple A. Zo'n heel bijzondere plank wordt vaak met de term masters aangeduid. Voor alle zekerheid: het uiterlijk van het hout zegt niets over de klank van het instrument.

- Ook **essen** (*ash*) is er in veel soorten. Het veelgebruikte *swamp ash* is een lichtere variant.

De top

Maple wordt vaak voor de toplaag van de body gebruikt, omdat het er goed uitziet en vaak prachtige patronen heeft. *Bird's eye maple* bijvoorbeeld, dat eruitziet alsof er duizenden 'ogen' in zitten, en het gevlamde flamed of *figured maple.*

Foto

Goedkopere instrumenten met een transparante lak hebben soms een toplaag van gefotografeerd hout. Plastic, dus. Het verschil is – helaas of gelukkig – nauwelijks te zien. Echt hout heeft wat meer karakter en wat meer diepte, ook in de klank.

Helemaal plastic

Er zijn ook gitaarbody's die helemaal van kunststof gemaakt zijn. Die zijn veel gelijkmatiger van kwaliteit dan houten body's ooit kunnen zijn. Sommige muzikanten houden daarvan; anderen geven de voorkeur aan hout, juist omdat het wat minder gelijkmatig is, en dus wat 'levendiger' oogt en klinkt.

Dikte

De dikte en het model van de body zijn belangrijk voor de klank, het gewicht en het spelcomfort. Een dikkere, zwaardere body zorgt meestal voor extra sustain en een rijkere klank.

Zwaar, zwaar, zwaarder

Een zware gitaar of bas weegt al vlot anderhalf of twee kilo meer dan een lichte. Zo'n verschil wordt na een uurtje spelen goed merkbaar.

Balans

Ook de balans is belangrijk. Een gitaar met een te zware hals of kop gaat al snel zwaarder voelen dan eentje die meer weegt maar een betere balans heeft. Soms is de balans van een instrument te verbeteren door simpelweg een draagbandknop te (laten) verplaatsen. Een tip: als je altijd staat als je speelt, probeer een nieuw instrument dan ook staand uit.

Massief?

Niet elke solidbody of *plank* is zo massief als hij eruitziet. Sommige instrumenten hebben een of meer verborgen klankkamers in de body. Die verlagen het gewicht en maken de klank warmer en opener. De aanduiding voor zulke instrumenten (*chambered body's* of *semi-hollow body's*) wordt ook wel gebruikt voor gitaren en bassen waarbij je die klankkamers wél ziet zitten.

Lekker

Bij de meeste moderne instrumenten is de body zo gemaakt dat hij prettiger tegen je eigen body aan ligt dan oudere, niet-afgeronde *slab body's*. Dat is vooral ter hoogte van je ribben goed te voelen.

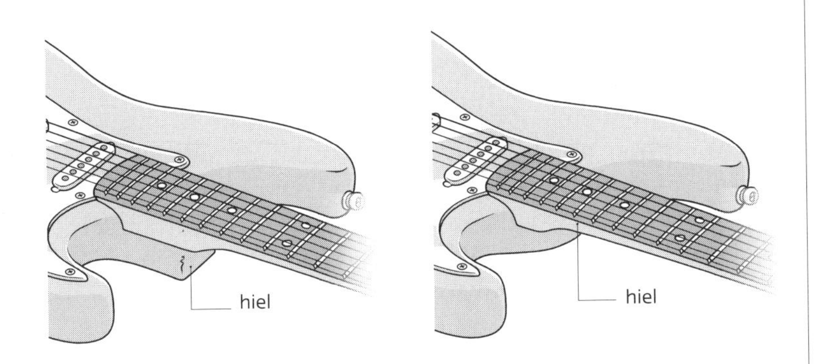

Met een afgeplatte hiel (rechts) kun je makkelijker bij de hoogste frets.

De hiel

Hoe makkelijk je bij de hoogste frets kunt, ligt niet alleen aan de diepte van de cutaway maar ook aan het model van de *hiel*. De hiel is het punt waar de hals in de body overgaat. Een dikke hiel zit eerder in de weg, maar draagt aan de andere kant ook bij aan een stevige, volle klank – net als een zwaardere body of een dikkere hals.

HOLLOWBODY'S

Hollowbody-gitaren en -bassen zijn er met diepe en ondiepe klankkasten, met één of twee cutaways, met of zonder balk in de klankkast, en in verschillende houtsoorten.

Jazz

De meeste jazzgitaristen spelen met een *big box* of *jazz box*. Een dikke klankkast dus, van rond de tien centimeter diep. Bij de heupen meten jazzgitaren vaak zo'n 43 cm (17").

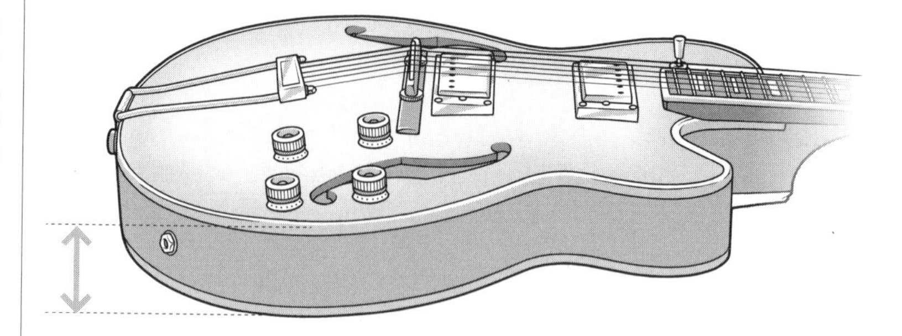

Een jazzgitaar: dikke body, brede heupen

Ondiep met blok

Hoe dieper de klankkast is, des te gevoeliger is het instrument voor rondzingen ofwel *feedback*. Dat is die doordringende, hard zingende toon die je ook hoort als iemand een microfoon op een luidspreker richt. Omdat fusion- en bluesgitaristen vaak harder spelen en dus eerder last van rondzingen hebben dan jazzgitaristen, gebruiken ze meestal minder diepe instrumenten. Om rondzingen verder tegen te gaan, hebben zulke gitaren vaak ook een dikke houten balk in de body. Ze worden dan bijvoorbeeld *semi-solid* of *semi-hollow* genoemd.

Sustain

De balk in een hollowbody zorgt ook voor extra sustain. Door de extra massa blijven de tonen langer doorklinken; vandaar de naam *sustainbalk*. Als de balk het bovenblad niet raakt, kan die top vrijer trillen. Dat verbetert de akoestische eigenschappen van het instrument.

Namen, namen, namen

Er zijn gitaristen die alleen gitaren zonder balk archtops noemen. Alle gitaren met balk heten dan (semi-)hollowbody's – terwijl ze toch ook een gewelfd bovenblad hebben.

De top

Het bovenblad is een van de belangrijkste onderdelen van een hollowbody. Bij dure instrumenten is het bovenblad met beitels in model gestoken, net als bij een viool. Goedkopere bovenbladen worden in model geperst.

Hout

De gebruikte houtsoort speelt mee in de klank van het instrument. Massief sparrenhout zorgt in principe voor een warme, diepe klank; een massief maple bovenblad zou het geluid wat helderder maken.

Laagjes

Goedkopere instrumenten hebben een bovenblad dat uit dunne laagjes is opgebouwd (*laminated top*). Dat geeft een iets vlak-

Elektro-akoestische gitaren met een Florentijnse (boven) en een Venetiaanse cutaway

ker, minder dynamisch geluid dan een massieve top (*solid wood*), waarmee het instrument ook sneller op je spel reageert.

Hoorn

Het uitstekende deel van de cutaway (de hoorn) kan eindigen in een scherpe punt of in een ronde bocht. Het eerste model heet Florentijns, het tweede Venetiaans, net als bij akoestische gitaren.

HALS EN TOETS

De hals en de toets zijn belangrijk voor hoe een instrument speelt en klinkt. Net als bij de body dragen zwaardere houtsoorten bij aan een helderder, rijker, steviger geluid en meer sustain. Hetzelfde gebeurt natuurlijk als er meer hout gebruikt is, bijvoorbeeld bij een heel dikke hals.

Dun of dik

Liefhebbers van supersnelle loopjes en muzikanten met kleine handen spelen meestal liefst op dunne halzen. Dikkere halzen voelen en spelen duidelijk anders. Een hals met afgeronde zijkanten (*beveled edges*) geeft het instrument een 'ingespeeld' gevoel.

V, D, C, U

Het model van de achterkant van de hals wordt vaak aangegeven met een letter. Jammer genoeg bedoelt niet iedereen die het over C- of D-halzen heeft daar steeds hetzelfde model hals mee. Die letternamen zijn dus minder duidelijk dan ze soms lijken. Hoe een U-hals eruitziet is al een stuk duidelijker, en V-halzen hebben een voelbare 'richel' in het midden.

Asymmetrisch

Asymmetrische halzen zijn zeldzaam, maar bij sommige vijf- en zessnarige bassen is de hals iets dikker onder de lage B-snaar.

Breedte

De breedte van de hals wordt meestal bij de topkam gemeten. Bij gitaren varieert de halsbreedte daar zo tussen de 40 en de 45 mm. Bij een bredere hals liggen de snaren iets verder uit elkaar. Dat maakt akkoorden spelen makkelijker. Voor snelle solo's hebben de meeste gitaristen liever een smallere hals.

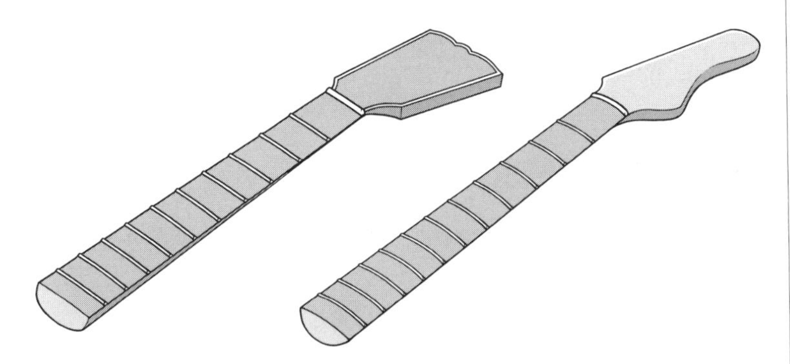

Verschillende halsdiktes en profielen, verschillende toetsen

Bas

Ook bij bassisten hangt de voorkeur voor smalle en brede halzen vooral van de manier van spelen af. *Slappen* gaat het makkelijkst als de snaren wat verder uit elkaar liggen, bijvoorbeeld, maar met je vingers (*fingerstyle*) spelen is dan juist wat lastiger. Even tussendoor: bij bassen staan de snaren bij de brug meestal tussen de 16 en 19 mm uit elkaar, en bij sommige bassen is dat af te stellen.

Meer snaren

Meersnarige instrumenten (gitaren met zeven of meer snaren, bassen met vijf of meer snaren) hebben meestal een bredere hals. De extra snaren geven je een groter bereik, in de hoogte, de laagte, of allebei. Het extra hout van de hals zou de klank iets ronder maken, met meer nadruk op het middengebied. Natuurlijk moet je aan zo'n instrument wel even wennen, zowel door de hals als door

Meer snaren, meer geld

Veel bassen zijn te koop in vier-, vijf- en zessnarige uitvoeringen. In de lagere en middenprijsklasse betaal je per extra snaar ook extra geld. Denk bijvoorbeeld aan zo'n honderd euro per snaar. Zeven- en nog meersnarige bassen zijn zeldzaam, maar ze bestaan wel.

de extra snaren. Ook zijn allerlei speltechnieken op een 'gewone' gitaar of bas een stuk makkelijker.

Brede halzen: een zevensnarige bas (Groove Tools)

Radius of camber

De toets is onder de middelste snaren iets hoger dan onder de buitenste. Die bolling wordt de *radius* of de *camber* van de toets genoemd.

Meer inches is vlakker

De radius wordt uitgedrukt in inches ("). Hoe hoger het getal, des te vlakker is de toets. Bij gitaren en bassen varieert de radius meestal tussen een behoorlijk bolle 7,25" en een vlakke 15".

Van – tot

De meeste moderne gitaren hebben een radius van ongeveer 9,5" (Fender, bijvoorbeeld) tot 14" (rockgitaren). Andere merken bewegen zich tussen die uitersten, zoals PRS (10") en Gibson (12").

Welke?

Welke radius voor jou het prettigst is, hangt af van je manier van spelen, maar ook gewoon van wat je prettig vindt. Veel gitaristen kiezen voor akkoordenspel liefst een gitaar met een bolle toets. Een vlakke toets verkleint de kans dat ver opgedrukte snaren in de hoge posities door andere frets gesmoord worden. In het algemeen kun je met een radius van 9,5" tot 11" of 12" goed uit de voeten, wat en hoe je ook speelt.

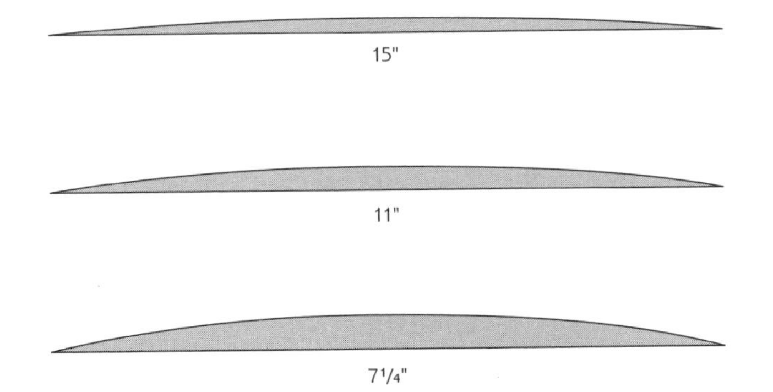

De radius vertelt hoe bol of vlak de toets is (werkelijke afmetingen).

Compound radius

Een toets met een *compound radius* heeft een verlopende radius. Die begint bijvoorbeeld met een bolle 10" bij de topkam (voor comfortabel akkoordenwerk). Richting de body verloopt de radius naar een veel vlakkere 14" of 16", zodat je snaren niet aanlopen als je ze in die hoge posities opdrukt.

Hout

Halzen worden meestal van maple of mahonie gemaakt. Maple zou dan voor een helderder, transparanter geluid zorgen, en mahonie voor meer warmte en meer 'mid'. Als leek is de kwaliteit van een hals niet echt goed te beoordelen. Kijk wel of de houtnerf gelijkmatig en recht is. Halzen kunnen gemaakt worden van een enkel stuk hout, of opgebouwd zijn uit losse stukken, soms zelfs van meerdere houtsoorten.

Toets

Toetsen zijn meestal van palissander (*rosewood*) of maple. Het donkerbruine palissander, de keuze van veel rockgitaristen, geeft een warme klank met nadruk op het middengebied. Maple zou juist voor een puntiger, helderder of feller geluid zorgen. Ebben is een bijna zwarte, harde houtsoort die je vooral op dure bassen wel tegenkomt. Datzelfde hout wordt gebruikt voor de toetsen van violen, cello's en contrabassen.

Kunststof

Sommige merken gebruiken kunststof toetsen, die er heel glad

TIP

Twee experts...

Natuurlijk is het hout van de toets maar een klein onderdeel van het hele instrument, en de klank wordt door het hele instrument gemaakt. Daarom lees je soms ook dat de ene expert zegt dat een houtsoort een heldere klank geeft, terwijl de ander diezelfde houtsoort kiest voor wat extra warmte in z'n geluid.

uitzien en net zo glad aanvoelen. Het harde materiaal (fenol of ebonol, bijvoorbeeld) draagt bij aan een harde, strakke toon. Ook zijn er houten toetsen die met een kunststof behandeld zijn. Dat maakt ze harder en duurzamer dan puur hout, en ze voelen en klinken natuurlijker en warmer dan pure kunststof.

Sterren en strikken

De positiemarkeringen op de toets kunnen simpele ronde stippen zijn, maar je komt ook sterren, strikjes, doodshoofden, dobbelstenen, vlinders en bliksemschichten tegen. Waar ze van gemaakt zijn – echt of nepparelmoer of zeeoor (*abalone*) – is alleen voor het oog belangrijk.

Gelijmd of geschroefd

De hals kan met lijm of met schroeven aan de body bevestigd zijn. Veel muzikanten vinden dat instrumenten met geschroefde (*bolt-on*) halzen strakker, puntiger of feller klinken, en dat gelijmde (*set*

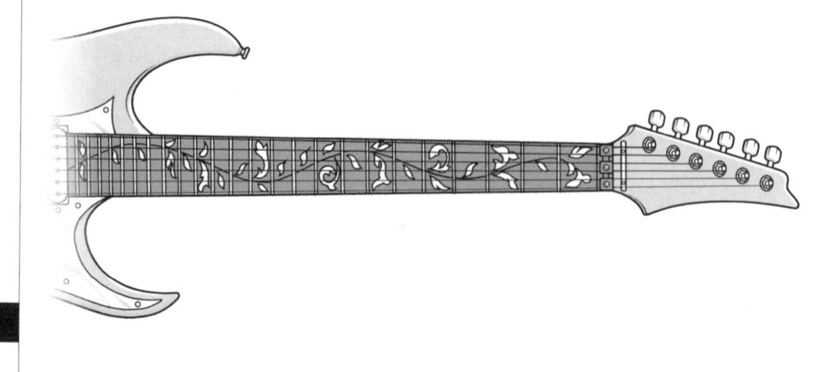

Positie-markering? (Ibanez Steve Vai)

of *set-in*) halzen meer sustain geven. Die klankverschillen zitten 'm natuurlijk niet in de halsbevestiging alleen: gitaren met gelijmde halzen hebben bijvoorbeeld ook vaak een dikkere body en een palissander toets, die samen voor extra sustain kunnen zorgen.

Doorlopende hals

Een doorlopende hals loopt van de kop door tot aan de staart van het instrument. Je ziet zulke *neck-through body's*, *full-length necks* of *through necks* vaker bij bassen dan op gitaren. Ze zouden het instrument onder andere wat meer sustain geven.

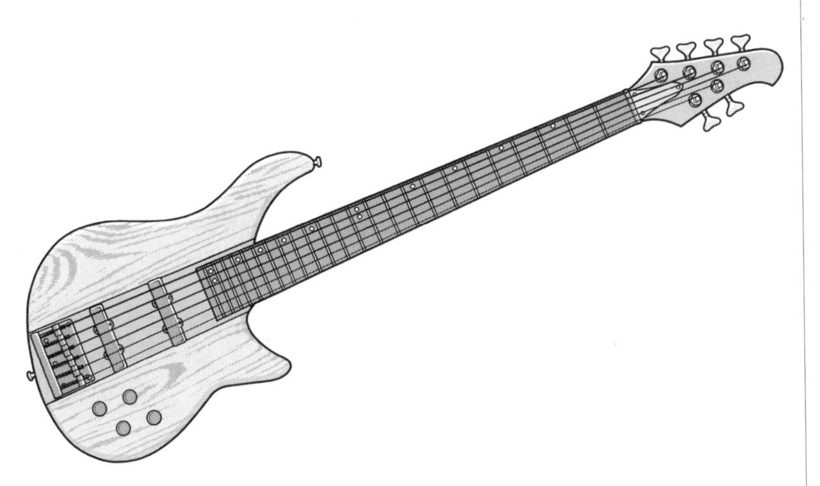

Zessnarige bas met doorlopende hals

Strip

De toets is niet altijd een los, op de hals gelijmd plankje. Er zijn bijvoorbeeld ook veel gitaren met een maple toets en hals uit één stuk. Daarbij zie je aan de achterkant van de hals een donkere strip hout. Daarmee wordt de gleuf voor de halspen afgedekt. Bij gitaren met een losse toets wordt die gleuf door de toets bedekt.

Van opzij

De moer waarmee je de halspen afstelt, zit meestal bij de kop (onder een klein plaatje) of bij de body. Is dat laatste het geval, dan moet je vaak de slagplaat verwijderen om de halspen te kunnen verstellen. Er zijn ook instrumenten waarbij de halspen vanaf de zijkant van de hals te verstellen is – maar zelfs dan kun je dat het best aan een vakman overlaten.

Bol en hol

Met de halspen stel je de hals af op de spanning van de snaren; je snaren mogen de hals niet hol trekken. Toch zijn er ook *dual action* of *two-way* halspennen waarmee je een te vlakke hals juist wat holler kunt maken. De enige andere manier om dat te bereiken is dikkere snaren monteren (die trekken harder aan de hals), maar dat moet je maar net willen.

Koolstofvezel

Behalve een verstelbare pen zit er soms nog een extra verstevigi ng in de hals, meestal van koolstofvezel (grafiet). Bij andere ontwerpen is de houten hals rond een koolstofvezelkern gebouwd, en er zijn ook halzen die helemaal van koolstofvezel gemaakt zijn.

Niet naar links, niet naar rechts

Soms voelt een nieuwe hals nog wat stroef. Dik kans dat dat beter wordt als je er een tijd op speelt. Kijk altijd even of de hals recht is: hij mag niet naar links of rechts wijzen en hij mag niet getordeerd (om z'n lengteas verdraaid) zijn.

Zo kijk je of de hals recht en niet verwrongen is.

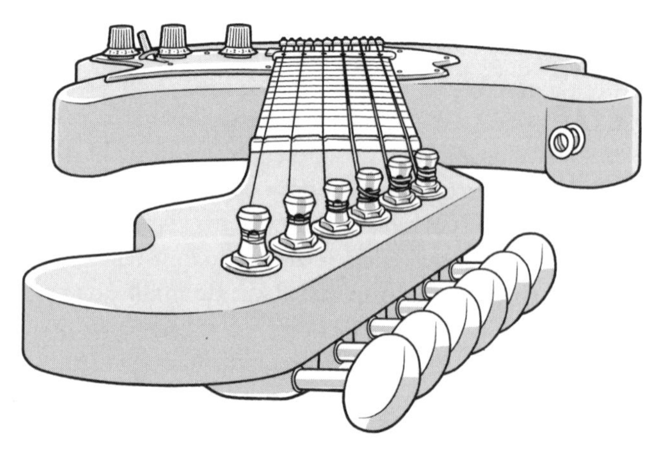

Bij de rand

Kijk of de snaren recht over de hals lopen, en of de buitenste snaren niet bijna van de toets vallen. De tekening hieronder laat een gitaar zien waarbij de lage E-snaar te dicht bij de rand zit, zodat je hem er vooral in de hogere posities steeds afduwt.

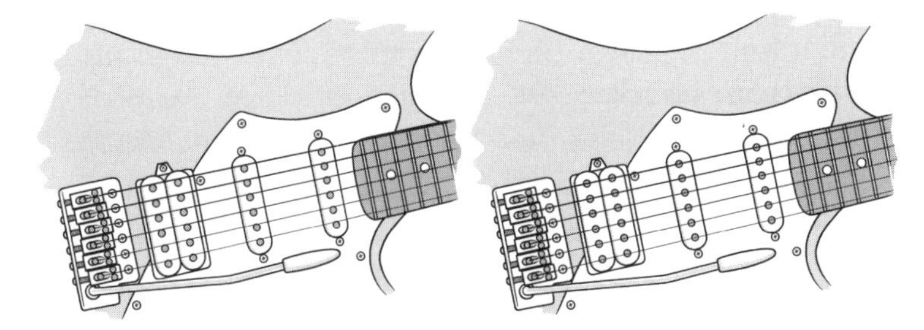

Bij de gitaar links zit de lage E te dicht bij de rand.

Dode plekken

De toets mag geen knoesten en barsten vertonen. Speel elke snaar in alle posities, en luister of je geen *dode plekken* tegenkomt. In zo'n positie klinkt een snaar veel korter of zachter. *Tip:* sommige experts zijn ervan overtuigd dat een goede gitaar of bas altijd dode plekken heeft. Instrumenten zonder dat soort plekken zouden vaak weinig karakter hebben.

DE KOP

Net als bij de hals heeft ook het model – en de grootte – van de kop invloed op hoe een bas of gitaar klinkt. Daarbij is groter niet beter dan kleiner, of andersom. Tenslotte zijn er ook uitstekend klinkende instrumenten zonder kop (zie bladzijde 165-166).

Aan één kant

Bij gitaren met de mechanieken aan één kant van de kop zitten er bij de dunne snaren heel wat centimeters tussen topkam en mechaniek. Daardoor ontstemmen die snaren makkelijk als je ze opdrukt of je tremolo gebruikt, tenzij je een supergladde topkam of een *locking nut* (zie bladzijde 71) hebt. Ook zorgen die extra centimeters voor een wat hogere snaarspanning. Daardoor kunnen snaren eerder breken en zijn ze iets lastiger op te drukken.

Omgedraaid

Heb je daar allemaal last van, probeer dan eens een gitaar met een omgedraaide kop (*reverse headstock*), waarbij alle stemmechanieken naar beneden wijzen. Bij zo'n kop wordt de snaarlengte tussen topkam en mechanieken korter voor de hoge snaren. Daardoor zijn ze makkelijker op te drukken en ontstemmen ze minder snel. Bij de lage snaren wordt dat stukje dus iets langer. Daardoor komen die snaren wat strakker te staan, zodat ze ook (heel fijn) wat strakker klinken. Een nadeel: bij tremologebruik ontstemmen de omwikkelde snaren makkelijker.

Naar achteren

Bij veel instrumenten wijst de kop iets naar achteren (*tilted headstock*). Dat trekt de snaren wat strakker over de topkam, zodat ze er niet uit kunnen springen. Bij andere instrumenten zorgen één of twee *snaargeleiders* (*string trees*) daarvoor, maar die metalen houdertjes zijn niet zo geweldig voor je klank, je sustain en de stabiliteit van de stemming (zie bladzijde 70). Heb je daar ook echt last van, laat dan een setje *staggered tuning machines* monteren (zie bladzijde 66). Die doen in principe hetzelfde maar dan zonder de nadelen.

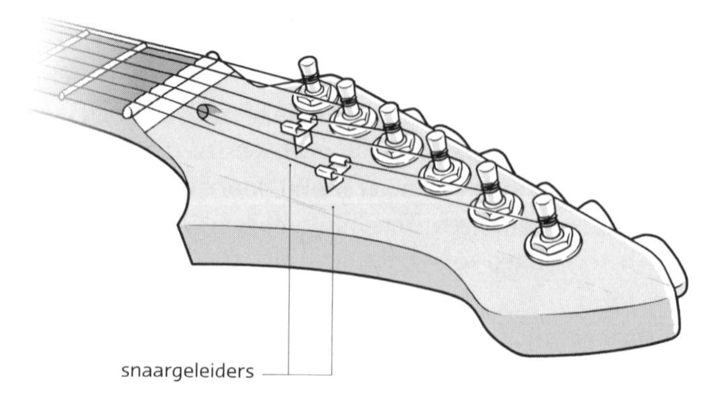

DE MENSUUR

De snaarlengte of *mensuur* is de afstand van de topkam tot de zadels. Een langere mensuur kan de klank wat voller en warmer maken en voor extra sustain zorgen. Een kortere mensuur geeft wat meer 'mid' en een iets lagere snaarspanning, waardoor je wat makkelijker en soms ook sneller speelt. Ook hoef je je snaren minder ver op te drukken om ze op de gewenste toon te krijgen.

Gewoon en langer

De meeste gitaren hebben een mensuur (*scale*) van tussen de 62 en 65 cm (24"-25,5"). Wil je je gitaar echt heel laag stemmen, bijvoorbeeld met de laagste snaar op een B, dan zijn er ook gitaren met een nog langere mensuur (zie bladzijde 165). Een korte snaar die laag gestemd wordt, heeft te weinig spanning en mist daardoor punch en definitie.

Kinderen

Een enkel merk maakt kleine gitaren met een mensuur van rond de 55 cm, speciaal voor kinderen. Zulke gitaren worden ook wel als reisgitaar gebruikt.

Bassen

Bij bassen varieert de mensuur van een dikke 75 tot meer dan 90 cm (30"-36"). *Long-scale* bassen (34") worden het meest gebruikt. *Medium scales* spelen makkelijker als je kleinere handen hebt: de posities liggen minder ver uit elkaar en de snaarspanning is lager. *Short-scale* bassen (30") worden vooral door kinderen gebruikt. Voor stevig baswerk hebben ze niet genoeg power en definitie.

Extra lang

Een heel lange mensuur (35" en langer) zie je vooral op bassen met vijf of meer snaren. Door de extra lengte staat de B-snaar wat strakker, en zo klinkt die snaar dan ook. Op kortere bassen is de lage B vaak slap en onduidelijk, gewoon omdat er niet genoeg spanning op staat. Een lange mensuur vraagt wel om grote handen of soepele vingers, of allebei. Ook kan de hogere snaarspanning de G-snaar wat neuzig maken.

Meten en verdubbelen

Omdat de zadeltjes bijna nooit in een rechte lijn staan, moet je de mensuur eigenlijk berekenen door de afstand van de topkam tot de twaalfde fret te verdubbelen.

De mensuur is twee keer de afstand van de topkam tot de twaalfde fret.

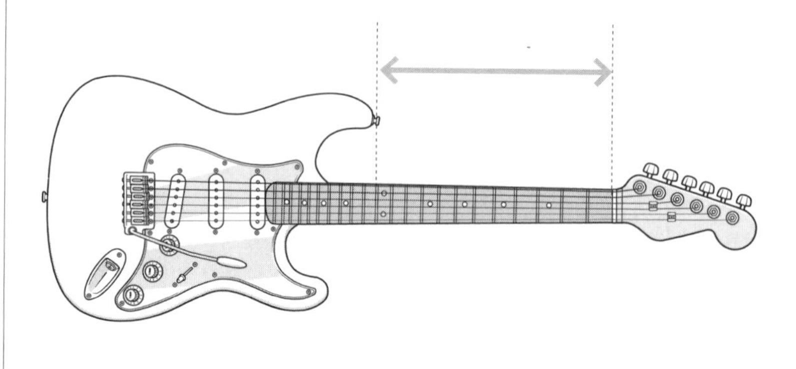

FRETS

De meeste gitaren hebben een-, twee- of vierentwintig frets. Hoe meer frets, des te groter je bereik. Dat is logisch. Met vierentwintig frets heb je op elke snaar een bereik van twee octaven.

Minder

Toch kiezen veel gitaristen liever een instrument met minder dan vierentwintig frets. Waarom? Omdat de plaats waar anders de vierentwintigste fret zit precies de plaats is waar het halselement op z'n best klinkt. Met vierentwintig frets moet het halselement een stukje richting brug verplaatst worden. Daardoor klinkt het iets minder warm.

Bassen

Bij bassen speelt dat niet, omdat het 'halselement' altijd al meer richting brug zit. Wat oudere basontwerpen hebben meestal twintig frets; nieuwere bassen hebben er vaak vier- of zelfs zesentwintig.

Groot en klein, rond en scherp

Je hebt grote en kleine frets, en er zijn verschillende modellen.

- Snaren opdrukken gaat het makkelijkst met **jumbofrets**. Die grote frets zitten vaak op de gitaren die gebouwd worden voor supersnelle solo's en hoge volumes, met vierentwintig frets, een dunne hals, een vlakke toets, een Floyd Rose-tremolo (zie bladzijde 71-72) en humbuckers (zie bladzijde 75-76) bij de brug en de hals.
- **Kleinere, vintage frets** maken akkoordenspel makkelijker, en je glijdt makkelijker van hoog naar laag over de snaren (fretloze bassisten noemen frets ook wel *speed bumps*, ofwel verkeersdrempels).
- Frets van **rond, dik fretdraad** geven een rondere, dikkere klank.
- **Scherpere, dunnere frets** klinken inderdaad wat 'scherper'.

Nulfret

Met een nulfret, een extra fretje vlak naast de topkam, lopen de snaren altijd over een fret. Op een instrument met een nulfret is er dus geen klankverschil tussen ingedrukte en open snaren.

Uitstekend

Controleer altijd even of de frets niet te lang zijn en buiten de hals uitsteken. Zijn ze te kort, dan glijden de buitenste snaren er mak-

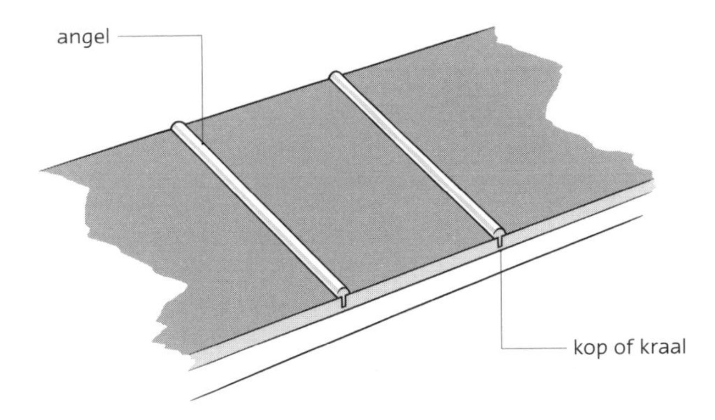

Frets zijn er in verschillende maten.

kelijk af. Om rammels (*string buzz, fret buzz*) en dode plekken te voorkomen, moeten de frets allemaal op dezelfde hoogte liggen, en ze moeten vlak en glad zijn.

Deukjes en vlakke plekken

Zelfs nikkelzilver, het harde metaal dat meestal voor frets gebruikt wordt, slijt uiteindelijk. Snaren indrukken veroorzaakt kleine deukjes waar je snaren in blijven hangen, en veelvuldig opdrukken geeft vlakke plekken op de frets. Versleten frets kunnen een paar keer bijgewerkt worden, maar uiteindelijk moet je ze laten vervangen.

Fretloos

Er zijn ook bassen zonder frets. Een fretloze bas heeft een lastig te omschrijven, zoetere, zangerige toon met een minder felle aanzet (*attack*) en een heel aparte sustain. Je moet er wel zuiver op leren spelen: je maakt de precieze toonhoogte zelf, door de plaatsing van je vinger op de snaar, en niet door hem 'ergens' achter een fret neer te zetten. Fretloze gitaren zie je maar heel zelden.

Een fretloze bas

Tipcode EGTR-006
Het verschil tussen een fretloze en een gefrette bas is goed te horen.

TIPCODE

Streepjes
Om het je wat makkelijker te maken, hebben fretloze bassen soms dunne ingelegde streepjes die aangeven waar je je vingers moet neerzetten.

Eruit, erin
De keus in fretloze bassen is niet heel groot, dus is het een idee om een gefrette bas van z'n frets te laten ontdoen. Nadeel is dat je vooraf niet kunt horen hoe die bas zonder frets klinkt. Als dat tegenvalt, kun je je frets er weer in laten zetten – maar dat kost wel aanzienlijk meer tijd en geld dan een kant-en-klare fretloze bas kopen, of er eentje laten bouwen. *Tip:* bij fretloze bassen zorgen de snaren voor slijtage van de toets. Met een extra harde lak of speciale snaren (zie bladzijde 102) ga je dat tegen.

STEMMECHANIEKEN

Bijna alle gitaren hebben stemmechanieken met een klein metalen huisje eromheen. Zit er een gaatje in de behuizing, dan moet daar heel af en toe een heel klein druppeltje olie in. De meeste mechanieken zijn zelfsmerend en hebben een gesloten huisje.

Open
Op bassen en oudere gitaarmodellen zie je vaak open mechanieken. Die zijn wat gevoeliger voor stof en vuil, maar als je ze

Gesloten stemmechanieken

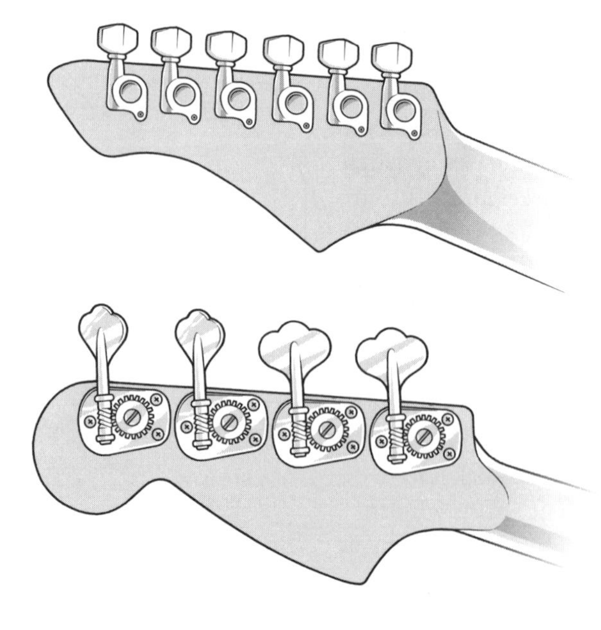

Bassen hebben meestal open mechanieken.

schoonhoudt en ze af en toe een klein druppeltje olie geeft, is dat geen probleem.

Zwaarder of lichter

Sommige mechanieken kun je iets zwaarder of lichter laten lopen door ze met het boutje boven op de knop af te stellen. Bij andere mechanieken houdt dat boutje alleen maar de onderdelen van het mechaniek bij elkaar.

Verdeling

Bij gitaren zitten alle stemknoppen meestal aan één kant van de kop, of er zitten er drie aan elke kant. Ook andere verdelingen (4+2, bijvoorbeeld) komen wel voor. Ook bij bassen kunnen de knoppen op verschillende manieren verdeeld zijn. Op bladzijde 12 zie je een paar variaties op gitaar en bas.

Met gleuf

Bassen en sommige (meestal 'vintage') gitaren hebben *slotted tuners*. Dat zijn mechanieken met een gleuf aan de bovenkant van de stift of *schacht* waar je de snaar omheen wikkelt. Het voordeel is dat je de snaren er makkelijk op zet en dat je geen last hebt van snaaruiteinden die aan alle kanten uitsteken. Aan de andere kant moet je je snaren precies op lengte knippen voor je ze opzet. Tussen twee nummers door is dat nog lastig. *Tip:* je kunt je reservesnaren ook al thuis op lengte maken.

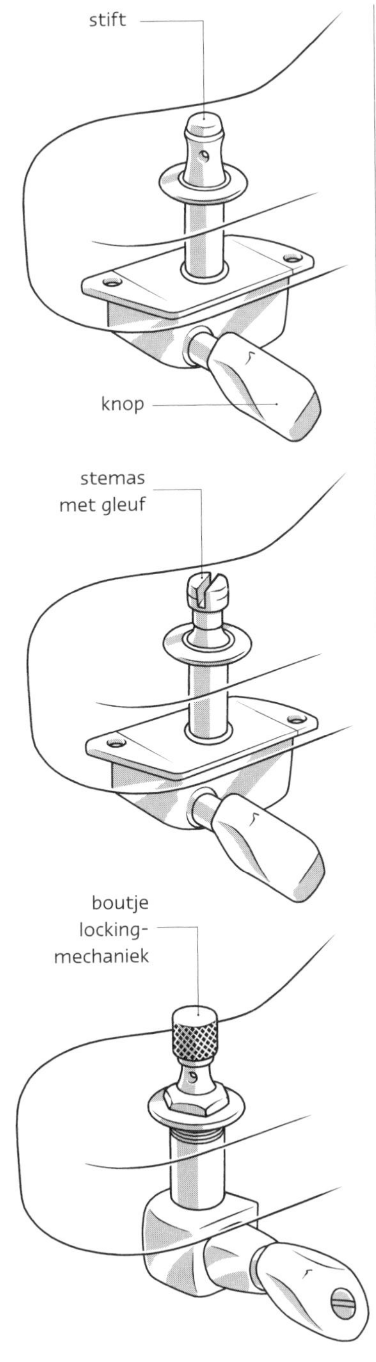

Een gewoon mechaniek, een slotted tuner en een locking-mechaniek

Locking-mechanieken

Nieuwe gitaarsnaren opzetten gaat het snelst met *locking-mechanieken.* Bij zo'n mechaniek hoef je de snaar niet om de stift te winden, maar je steekt hem erdoorheen en je zet hem vast met een speciaal boutje. Ook zijn er mechanieken die de snaar automatisch vastklemmen. Locking-mechanieken werken dus heel snel, maar belangrijker is dat ze de stemming van je snaren veel stabieler maken (zie bladzijde 114)!

Fijner stemmen

Bij stemmechanieken wordt wel eens vermeld of het bijvoorbeeld 14:1- of 16:1-mechanieken zijn. Bij een 14:1-mechaniek draait de stift waar de snaar omheen loopt één keer rond als je de stemknop 14 keer ronddraait. Hoe hoger het eerste getal is, hoe fijner je dus kunt stemmen. Meestal worden 16:1- of 18:1-mechanieken aanbevolen. Bij basmechanieken varieert de *gear ratio* van 20:1 tot 28:1.

Steeds korter

Er zijn setjes stemmechanieken waarbij de stiften van de lage E naar de hoge E steeds korter worden. Zulke *staggered tuning machines* doen hetzelfde als snaargeleiders: ze trekken de hoge snaren naar beneden en verhogen dus de druk van die snaren op de topkam, maar ze hebben niet de nadelen van die geleiders (zie bladzijde 70-71).

Even proberen

Bij goede stemmechanieken heeft de kleinste draai aan de knoppen al effect op de stemming van de snaren. Is dat niet zo, dan zijn de mechanieken slecht of versleten, of je snaren blijven hangen in de topkam (zie bladzijde 70). Een setje nieuwe mechanieken koop je al vanaf zo'n vijfentwintig euro.

Mechanieken en klank

Ben je blij met de sound van je bas of je gitaar, vervang oude mechanieken dan door hetzelfde model. Met andere mechanieken kan je instrument namelijk anders gaan klinken: als je de massa van het instrument verandert, beïnvloedt dat het trillingsgedrag van de snaren en daarmee dus de klank. Ook door de gebruikte materialen kan de klank van je instrument veranderen. Zo hebben sommige mechanieken messing stiften of asjes voor een betere sound.

DE BRUG

De brug geeft de trillingen van de snaren door aan de body. Bij veel gitaren doet de brug ook dienst als snaarhouder; andere instrumenten hebben een aparte snaarhouder.

Tremolo of vast

Gitaren met een tremolo hebben een beweegbare tremolobrug of een beweegbare tremolosnaarhouder. Bij instrumenten zonder tremolo heb je het over een *vaste brug* (*fixed bridge*) of over een *hardtail-gitaar*.

Zwaar

De brug kan een simpel metalen plaatje zijn, of een zwaar, uit brons gegoten ontwerp, of iets daartussenin. Een zwaardere brug geeft een vollere en langere klank. Bassen hebben vaak voor elke snaar een aparte brug, zodat de snaren elkaar minder beïnvloeden.

String-through-bruggen

Er zijn ook instrumenten waarbij de snaren door de body heen lopen: dan heb je het over een *string-through* of een *string-through-body* (STB)-brug. Met zo'n brug heeft het hout van de body wat meer invloed op de klank. Ook zijn de snaren wat langer (dus wordt hun spanning hoger) en maken ze een scherpere hoek over de zadels.

Romiger of puntiger

Volgens de een maakt een string-through-brug de klank wat romiger of zwoeler en langer; volgens de ander wordt hij juist iets strak-

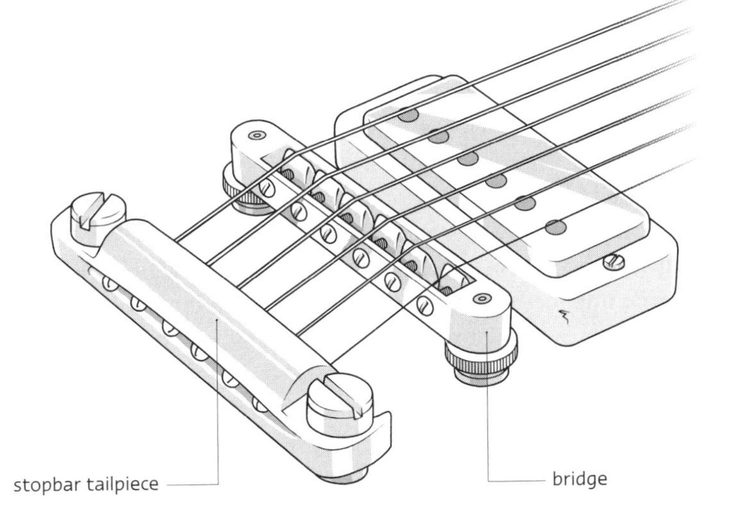

ker of puntiger, wat vooral belangrijk is bij de lage B op bassen met vijf of meer snaren. Zelf proberen? Er zijn instrumenten met een *convertible bridge*, zodat je je snaren naar keuze door de body heen of aan de brug (*top load*) kunt vastzetten.

Snaarhouder

De aparte snaarhouder die je op veel andere solidbody's ziet, is een *stop tailpiece* of *stopbar tailpiece*.

Afstellen

De meeste bassen en gitaren hebben voor elke snaar of voor elke twee snaren een apart zadel. Losse zadels kunnen op één, twee of drie manieren bewegen:

- Naar voren en naar achteren voor het afstellen van de **intonatie** (zie bladzijde 153-156).
- Omhoog en omlaag voor het afstellen van de actie of **snaarhoogte** (zie bladzijde 150-152).
- Naar links en rechts om de **snaarafstand** af te stellen.

Zadels

Zadels zijn meestal van roestvrij staal. De extra massa van grote bronzen zadels zou wat meer volume, toon en sustain geven. Er zijn ook kunststof zadels die niet alleen de klank zouden verbeteren, maar waarmee je snaren ook langer zouden meegaan.

Zwevend

Veel hollowbody's hebben een 'zwevende' houten brug zonder aparte zadels. Zo'n brug, die alleen door de spanning van de snaren op zijn plaats wordt gehouden, biedt minder afstelmogelijkheden dan een brug met losse zadels. Het zwevende staartstuk (*floating tailpiece*) zit vast aan de staart van de gitaar. Een houten blok aan de binnenzijde zorgt voor de nodige stevigheid. Zowel die losse brug als dat zwevende staartstuk vind je ook op violen en andere strijkinstrumenten terug.

Zwevend element

Bij sommige hollowbody's is ook het element zwevend opgehangen. Het zit dan aan de slagplaat vast, in plaats van op het bovenblad. Daardoor kan het bovenblad vrijer bewegen.

Gitaar met zwevende brug, zwevend houten staartstuk en een zwevend element (Elferink)

TREMOLO

De effecten die je met een tremolo kunt maken, heten eigenlijk geen tremolo: officieel is een tremolo namelijk een heel snelle herhaling van één toon. Wat doe je met een tremolo-arm dan wel? Als je hem langzaam beweegt, krijg je een *pitch bend* (toonhoogtebuiging). Beweeg je de arm snel heen en weer, dan krijg je een *vibrato.*

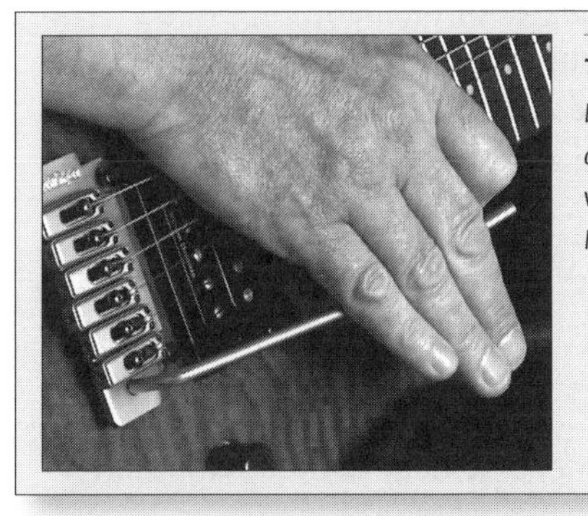

Tipcode EGTR-003
Een tremolo is te gebruiken om de stemming van alle snaren te verlagen of ook wel te verhogen. Hier hoor je hoe dat kan klinken.

TIPCODE

Toch noemt bijna iedereen een tremolo een tremolo. Andere benamingen zijn bijvoorbeeld *trem*, *vibrato-eenheid* en *whammy*.

Synchronized tremolo

Het bekendste tremolosysteem is de scharnierende brug die je onder andere op een Fender Stratocaster ziet. Zo'n *synchronized tremolo* is meestal zo afgesteld dat je de spanning op de snaren kunt verhogen én verlagen. Dan moet de bodemplaat van de brug ietsje boven de body zweven. Zit de bodemplaat tegen de body aan, dan kun je de spanning op je snaren alleen maar verlagen. Dat heeft als voordeel dat een brekende snaar niet de stemming van de andere snaren beïnvloedt (bij een zwevende tremolo gaat de tremolo iets harder aan de overgebleven snaren trekken, dus gaat hun stemming omhoog!).

Het bekendste tremolosysteem...

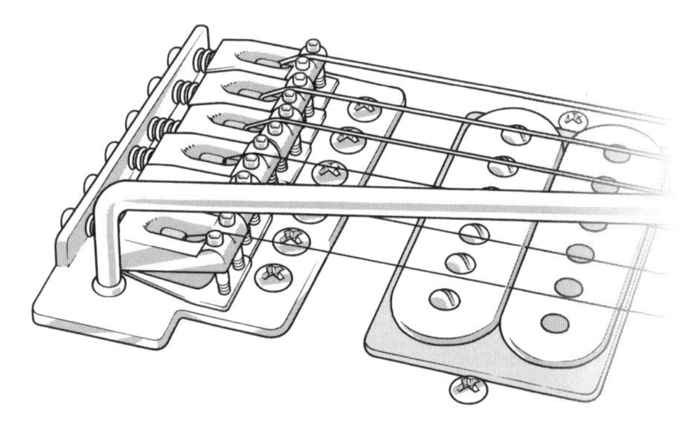

Bigsby

Een andere bekende is de *Bigsby vibrato unit*. De Bigsby heeft een heel herkenbare grote arm en een bewegende snaarhouder. Je ziet dit ontwerp vooral op gitaren in countrybands en bands die gitaarmuziek uit de jaren zestig spelen.

Ontstemmende snaren

Een bekend nadeel van tremolo's is dat ze vaak stemmingsproblemen geven. Een voorbeeld las je hierboven al, maar er is meer. Als je de arm loslaat, komen de snaren niet altijd terug op hun normale stemming, omdat ze niet soepel genoeg over de topkam of de zadels glijden, omdat ze blijven hangen onder de snaargeleiders, of omdat de kogeltjes waarmee de snaren in de brug vastzitten niet

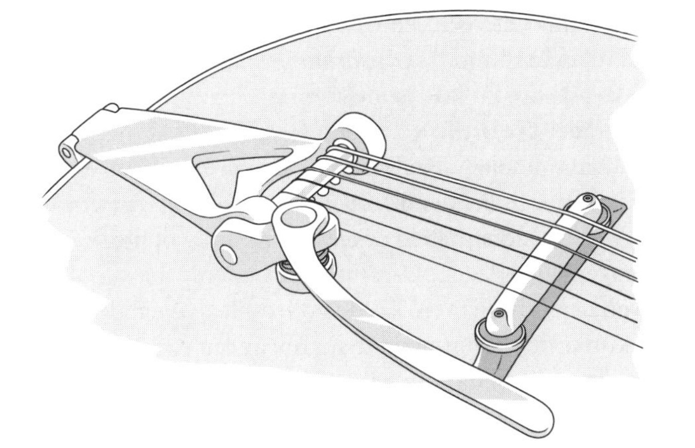

Bigsby

op de 'oude' plaats terugkomen. Ook verandert bij tremologebruik de spanning op de snaarwindingen rond de stiften, waardoor de stemming kan veranderen. Een antwoord op deze problemen is een *double-locking tremolo*, waarbij de snaren dubbel (onderaan en bovenaan) op slot gezet worden.

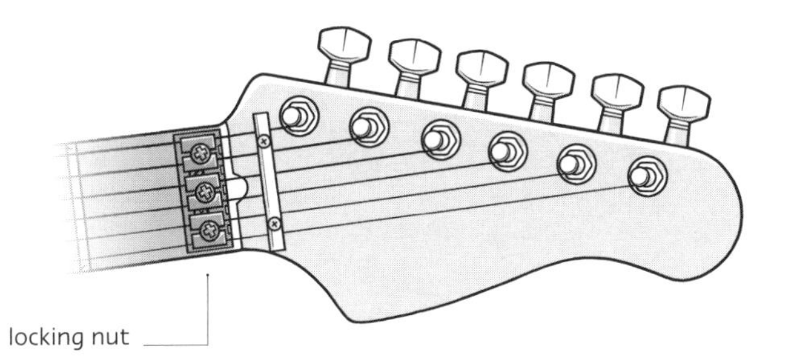

Een locking nut, toplock of locknutje

Floyd Rose

De bekendste double-locking tremolo is genoemd naar zijn ontwerper, Floyd Rose. Bij de brug worden de snaren vastgezet met kleine klemmetjes, in plaats van met de normale kogeltjes. Bij de kam worden ze verankerd door een *locking nut* of *toplock*.

Fijnstemmers

Als de locking nut vastgezet is, zijn de gewone stemmechanieken niet meer te gebruiken. Je stemt je snaren dan met de in de brug gemonteerde *fijnstemmers*.

Snaren vervangen

Een double-locking tremolo maakt snaren vervangen lastiger, al was het alleen al omdat je eerst de klemmen van de locking nut en de brug los moet draaien. Ook heeft een locking nut invloed op de klank: hij klemt de snaren zo af dat het stukje van de snaren tussen topkam en mechanieken niet meer meedoet. Met een gewone topkam trillen ook die snaareindjes een (heel klein) beetje mee.

Duikvluchten

Floyd Rose-tremolo's en vergelijkbare ontwerpen zijn vooral populair bij gitaristen die van snelle, snoeiharde solo's en stevig tremolowerk houden. Gitaren met zo'n tremolo hebben vaak ook vierentwintig frets, één of twee humbuckers, een smalle hals met een dun profiel en een vlakke toets.

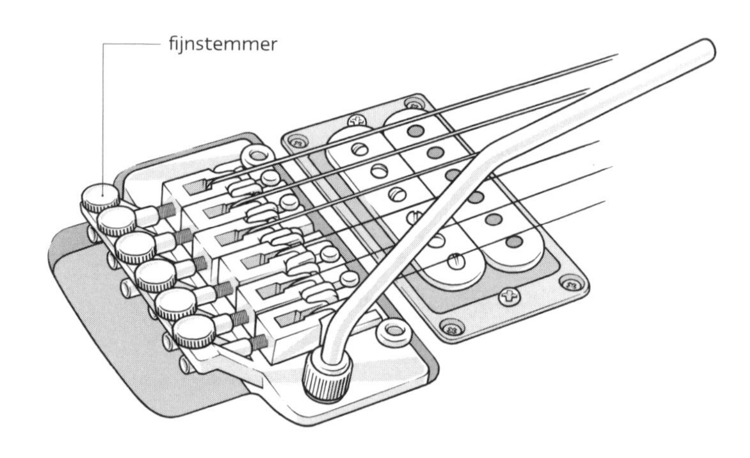

Floyd Rose-brug met fijnstemmers (Jackson)

Andere oplossingen

In plaats van de snaren aan beide kanten vast te zetten, kun je er ook op andere manieren voor zorgen dat tremologebruik de stemming niet verandert. Een paar mogelijkheden? Je kunt een soepel glijdende kam monteren (zie bladzijde 74), snaren met speciale kogels gebruiken (ovale bullets in plaats van ronde balletjes), je snaargeleiders overbodig maken (bladzijde 66), of locking-stemmechanieken gebruiken (bladzijde 65).

Extra snel
Ben je een nieuwe gitaar met een tremolo aan het proberen, dan ontstemmen de snaren natuurlijk extra snel, maar dat is vooral omdat ze zich nog niet gezet hebben (zie bladzijde 115). Nog één opmerking: als je bij een tremologitaar een snaar opdrukt, zul je merken dat de stemming van de andere snaren omlaag gaat. De opgedrukte snaar trekt de brug namelijk omhoog. Daar moet je dus rekening mee leren houden.

De arm
De tremoloarm zit met schroefdraad, een bajonetsluiting (insteken en een slagje draaien) of een kunststof klemsysteem (*pop-in*) in de brug vast. Dat laatste werkt het snelst, maar bij niet-afstelbare uitvoeringen krijg je na verloop van tijd soms zoveel speling dat het pookje er spontaan uit valt.

In positie of niet
Bij sommige systemen is de arm zo af te stellen dat hij altijd 'in positie' staat, direct onder je vingers; bij andere systemen valt hij naar beneden zodra je hem loslaat, en bij de derde variant kun je zelf kiezen.

> ***Met je palm***
> ***Zit je tremoloarm je meestal in de weg? Dan zijn er ook tremolo's met een soort U-balk op de brug: die bedien je met je handpalm.***

Minder sustain?
Je hoort wel eens dat een tremolo je sustain korter maakt, maar er zijn genoeg tremologitaren met een eindeloze toonduur. De achtergrond van het verhaal is vermoedelijk gewoon dat gitaren met een tremolo vaak minder sustain hebben omdat diezelfde gitaren toevallig ook vaak een lichtere body, een dunnere hals en een geschroefde in plaats van een gelijmde hals hebben.

Locking, maar dan anders
Er zijn ook tremolosystemen die je tijdelijk 'op slot' kunt zetten.

Zo stel je ze dus buiten gebruik. Heel verwarrend: ook die tremolo's worden wel *locking* genoemd. *Tip:* er zijn losse klemmetjes te koop waarmee je je tremoloarm tijdelijk kun blokkeren.

TOPKAM

Topkammen zijn meestal van plastic of metaal, en op jazzgitaren ook wel van been, bijvoorbeeld. Een metalen topkam vermindert het klankverschil tussen open en ingedrukte snaren (tenzij je een nulfret hebt) en kan wat extra helderheid geven. Een zwaardere topkam zorgt voor meer sustain. Plastic kammetjes kunnen je geluid wat minder *twangy* maken en ze geven minder bijgeluiden, maar de snaren blijven er eerder in hangen.

Glad

Hoe harder en gladder de topkam is, des te makkelijker glijden je snaren erdoorheen bij het stemmen, nadat je ze opgedrukt hebt, of als je de tremoloarm weer loslaat. Dat betekent makkelijker stemmen en een grotere stemvastheid. Daarom zijn er allerlei speciale kammetjes te koop, bijvoorbeeld van koolstofvezel of met ingebouwde rollers en kogellagers.

TIP

Groeven

Als je dikkere snaren gaat gebruiken, moeten de groeven in de kam zo wijd zijn dat de snaren niet klem komen te zitten. Zijn ze té wijd, dan heb je kans op bijgeluiden. Doordat de snaren in de wijde groeven heen en weer kunnen bewegen, heb je bovendien energieverlies en dus klankverlies.

Verstelbare kammetjes

Om de snaarhoogte bij de kam te veranderen, zijn kammetjes te verhogen, te verlagen of te vervangen. Dat is allemaal vakwerk. Verstelbare kammetjes zijn zeldzaam.

ELEMENTEN

De elementen zijn natuurlijk heel belangrijk voor de klank van je instrument. Op de volgende pagina's lees je het belangrijkste wat je over elementen moet weten, zonder al te technisch te worden.

Brug en hals

De meeste bassen hebben twee elementen. De meeste gitaren hebben er twee of drie: een brugelement, een halselement en vaak nog eentje in het midden. Zelfs als er drie dezelfde elementen op een gitaar zitten, geven ze alle drie een ander geluid. Die bij de brug klinkt het helderst of het strakst, die bij de hals het volst en het rondst. Daarom wordt het brugelement ook wel met *treble* aangeduid. Het halselement heet dan *rhythm*, omdat die klank zich vaak beter leent voor 'ritmisch' akkoordenwerk.

Tipcode EGTR-007
Zoals deze Tipcode laat horen, geeft het halselement een wat rondere en vollere klank, terwijl het brugelement voor een strakker, helderder of twangier geluid zorgt – ook als het precies dezelfde elementen zijn, zoals bij deze gitaar.

TIPCODE

Magneet met draad

Simpel gezegd is een element een magneet waar heel dun koperdraad omheen gewikkeld is. Samen vormt dat een *spoel*. Om zo'n spoel zit een magnetisch veld. Als je speelt, brengen de trillingen van je stalen snaren dat veld in beweging. Het element zet die bewegingen om in elektrische signalen en stuurt ze naar de versterker.

Humbuckers

Jammer genoeg stuurt een element ook andere signalen naar de versterker. Ongewenste signalen, zoals ruis en brom. De oplossing voor dat probleem is een element met twee spoelen. Heel simpel gesteld werkt die tweede spoel tegengesteld aan de eerste. Daardoor wordt de brom onderdrukt. Zulke elementen heten *humbuckers.* Die Engelse term geeft letterlijk aan wat ze doen: ze onderdrukken (*to buck*) de brom (*hum*).

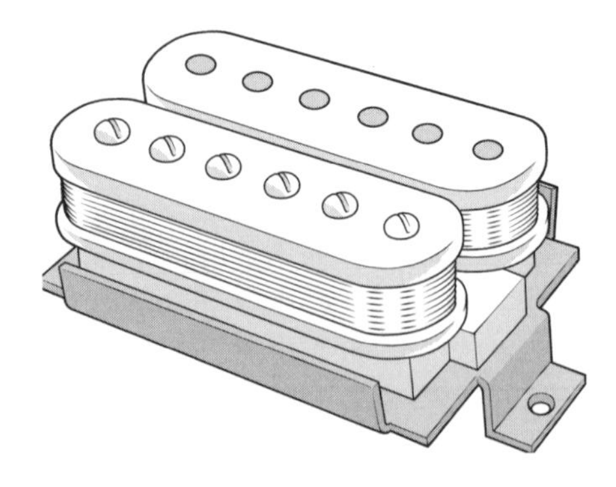

Een humbucker met verstelbare pooltjes (zie bladzijde 88 en 156)

Anders

Humbuckers klinken heel anders dan *enkelspoelselementen* of *single coils*: vetter, dikker, groter, warmer en breder. Dat is deels omdat ze behalve veel brom ook een beetje helderheid onderdrukken, en deels omdat ze een breder magnetisch veld hebben. Zogenaamde *minihumbuckers*, met een kleiner magnetisch veld, klinken wat helderder en opener.

Enkelspoelsgeluid

De klank van enkelspoelselementen wordt meestal omschreven als helder, open, strak, koel, dun, glazig of sprankelend, of *twangy*, met wat meer 'beet' en een fellere attack.

Tipcode EGTR-008

In Tipcode EGTR-008 hoor je duidelijk het verschil tussen een humbucker en een enkelspoelselement.

Alleen tegen brom

Er zijn ook elementen die je wel de klank, maar niet de brom van een enkelspoelselement geven. Bij zulke *stacked* (gestapelde) *pickups* of *vertical humbuckers* zit de tweede spoel niet naast, maar onder de eerste. Ze klinken, zo zeggen experts, niet altijd even dynamisch als echte enkelspoelselementen.

Combinaties

Er zijn instrumenten met alleen humbuckers, alleen enkelspoelselementen of een combinatie van die twee soorten. Dat wordt vaak met lettercombinaties aangegeven. HSS staat dan voor een gitaar met een humbucker (H) bij de brug en met twee enkelspoelselementen (SS): eentje in het midden en de ander bij de hals.

Enkelspoels of humbucker?

Beide soorten elementen zijn er in talloze variaties (zie bladzijde 85 en verder), en je kunt dan ook niet zomaar zeggen welk soort element in welke muziek thuishoort. Twee heel algemene regels, toch? Hollowbody's hebben bijna altijd twee humbuckers, en soms maar eentje; en gitaren met een Floyd Rose-tremolo en een vierentwintig-frets-hals hebben meestal een HSH-combinatie.

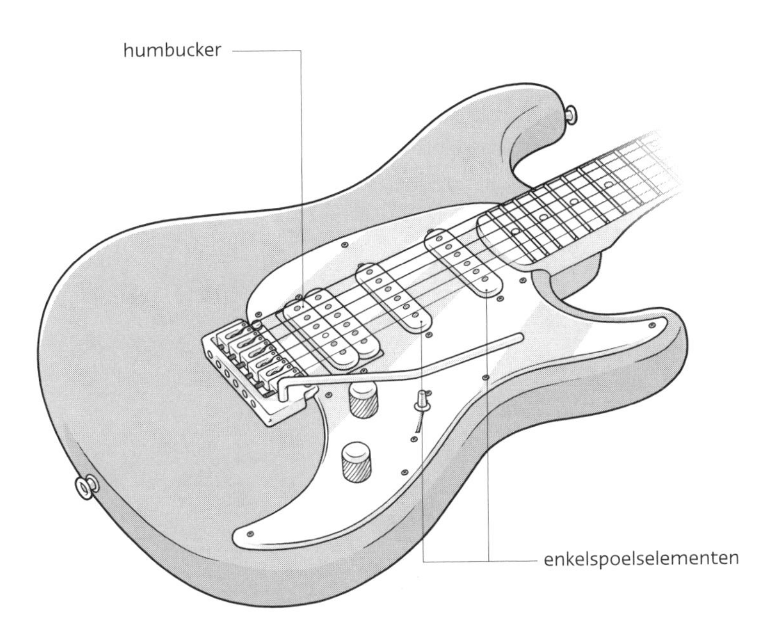

Het verschil

Het verschil tussen een 'echte' enkelspoelsklank en het geluid van een humbucker hoor je goed als je twee heel bekende gitaren naast elkaar beluistert: de Fender Stratocaster en de Gibson Les Paul. Natuurlijk verschillen die gitaren op veel meer punten dan alleen de elementen, maar ze onderstrepen de uiteenlopende karakters van die elementen wel heel duidelijk.

Coiltaps...

Veel gitaren hebben een schakelaartje waarmee je de humbucker als een enkelspoelselement kunt laten klinken. Daarmee is het ver-

Twee heel bekende solidbody-gitaren: eentje met twee humbuckers, de ander met drie enkelspoels-elementen

schil tussen deze twee elementtypes prima te horen. Zo'n schakelaar (*coiltap* of *coilsplitter*) schakelt een van beide spoelen uit of in.

... en omgekeerd

Het omgekeerde bestaat ook: bij sommige gitaren zijn twee enkelspoelselementen zo geschakeld dat ze samen een humbucker kunnen nadoen.

Baselementen

Wat je hierboven las, geldt eigenlijk ook voor baselementen, met als groot verschil dat enkelspoelselementen bij bassen niet voor zoveel bijgeluiden zorgen.

J of P

Baselementen zijn vaak gebaseerd op de elementen die bekend zijn van de Fender Jazz Bass en de Fender Precision Bass. Omdat dat beschermde handelsnamen zijn, noemen andere merken hun eigen ontwerpen bijvoorbeeld 'J'- of 'P'-elementen. Veel bassen hebben er van elk eentje. Het P-element is een heel herkenbare humbucker met in twee delen gesplitste spoelen en een lage, dikke, rock-achtige sound. Voor een basklank met meer mid en knor en grom kies je dan het J-element, dat bij de brug zit.

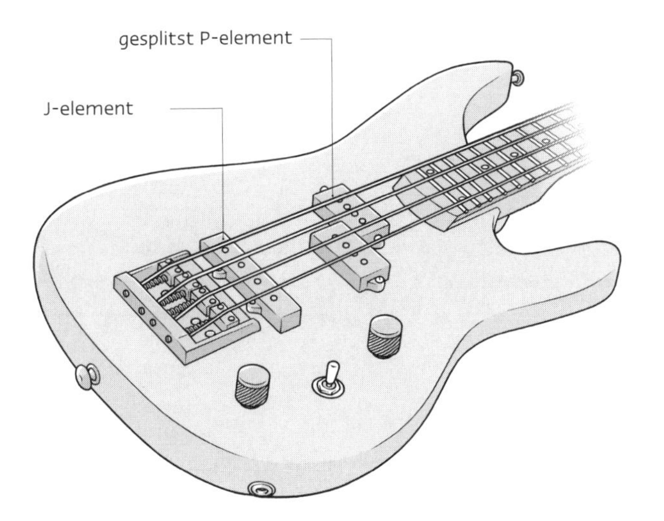

Twee bekende baselementen: een J-element bij de brug en een gesplitst P-element erboven

TOON EN VOLUME

Goede toon- en volumeregelaars zijn stil, ze draaien soepel maar niet te licht en ze werken gelijkmatig: als je de volumeknop langzaam opendraait moet het geluid langzaam harder worden, en niet opeens een heleboel.

Hoeveel?

Sommigen hebben het liefst een instrument met een enkele volumeknop en een enkele toonregelaar. Anderen hebben er liever meer. Met een aparte volumeregelaar voor elk element kun je de klank ook mengen, in plaats van de elementen alleen maar aan of uit te kunnen zetten. Heb je een toonregelaar per element, dan kun je de klank per element precies afstellen; bijvoorbeeld met veel laag in het brugelement en heel weinig laag in het halselement, of juist andersom.

Hoog eraf

Met de toonregelaars kun je meestal alleen hoog weghalen. Zulke *treble-cut*-regelaars klinken het helderst als ze helemaal open staan. Hoe meer je ze dichtdraait, hoe meer hoog er verdwijnt: de klank wordt steeds dikker, donkerder of doffer. Er zijn ook *actieve* toonregelaars, waarmee je extra hoog, mid of laag aan de klank kunt toevoegen. Zulke regelaars vind je bijvoorbeeld op actieve bassen (zie bladzijde 83-85).

Volumeregelaar

Vaak wordt het geluid ook minder helder als je de volumeknop minder ver open zet. Heb je daar last van, dan kan je reparateur er voor niet al te veel geld iets aan doen.

Meer knoppen

Er zijn nog veel meer soorten knoppen en schakelaars waarmee je de klank kunt beïnvloeden, van vijftrapsschakelaars waarmee je een bepaald klankgebied uitkiest tot actieve midversterkers, of de mogelijkheid om meer of minder windingen van het element te gebruiken (*tapped pickup*; zie ook bladzijde 87). Instrumenten met een actieve voorversterker hebben meestal een uitgebreidere toonregeling aan boord, zoals je op bladzijde 84 leest.

Balansknop

In plaats van een elementschakelaar hebben de meeste bassen een balansknop. Daarmee kies je de klank van het ene of het andere element, of een beetje van allebei. Andere bassen hebben bijvoorbeeld een volumeknop per element. Balansknoppen hebben vaak een voelbaar 'klikje' in de middenstand, zodat je makkelijker weet waar je bent.

Potentiometer

Als het over toon- en volumeknoppen gaat, hoor je vaak de termen *potentiometer* of *potmeter*. Die potmeter – die het volume of de toon regelt – is het in de body ingebouwde onderdeel dat je met de draaiknoppen aan de buitenkant bedient.

Output, input

Het signaal van je element(en) verlaat je instrument bij de *output* of *output jack*. Een tip: ook outputs kunnen slijten en dan voor allerlei bijgeluiden gaan zorgen, of hun grip op je plug verliezen. Ze zijn makkelijk te vervangen.

ELEMENTSCHAKELAARS

Met de elementschakelaar van je gitaar kies je welk element je gebruikt – maar er is nog veel meer over te vertellen. Bassen hebben meestal een balansknop of twee volumeregelaars en dus geen elementschakelaar.

Drie standen

De meeste gitaren met twee elementen hebben een driestandenschakelaar. Daarmee kies je het brugelement (stand 1), beide elementen (stand 2) of het halselement (3).

Gitaar met een driestandenschakelaar (toggle switch)

Zo werken de meeste vijfstandenschakelaars.

A = *brugelement*
B = *middelste element*
C = *halselement*

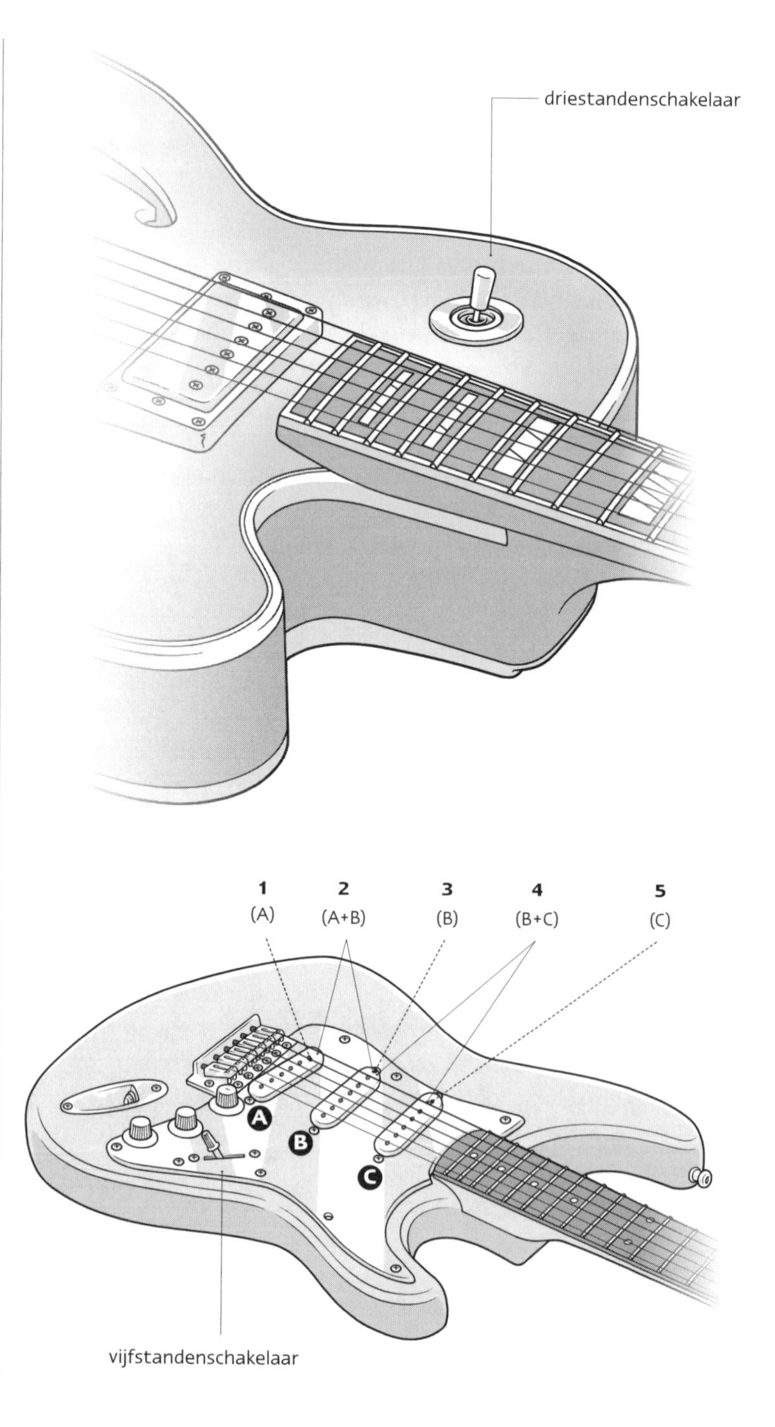

Vijf standen

Een gitaar met drie elementen heeft meestal een vijfstandenschakelaar. Op de bladzijde hiernaast zie je wat die doet.

Humbuckende enkelspoelselementen

Soms heeft de elementschakelaar een stand waarin twee enkelspoelselementen samen als een humbucker gaan werken. Voor technici: dat kan alleen als die elementen een tegengestelde polariteit hebben en tegengesteld gewikkeld zijn.

In serie of parallel

De twee spoelen van een humbucker zijn normaal *in serie* geschakeld. Op sommige gitaren kun je ze ook *parallel* schakelen. Zonder al te technisch te worden betekent dat dat ze een beetje als enkelspoelselementen gaan klinken, met een glaziger, helderder klank. Ook wordt het signaal (de output) minder sterk.

Uit fase

Net zoiets, maar dan anders: de spoelen van een humbucker staan normaal gesproken *in fase*. Als je ze ook *uit fase* kunt zetten, krijg je een heel apart, dun en iel geluid dat wel voor speciale effecten gebruikt wordt.

Solo?

Voor solo's kiezen gitaristen vaak het brugelement en zetten ze toon- en volumeregelaars wijd open. Met een direct out-schakelaar doe je dat met één beweging: als je die knop omzet gaat het signaal direct van het brugelement naar de uitgang van je gitaar. De toon- en volumeregelaars worden gepasseerd, dus het is net of ze helemaal open staan (ook als dat niet zo is).

ACTIEVE BASSEN

Als het over actieve bassen gaat, worden meestal bassen met een *actieve equalizer* of *EQ* bedoeld. Zo'n bas heeft vaak drie toonregelaars waarmee je drie frequentiegebieden (bas, mid en treble) niet alleen kunt afzwakken (*cut*) maar ook versterken (*boost*).

Parametrisch

Meestal kun je ook nog instellen welk deel van het grote middenfrequentiegebied je wilt versterken of afzwakken. Dat doe je met een knop die bijvoorbeeld *swept EQ* of *parametric mid EQ* heet.

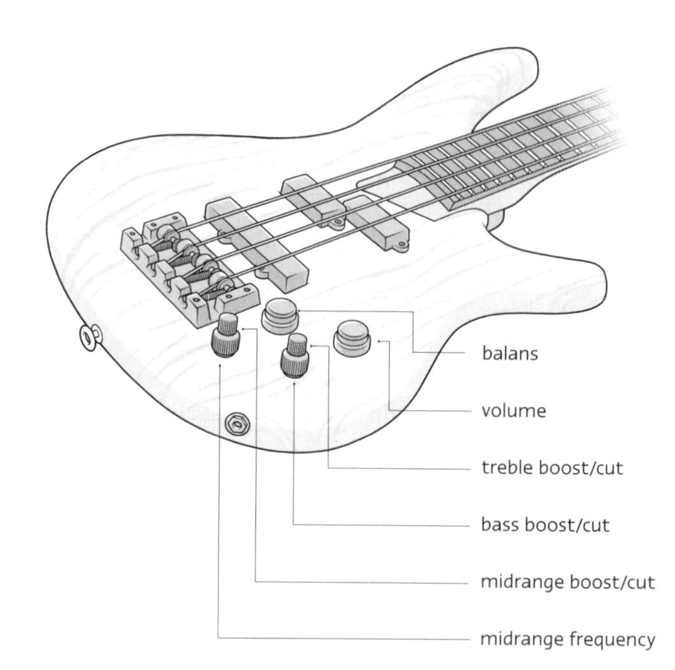

Een bas met een actieve equalizer (toonregeling) en de bijbehorende Engelse termen

Actief of passief

Wat is het verschil tussen actieve bassen en *passieve bassen*, die geen extra elektronica hebben? Vaak hoor je dat actieve bassen strakker, helderder en gedefinieerder klinken, maar daarmee ook

Actief en passief

Actieve bassen kunnen vaak 'passief' geschakeld worden. Dan heb je in principe het beste van twee werelden. Tip: een bas die alleen maar actief is, werkt niet zonder batterijen.

minder natuurlijk, warm of levendig. Ze knorren niet, wordt ook wel gezegd. Een passieve bas heeft minder mogelijkheden om de toon met elektronica bij te sturen – maar als hij precies klinkt zoals je wilt, heb je niets te wensen over.

Wel of niet

Sommige bassen zijn naar keuze met of zonder actieve elektronica te koop. De actieve versie is dan natuurlijk duurder. Hoeveel dat precies is, hangt van de bas en z'n prijsklasse af, maar denk als uitgangspunt aan zo'n honderd of tweehonderd euro.

Meer output

Actieve bassen hebben een hogere output dan passieve bassen. Daarom hebben de meeste basversterkers aparte ingangen voor actieve en passieve instrumenten.

Batterij

Om het actieve deel van zo'n bas te voeden, zijn er één of twee 9-voltsbatterijtjes aan boord. Daar kun je zo'n twee- of drieduizend uur mee spelen. Dan moet je wel altijd het snoer uit je instrument trekken als je stopt met spelen. Daarmee schakel je de elektronica uit, zodat er geen stroom meer verbruikt wordt.

MEER ELEMENTEN

Er zijn nog veel meer soorten elementen. Een paar voorbeelden?

Actieve elementen

Gitaren en bassen hebben vrijwel altijd *passieve elementen* – ook 'actieve' bassen! Actieve elementen zijn een stuk duurder. Een setje kost al snel meer dan tweehonderd euro. Daarvoor koop je een schoon, ruisvrij en heel gelijkmatig signaal dat ideaal is als je veel effecten gebruikt, bijvoorbeeld, of als je ondanks een hele berg vervorming toch nog wilt kunnen horen wat je speelt. Ook heb je geen last meer van string pull (zie bladzijde 87). Voorstanders van passieve elementen vinden vaak dat actieve elementen iets té clean klinken, en dat ze minder dynamisch zijn.

Batterij

Net als een actieve bas heeft een instrument met actieve elementen een batterij nodig. Die is nodig voor de voeding van de voorversterker, die het zwakkere signaal van een actief element oppept.

Piëzo-elementen

Sommige elektrische bassen en gitaren hebben ook een niet-magnetisch piëzo-element (zie bladzijde 168). Op gitaren geeft dat je een open, helder, 'akoestisch' geluid. Op bassen maken piëzo-elementen de klank vaak ook groter en dieper, met veel definitie. Het resultaat is meestal beter geschikt voor solo's en akkoordenspel dan voor doorsneebaswerk.

Onzichtbaar

Piëzo-elementen worden onzichtbaar in de brug gemonteerd. Bij een zessnarige gitaar zijn er eigenlijk zes van die elementjes: eentje per snaar. Met kleine regelaars (*trimpots*) in de body is de balans tussen de snaren af te stellen. Vaak is er ook een extra knop waarmee je de balans tussen het piëzo-element en de magnetische elementen kunt bepalen.

Twee outputs

Heeft de gitaar aparte uitgangen voor de magnetische en de piëzoelementen, dan kun je hem op twee versterkers aansluiten. De uitgang voor de magnetische elementen wordt dan meestal op een (elektrische-)gitaarversterker aangesloten, en de uitgang van de piezo's op een voor akoestische gitaren bedoelde *akoestische versterker.*

En verder

... en dan zijn er ook nog speciale pickups waarmee je tonen eindeloos kunt laten doorklinken, en pickups met vier spoelen, en pickups die met infrarood licht werken in plaats van met magneten, en...

MEER OVER ELEMENTEN

Wat extra kennis over elementen kan het makkelijker maken om een nieuw instrument uit te kiezen, of om nieuwe elementen voor je gitaar of je bas uit te zoeken.

Windingen

Hoe meer windingen een element heeft, hoe 'hotter' het wordt: meer signaal, meer mid, minder hoog, een warmere, donkerdere maar minder duidelijke of transparante toon, en makkelijker te overstu-ren. Sologitaristen houden vaak van hete elementen. Elementen met minder windingen zijn meestal beter geschikt voor slaggitaristen.

Soorten magneten

Fabrikanten vermelden vaak welk soort magneet gebruikt is. Meestal is dat Alnico 2 of II, Alnico 5 of V, of een keramische magneet. Meestal lees je dat Alnico 2 het element een warmer, donkerder karakter zou geven. Alnico 5 wordt vaak gebruikt voor elementen met een helderder klank en een sterkere output. Keramische elementen, ten slotte, maken het geluid heel transparant, fel en open – of hoekig, scherp en gemeen.

Eigenlijk niet

Andere deskundigen stellen dat het magneetmateriaal eigenlijk niets over de klank zegt. Tenslotte bestaan er ook warm klinkende keramische pickups.

Elementen en prijzen

Goedkope instrumenten klinken vaak wat kaal en vlak. Dat ligt dan onder meer aan het gebruik van goedkope (keramische, fer-

String pull

Als een enkelspoelselement te dicht bij de snaren zit, kun je last krijgen van string pull. De magneet trekt de snaren dan naar zich toe, vooral als je in de hogere posities speelt. Meer weten? Zie bladzijde 156. String pull wordt ook wel Stratitis genoemd omdat het bij gitaren met enkelspoelselementen voorkomt, en daarvan is de Stratocaster het bekendste voorbeeld – maar natuurlijk lang niet het enige.

riet of andere niet-Alnico) magneten. Weet dat er ook goedkope instrumenten met Alnico-elementen zijn, en dat zo'n instrument daar niet meteen een heel stuk beter van wordt. Andersom bestaat ook: er zijn dure gitaren met keramische elementen, en die zijn dan meestal gebouwd voor een agressieve recht-voor-je-raap-sound.

Een of meer pooltjes

De meeste elementen hebben per snaar een apart *pooltje* (de pooltjes zijn de metalen staafjes die uit het element steken). Als je je snaren opdrukt, trillen ze niet meer boven hun eigen pool, maar tussen twee pooltjes in. Het signaal wordt dan zwakker. De oplossing is een element met één lange, enkele pool voor alle snaren. Zo'n *bar pickup* of *blade pickup* geeft je geluid meestal een iets minder felle attack, terwijl de sustain kan toenemen.

Verstelbaar

Bij sommige elementen kun je de hoogte van elk pooltje afzonderlijk afstellen: zo kun je sommige snaren iets harder en feller laten klinken door het pooltje richting snaar te draaien, en andere juist wat afzwakken.

Op één lijn of niet

Zo zijn er ook gitaren met elementen waarvan de pooltjes per snaar op een andere hoogte staan (*staggered pickups*; vooral gebruikt bij gitaren met een bolle toets), terwijl ze meestal allemaal op dezelfde hoogte staan (*level* of *flush*; meestal in combinatie met een vlakkere toets). Bij sommige gitaren kun je kiezen. Een staggered pickup geeft dan een net iets andere klankbalans van snaar tot snaar.

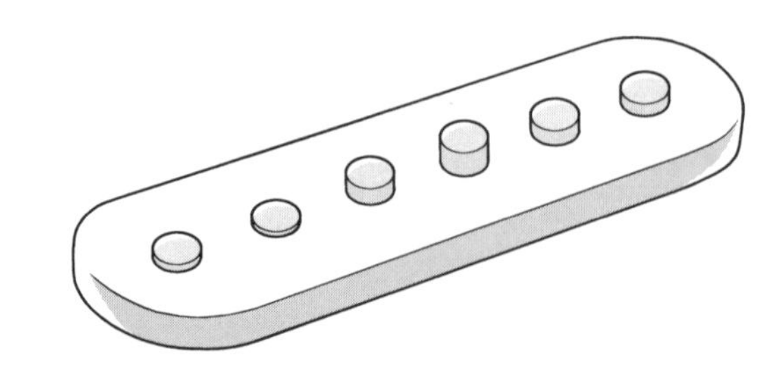

Staggered pickup: een element met polen op verschillende hoogtes

In de was

Bij hoge volumes kunnen elementen gaan rondzingen, net als microfoons. Om dat te voorkomen, worden goede elementen in een wasoplossing gedoopt (*potting*).

Kapjes

Elementen worden nogal eens genoemd naar het model van het beschermkapje. Bij *lipstick pickups* was dat oorspronkelijk een echte lippenstifthuls; de naam *soapbar*, voor elementen met een brede, rechthoekige kap, spreekt voor zich.

Metaal, plastic, niets

Er zijn muzikanten die het (metalen) kapje van hun elementen laten verwijderen, omdat dat de klank een fractie opener en dynamischer zou maken – net als een kunststof kapje. Een waarschuwing: experimenteren met kapjes is riskant voor je (dure) elementen!

Recht of schuin

Bij veel instrumenten is het brugelement schuin gemonteerd, zodat het bij de bassnaren iets verder van de brug zit dan bij de hoge snaren. Dat maakt die hoge snaren een fractie feller van klank (alsof je dichter bij de brug speelt) en de bassnaren juist iets warmer of bassiger.

Midi

Elektrische gitaren en bassen zijn ook op synthesizers, sequencers en andere elektronische muziek- en effectapparatuur aan te sluiten (zie ook bladzijde 95). Zo kun je je elektrische gitaar als een bas of een akoestische gitaar laten klinken, of je bas als een strijkerssectie – om maar een paar voorbeelden te noemen. Daarvoor heb je een speciaal *hex(afonisch)* of *midi-element* nodig. Midi staat voor *musical instrument digital interface*. Er zijn ook kant-en-klare midi-gitaren.

Elke snaar apart

Bij een hex-element is het signaal zelfs per snaar te bewerken, als je dat wilt: hex staat voor zes. Een andere mogelijkheid is om bijvoorbeeld voor een stereogeluid te kiezen, met de lage drie snaren over het ene en de hoge drie over het andere kanaal.

ELEMENT VERVANGEN?

De meeste gitaristen en bassisten kopen eerder een nieuw instrument dan dat ze hun elementen vervangen, terwijl een set elementen toch veel minder kost. Voor goede elementen ben je meestal zo'n vijfenzeventig tot honderdvijftig euro per stuk kwijt, maar er zijn ook duurdere. Voor dat geld kun je je instrument precies laten klinken zoals je wilt – of je kunt in elk geval een heel eind in de goede richting komen.

Proberen

Het grootste probleem is natuurlijk dat elementen lastig uit te proberen zijn. Je moet dus vertrouwen op het advies van de verkoper en op de beschrijvingen die fabrikanten je geven. Een paar merken hebben cd's waar je al hun elementen op kunt horen, en er zijn speciale testgitaren waarvan de elementen in een handomdraai te vervangen zijn – maar dan weet je nog niet hoe zo'n element op *jouw* gitaar klinkt.

Technische gegevens

Sommige elementenmakers overspoelen je met rijen technische gegevens, maar zonder de nodige elektrotechnische en gitaartechnische kennis heb je daar niet veel aan. Zo kan een hogere *DC resistance* wijzen op een hogere output en een vetter geluid – maar het hoeft niet. En een hoge *resonant peak* kan aangeven dat het een helder klinkend element is – maar ook dat hoeft niet.

Meer of minder

Met andere elementen kun je bepaalde klankeigenschappen van je instrument versterken of juist afzwakken. Wil je iets minder vet, of juist iets ronder, of strakker? Kan allemaal, en gitaarbouwers combineren bijvoorbeeld ook wel fel klinkende houtsoorten met rond klinkende elementen, zodat er een mooie balans ontstaat. Zoek je het klassieke, gladde, warme *vintage* gitaargeluid? Ook daar zijn speciale elementen voor te koop.

Radius, snaarafstand en de rest

Een nieuw element moet bij je instrument passen. Er zijn aparte elementen voor gitaren waarbij de snaren verder of minder ver uit elkaar liggen, en elementen die beter bij vlakke of juist bij bolle toetsen passen (zie bladzijde 52). Sommige elementen kunnen alleen op rechts- of linkshandige instrumenten gebruikt worden, en er zijn er die je alleen bij de brug of juist bij de hals moet monteren.

SPEELTIPS

Uiteindelijk moet je een instrument toch uitkiezen door erop te spelen. Een paar dingen om op te letten. Nummer één: kijk altijd uit met riemen, gespen, ritsen, knopen en ander metaal. Lak krast makkelijk. Nummer twee: om een instrument goed te beoordelen, moet het goed gestemd (hoofdstuk 9) en afgesteld zijn (hoofdstuk 10). En verder...

Duur

Zelfs met een krap budget kan het helemaal geen kwaad om een paar echt goede, dure instrumenten te proberen. Weten hoe die kunnen klinken, spelen en voelen, helpt je vaak een betere keuze te maken uit de instrumenten die je wel kunt (of wilt) betalen.

TIP

Te veel gitaren

Als je te veel instrumenten tegelijk beluistert, hoor je al snel niets meer. Kies er liever drie uit, probeer ze, en vervang dan het minst aantrekkelijke instrument door een andere. Enzovoort.

Per onderdeel

Probeer instrumenten ook 'per onderdeel' te vergelijken. Luister bijvoorbeeld eerst naar de halselementen van een paar gitaren, dan naar de brugelementen, en luister pas daarna eens wat er met de toonregeling allemaal mogelijk is.

Eén versterker
Gebruik één versterker. Anders sta je niet alleen instrumenten, maar ook versterkers te vergelijken. Neem liefst je eigen versterker mee, omdat je weet hoe die klinkt, en je eigen bas of gitaar. Dan heb je een goed uitgangspunt.

Wat eerst?
Kom je zowel een (bas)gitaar als een versterker kopen, begin dan met het instrument en kies daar een versterker bij die de klank van dat instrument aanvult of onderstreept.

Clean
Zelfs als je altijd vervormd speelt, kan het geen kwaad om instrumenten ook clean te proberen. Dat vertelt je meer over het karakter van de gitaar. Zet om dezelfde reden de volume- en toonknoppen van passieve instrumenten wijd open, zodat je niets dempt. Zet bij actieve bassen de toonregelaars steeds in de neutrale middenstand. Dan luister je naar de instrumenten zelf en niet naar het effect van hun toonregelaars.

Onversterkt
Hoe een instrument onversterkt klinkt, vertelt vaak veel over hoe het zich versterkt gedraagt. Luister naar de klankkleur, de sustain en alle andere dingen die je in dit hoofdstuk al tegenkwam – inclusief rammels en andere bijgeluiden.
Om ook de allerkleinste nuances te horen, leg je je oor zachtjes tegen de punt van de hoorn. Bij hollowbody's speelt de klankkast een heel belangrijke rol in de totale klank, dus beluister die altijd ook onversterkt.

LUISTERTIPS

De hoge snaren klinken altijd korter en helderder dan de lage, en in de hoge posities klinkt een snaar altijd korter en minder 'open' dan in de lage posities – maar de verschillen mogen niet zo groot zijn dat het lijkt of je van instrument wisselt.

Respons en dynamiek

Test de respons: speel zo zacht als je ooit zult spelen en luister of het instrument meteen aanspreekt. Speel zo hard als je ooit speelt, of zo hard als je in die winkel mag, en kijk hoe het zich daaronder houdt. Goede gitaren en bassen hebben een grote dynamiek (je kunt er zowel heel hard als heel zacht op spelen), behalve als het bijvoorbeeld om metal- of jazzgitaren gaat.

TIP

Veelzijdig

Sommige instrumenten zijn inderdaad voor een bepaalde stijl gebouwd, terwijl andere juist als heel veelzijdig te boek staan. Zelfs de meest veelzijdige gitaar of bas zal je echter niet alles bieden wat je zoekt – en daarom hebben (bas)gitaristen vaak meerdere instrumenten in huis.

Klankkleur

Gitaristen en bassisten gebruiken talloze woorden om de klankkleur van een instrument te omschrijven, en er zijn talloze dingen waar je naar kunt luisteren. Het belangrijkste is dat je een idee hebt van hoe jij wilt klinken, en van de klank die past bij de muziek die je maakt. Donker of licht, vet of fel, sprankelend of massief, dun of dik, drijfnat of gortdroog, recht in je gezicht of er net langs...

Dezelfde?

En tot slot: er zijn geen twee gitaren of bassen precies hetzelfde, zelfs niet als ze op dezelfde dag in dezelfde fabriek gemaakt werden. Dus koop altijd het instrument dat je uitgekozen hebt, en niet net zo eentje uit het magazijn.

TWEEDEHANDS

Koop je een tweedehands instrument, let dan extra op de volgende punten:

- Controleer body, hals en toets op **barsten**, knoesten, deuken en andere schade.
- Krakende en piepende **mechanieken** doen het vaak weer goed met een klein druppeltje olie, tenzij het gesloten mechanieken zijn.
- **Rammels en ratels** kunnen veroorzaakt worden door een slechte afstelling, losse snaarwindingen, een losliggende slagplaat of losse schroefjes, versleten frets, een versleten topkam…
- Kijk of de **frets** niet gedeukt zijn (dan kun je je snaren niet opdrukken) of vlakke plekken hebben (dat geeft rammelende snaren). Frets kunnen vaak bijgewerkt worden; het herfretten van een gitaar kost al snel twee- tot driehonderd euro.
- Controleer de **elementen en de elementschakelaar**. Sluit het instrument aan en druk de snaren een voor een tegen de elementen aan. Staat het element aan, dan hoor je steeds een zacht, versterkt tikje. Controleer zo alle standen van de elementschakelaar.
- Of **toon- en volumeregelaars** kraken omdat ze vuil zijn (zie bladzijde 149), of omdat ze versleten zijn, ontdek je door ze een paar keer flink te draaien. Zijn ze alleen maar vuil, dan wordt het gekraak meestal ietsje minder – tijdelijk.
- Laat een duur instrument altijd **taxeren**.

NIEUW, NIEUW, NIEUWER

De meeste gitaristen en bassisten spelen op instrumenten die eigenlijk halverwege de vorige eeuw ontworpen werden – maar dat betekent niet dat er niets nieuws gebeurt.

Modeling gitaren

In 2002 kwam Line 6 met de eerste modeling gitaar, de Variax. Met een draaiknop kon je kiezen uit de digitale klanken van niet minder dan 25 bekende elektrische en akoestische gitaren.

Meer

Sindsdien verschenen er veel meer gitaren met allerlei digitale mogelijkheden. Wat daar allemaal mee kan?

- Een heel **andere gitaarklank** kiezen zonder van gitaar te wisselen.
- Een **andere stemming** kiezen zonder maar naar je stemknoppen te kijken. Je verstemt je snaren niet, maar de gitaar verandert de toonhoogte per snaar digitaal.
- Je zessnarige elektrische gitaar als een **twaalfsnarige akoestische** laten klinken, of een akoestische gitaar voor een elektrische gitaarsound gebruiken.
- Je gitaar met een **usb-kabel** op je computer aansluiten zodat je bijvoorbeeld jezelf kunt opnemen, online met andere muzikanten kunt jammen, of talloze virtuele versterkers en effecten kunt gebruiken.
- En er komt natuurlijk **nog veel meer**...

Usb

Ook gitaren en bassen zonder usb-uitgang zijn op de usb-poort van je computer aan te sluiten. De Stealth Plug is een van de producten die dat mogelijk maken. Je steekt de 1/4" plug van deze audio-interface in de uitgang van je instrument; de usb-plug aan de andere zijde gaat je computer in.

6

Goede snaren

Alleen met een set goede snaren haal je het beste uit je instrument. Ze zijn er in talloze soorten en ze spelen, klinken en voelen allemaal anders.

De drie dunne gitaarsnaren zijn 'kale' staaldraden. De dikkere snaren zijn omwikkeld met heel dun metaaldraad of lint.

Verschillen

Die kale snaren verschillen niet zoveel, per merk of per serie. Omwikkelde snaren wel, en dat zit hem onder andere in het metaal van de omwikkeling. Meestal is dat vernikkeld staal, puur nikkel of roestvrij staal.

Vernikkeld staal

De meest gebruikte snaren hebben een omwikkeling van vernikkeld staal. Zulke snaren worden – heel verwarrend – meestal aangeduid als *nickel wound.*

Puur nikkel

Snaren met een omwikkeling van puur nikkel heten *pure nickel wound.* Die omwikkeling, die vooral in de jaren vijftig en zestig populair was, geeft een warmere, zoetere, 'vintage' klank.

Staal

Snaren met een stalen omwikkeling klinken het felst en het helderst. *Steel-wound* snaren kunnen ook een goede keuze zijn als je erg agressief zweet hebt: de roestvrijstalen omwikkeling kan daar prima tegen.

De kern

Sommige fabrikanten gebruiken een achtkantige stalen kern voor hun omwikkelde snaren; die zou de omwikkeling meer houvast geven. Andere fabrikanten gebruiken een ronde kern, omdat dat een gelijkmatigere en mooiere toon zou geven.

De snaren van dunne setjes	De snaren van dikke setjes
klinken 'dunner', lichter en scherper	klinken 'dikker', vetter en warmer
hebben minder sustain	hebben meer sustain
klinken minder hard	geven meer output
zijn makkelijker op te drukken	spelen wat zwaarder
gaan minder lang mee	gaan langer mee

Dik of dun
Als je nieuwe snaren gaat kopen, kun je kiezen tussen dikkere en dunnere setjes. De belangrijkste verschillen zie je hiernaast.

010
Snaardiktes worden aangegeven in duizendsten van een inch. Een 010-snaar is 0,010" dik, ofwel een kwart millimeter.

De dunste snaar
Bij een 'dun' setje zijn alle snaren dunner dan bij een 'dikke' set snaren. De dikte van een setje wordt meestal aangegeven met de dikte van de dunste snaar. Een setje 010" heeft dus een hoge E van 0,010 inch.

Welke dikte?
Op solidbody-gitaren worden setjes 009 en 010 het meest gebruikt, en daartussenin heb je ook nog 0095. Omdat dikkere snaren je van alles wat meer geven (toon, sustain, volume, kleur), spelen de meeste gitaristen het liefst met de dikste snaren waar ze nog lekker mee uit de voeten kunnen. *Tip:* aan dikkere snaren wen je soms makkelijker dan je denkt. Nog een tip: er zijn gitaren en gitaristen die juist beter klinken met een lichter setje...

Namen en nummers
De meeste fabrikanten geven de diktes van hun snarensetjes ook met namen aan – maar wat de een Extra Light noemt, kan bij de ander best Light heten. Ook de exacte diktes van de andere snaren uit de set kunnen verschillen per merk en per type.

Voorbeelden van veelgebruikte namen en diktes

Naam	eerste snaar (hoge E)	zesde snaar (lage E)
Extra Light, Ultra Light	008 (0,20 mm)	038 (0,95 mm)
Light	009	042
Regular	010	046
Medium	011	052
Heavy/Jazz	012 (0,30 mm)	054 (1,4 mm)

W = omWikkeld
Dunnere sets hebben meestal een kale derde snaar (de G); bij dik-

kere sets is die snaar vaak omwikkeld. Op de verpakking wordt dat meestal met een hoofdletter W aangegeven: een 020W is een omwikkelde G-snaar. Er zijn gitaristen die ook in dunnere sets liever een omwikkelde G gebruiken, voor extra toon en zuiverheid. Lang niet elk merk verkoopt losse dunne, omwikkelde G-snaren.

Dun hoog, dik laag

Wil je je dunne snaren makkelijk kunnen opdrukken, maar toch ook een vette, dikke sound uit je dikke snaren halen, dan zijn er ook light top/heavy bottom-setjes te koop. Die hebben dunnere hoge en dikkere lage snaren. Zo zijn er 010-sets met een lage E van 052 in plaats van 046.

Andere snaren

Als je een dikker of een dunner setje gaat gebruiken, moet je instrument misschien opnieuw worden afgesteld. Dikkere snaren trekken harder aan je hals en de veren van je tremolo, en andersom. Opnieuw afstellen kan ook nodig zijn als je even dikke snaren van een ander merk gaat gebruiken. De snaarspanning kan namelijk per merk verschillen.

Dikker

Als de groeven in je topkam niet op dikkere snaren berekend zijn, kunnen ze daarin blijven hangen. Dat stemt lastiger en ontstemt een heel stuk sneller, vooral bij opdrukken en tremologebruik. Laat de groeven verbreden (da's vakwerk!) of de topkam vervangen.

Dikkere kern

Als je twee even dikke snaren van verschillende merken of series vergelijkt, kan de een veel flexibeler zijn dan de ander. Dat voel je al zonder ze op je instrument te zetten. De 'stijvere' snaar heeft vermoedelijk een dikkere stalen kern. Dat geeft 'm meer output en meer sustain, maar hij speelt wel wat zwaarder. Snaren met een dunne kern spelen lichter en klinken wat 'zoeter'.

Rond of vlak
De meeste omwikkelde snaren zijn *roundwounds*: ze hebben een omwikkeling van rond metaaldraad. *Flatwounds*, die vooral door jazzgitaristen gebruikt worden, zijn omwikkeld met een plat metalen lint. Dat geeft ze een dikkere, warmere, zoetere klank. Ze klinken ook korter, en ze gaan vaak korter mee: het lint slijt vrij makkelijk. Aan de andere kant gaan je frets dus juist langer mee...

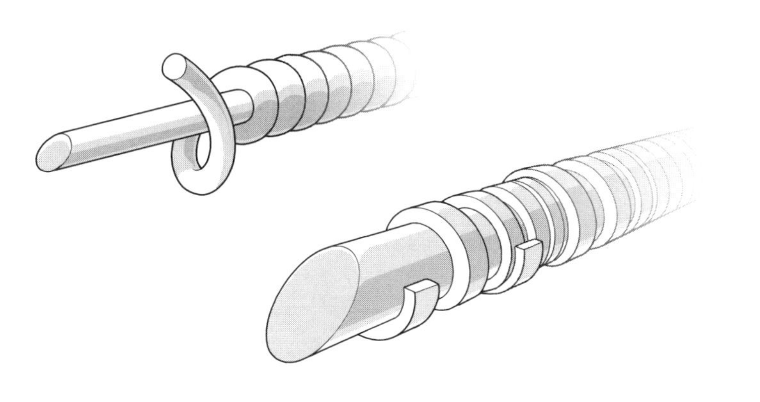

Roundwound en flatwound snaren

> ***Halfrounds***
> ***Kun je niet kiezen tussen rond of vlak, dan zijn er ook halfrounds en groundwounds (vlakgeslepen roundwounds), of zelfs compoundwounds, die verschillende omwikkelingen hebben.***

BASSNAREN

Bassnaren zijn altijd omwikkeld. Door de extra massa van de metalen omwikkeling kunnen ze laag klinken zonder dat ze al te dik (en dus te stijf) of te lang (en dus onbespeelbaar) moeten zijn.

Roundwound en flatwound
Net als gitaarsnaren zijn er ook bassnaren met ronde en vlakke

omwikkeling. Flatwounds worden eigenlijk vooral gebruikt door jazzbassisten en ook wel door reggae-, country- en een paar metalbassisten. Voor fretloze bassen zijn er snaren met een kunststof omwikkeling, waarmee de toets minder snel slijt.

Diktes

Bij bassnarensets wordt vaak de dunste én de dikste snaar aangegeven, omdat die dikste behoorlijk kan variëren. Hieronder zie je een paar voorbeelden. Sets 040/100 en 045/105 worden het meest gebruikt – de dunnere vaak voor slapping, een heldere toon en een snelle respons; de dikkere voor meer diepte, ballen en power. De lage B van vijf- en meersnarige bassen is meestal tussen de 3 en de 3,5 mm dik (120-135).

Voorbeelden van bassnarensets

Naam	eerste snaar (G)	vierde snaar (E)
Extra Light	030 (0,75 mm)	085 (2,1 mm)
Light	035	090
Medium	040	095, 100 or 105
Medium Heavy	045	105
Heavy	050 (1,25 mm)	110 (2,8 mm)

Andere mensuur, andere snaren

Er zijn speciale bassnaren voor bassen met een korte, medium, lange of extra lange mensuur. Zet je standaardsnaren op een bas met een korte mensuur, dan komt er niet genoeg spanning op de snaren en krijg je een slappe toon. Bovendien beschadigt de winding makkelijk bij de mechanieken, als je ze daar al makkelijk kunt bevestigen.

HOE, HOE LANG, HOEVEEL

Snaren kiezen blijft, hoeveel je er ook van weet, vooral een kwestie van experimenteren. Daarbij is het makkelijk als je je ervaringen met verschillende merken en series bijhoudt (zie bladzijde 241).

Praten

Ervaringen met andere muzikanten uitwisselen helpt, maar de ene set snaren doet het geweldig op de ene en niet zo goed op de andere gitaar, of lekker voor de ene, maar niet voor de andere bassist.

Luisteren

Als je snaren beoordeelt, luister dan naar hoe ze klinken, maar ook naar hoe snel ze reageren (respons), hoe ze reageren op zacht en hard spelen (dynamiek), hoe hard ze klinken (output) en of ze elke nuance in je spel in klank omzetten (als je dat wilt...). Luister ook naar de balans van snaar tot snaar: klinkt de een niet te hard, of de ander te dof? Ook belangrijk, maar moeilijker te beoordelen: als je steeds dezelfde snaren koopt, klinken ze dan ook steeds hetzelfde? Duurdere sets zijn vaak constanter van kwaliteit.

Lage B

Voor bassisten is vooral de lage B een kritische snaar. Heb je goede snaren (en een goed instrument), dan klinkt zelfs die open lage B nog strak en gedefinieerd.

Oud en dof

Als snaren ouder worden, gaan ze doffer en minder zuiver klinken, ze worden lastiger te stemmen en er is meer kans dat ze breken. Dat geldt ook voor snaren met vlakke, door de frets afgesleten plekken aan de onderkant. Controleer je snaren op dat punt door er af en toe een vinger onderdoor te halen.

Een dag of een half jaar

Veeleisende gitaristen met kritische oren en voldoende geld zetten soms dagelijks een nieuwe set op hun instrument. Anderen spelen vrolijk een half jaar of langer met een setje. Als ze er dan een keer nieuwe snaren op zetten, zijn ze verbaasd over hoe helder dat klinkt. Wanneer is het nu precies tijd om ze te vervangen?

Een maand

Als je zo'n acht tot tien uur per week gitaar speelt, vervang je snaren dan eens na een maand. Hoor je het verschil direct, verwissel ze dan de volgende keer na twee of drie weken. Hoor je eigenlijk geen verschil? Laat je snaren er dan eens anderhalve of twee maanden op zitten en luister weer naar het verschil als je ze vervangt. Nog een tip: als omwikkelde snaren verkleuren, hebben ze hun langste tijd meestal wel gehad.

Bassisten langer

Bassisten doen langer met hun snaren. Gelukkig, want bassnaren zijn een stuk duurder. Toch zijn er ook bassisten die een paar keer per week hun snaren vervangen voor een zo helder, fel, strak, funky, percussief mogelijk geluid. Wanneer je ze moet vervangen, stel je op dezelfde manier vast als bij gitaren. Hou bij hoe lang ze erop zitten, en luister of je een duidelijk verschil hoort als je ze door nieuwe snaren vervangt. Is dat verschil duidelijk, dan moet je ze de volgende keer eerder vervangen.

Meer is korter

Hoe meer je speelt, hoe agressiever je zweet en hoe dunner je snaren, des te korter ze meegaan. Goed onderhoud kan de levensduur iets verlengen, zoals je in het volgende hoofdstuk leest.

Coating

Een aantal fabrikanten maakt snaren met een speciale coating die ze minder gevoelig zou maken voor zweet en vervuiling. Zulke gecoate snaren gaan duidelijk langer mee dan onbehandelde snaren; denk aan een keer of drie, vier zo lang. Sommige muzikanten vinden gecoate snaren duidelijk anders klinken, waarbij de vraag altijd is of ze dat verschil ook horen als ze niet weten op wat voor snaren ze spelen. Net als bij niet-gecoate snaren verschilt de klank natuurlijk ook per merk en serie.

Reserve

Oudere snaren breken eerder, maar ook een gloednieuwe snaar kan het zomaar begeven. Neem dus liefst meerdere reservesnaren mee. Ook als je bas speelt. Voor gitaristen is de dunne, hoge E het kwetsbaarst. Daarom verkopen sommige merken sets waar er twee in zitten.

Een of meer?

Als een kale snaar breekt, kun je die zonder meer vervangen. Zit een setje er al wat langer op en vervang je een enkele omwikkelde snaar, dan klinkt die nieuwe snaar vaak een stuk feller of helderder dan de rest. Dat is alleen maar op te lossen door toch een heel nieuwe set te monteren.

Hoeveel?

De meeste gitaarsnaren kosten zo'n vijf tot tien euro per set. Bassnaren zijn al snel vier keer zo duur. Er worden ook veel goedkopere snaren verkocht, en veel duurdere. Klinken die goedkope goed genoeg, of gaan die dure zo lang mee dat ze vanzelf goedkoper worden? Dat blijft een kwestie van proberen.

Envelopjes

Sommige fabrikanten gebruiken speciale envelopjes om elke snaar zo goed mogelijk te beschermen; andere besparen op verpakking en inkt en stoppen alle snaren bij elkaar.

Merken

Heel wat grote (bas)gitaarmerken hebben hun eigen snaren. Andere snarenmerken zijn D'Addario, D'Aquisto, Boston, Darco, Dean Markley, DR, Elixir, Ernie Ball, GHS, LaBella, Rotosound, SIT, Stagg, Thomastik-Infeld en VMS. Sommige fabrikanten maken alleen dure, andere alleen goedkope snaren, of ze maken snaren in alle prijsklassen. Veel fabrikanten maken snaren voor verschillende merken, ook voor de gitaarbouwers die hun 'eigen' snaren verkopen.

7

Snaren poetsen en wisselen

Snaren gaan langer mee als je ze goed onderhoudt en als ze goed opgezet worden. Moeilijk is dat niet, als je maar weet hoe.

Hoe schoner je je snaren houdt, des te langer blijven ze goed klinken en prettig spelen. Met schone snaren blijft bovendien de toets langer schoon.

Vooraf

Het scheelt al een heel stuk als je je handen wast voor je gaat spelen. Echt. Met pH-neutrale zeep zweet je mogelijk wat minder, en ook dat helpt. Heb je toch last van zweterige vingers, wrijf ze dan vooraf in met wat talkpoeder. Niet te veel, anders is het middel erger dan de kwaal.

Achteraf

Zelfs met schone handen laten je vingers vet en vocht achter op de snaren. Haal daar dus na het spelen een droge, schone, pluisvrije doek overheen. Een oud T-shirt bijvoorbeeld, of een theedoek.

Toets

Haal die doek ook onder de snaren door en beweeg hem een paar keer op en neer. Dan hou je meteen de toets en de frets schoon.

Snarenreinigers

Snaren kunnen ook langer meegaan als je ze af en toe met een snarenreiniger behandelt. De meeste reinigers zetten een vuil-, vet- en zweetafstotend laagje op je snaren en zorgen ervoor dat ze gladder aanvoelen.
Lees voor je zo'n reiniger gebruikt altijd eerst de gebruiksaanwijzing. Voorkom in elk geval dat het spul op je instrument terechtkomt, dus leg bijvoorbeeld een stukje karton onder de snaren.
Tip: er zijn ook snaren met een ingebouwde vocht- en vetwerende coating (zie bladzijde 104).

Een ander merk

Als ook snaarreinigers of gecoate snaren niet bestand zijn tegen het bijtende effect van je zweet, probeer dan eens snaren met een stalen omwikkeling, of experimenteer met andere merken en series snaren.

Schieten

Je kunt je omwikkelde snaren bevrijden van niet al te vastzittend stof en vuil door ze iets omhoog te trekken en ze tegen de toets te laten schieten.

Koken

Bassisten maken hun (dure) snaren vaak schoon door ze een paar minuten uit te koken in een pan water met of zonder een scheut azijn, wat soda, wasmiddel of afwasmiddel. Spoel ze langdurig na met koud water voordat je ze vastpakt: ze worden kokendheet. Droog ze zorgvuldig af om oxidatie te voorkomen. Uitgekookte snaren breken soms makkelijker, niet omdat ze gekookt zijn, maar door de knikken op de plaats waar ze eerder aan de stemmechanieken zaten.

Je instrument

Wil je zo lang mogelijk met je snaren doen, dan moet je ook je instrument in de gaten houden. Ruwe plekjes of scherpe randjes op frets, topkam of zadels kunnen voor schade aan je snaren zorgen. Met superfijn schuurpapier is bijna alles glad te maken. Gebruik liever geen staalwol, omdat microdeeltjes staal in je (magnetische!) elementen terecht kunnen komen en daar voor allerlei narigheid kunnen zorgen.

SNAREN VERVANGEN

Als je een compleet nieuwe set snaren op je gitaar of je bas zet, vervang je je snaren 't best een voor een. Dan blijft er spanning op de hals staan, en je kunt steeds de nieuwe snaar op de ernaast gelegen oude snaar stemmen.

Allemaal of per twee

Als je de toets en de body goed wilt schoonmaken, kun je voor wat extra ruimte zorgen door je snaren twee aan twee te vervangen – maar je kunt ze er dan natuurlijk ook allemaal afhalen. Doe je dat met een hollowbody, gebruik dan een doek om te voorkomen dat het staartstuk de lak beschadigt als het loskomt.

Zwevende brug

Een zwevende brug, die zonder snaren opeens los op je instrument staat, moet op precies dezelfde plaats teruggezet worden. Gebeurt dat niet, dan klopt je intonatie niet meer en wordt alles valser naarmate je hoger op de hals speelt (zie bladzijde 153-156).

Op tafel

Snaren vervangen gaat het makkelijkst met je instrument op tafel. Met een stuk schuimplastic of een grote handdoek eronder voorkom je krassen en blijft je instrument beter liggen.

Snaren loshalen

Ontspan de eerste snaar die je wilt vervangen. Dat gaat het snelst met een snaarmolentje. Als de spanning er helemaal af is, kun je hem bij de stift makkelijk losmaken. Daarna kun je de snaar door de brug, de snaarhouder of de body (bij STB-bruggen, zie bladzijde 67) trekken, maar je voorkomt slijtage aan die onderdelen en het is veiliger als je de snaar vlak bij de brug afknipt. Dan hoef je alleen het korte, overgebleven stukje eruit te trekken. Knip pas als de snaar helemaal ontspannen is!

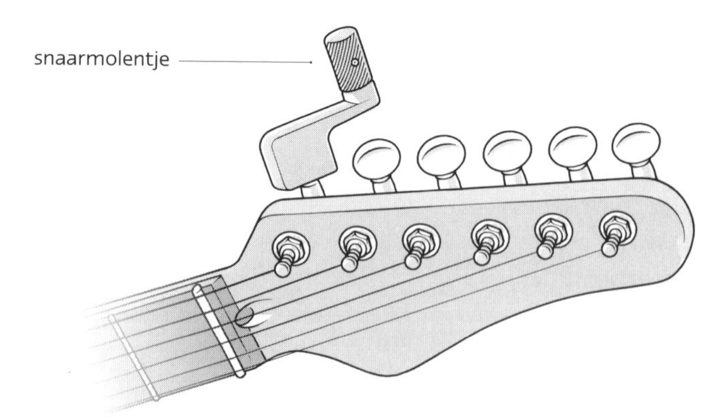

Snaren opzetten

Voer de nieuwe snaar door de brug, de body of de snaarhouder, en kijk even of het kogeltje goed op z'n plaats zit. Bij sommige bruggen, zoals de Floyd Rose, moet je het kogeltje afknippen en de snaar met een klem vastdraaien.

Plaat

Heb je een instrument met een afdekplaat voor de tremoloveren en moet je de nieuwe snaren via de body door de brug steken? Schroef die plaat dan even los.

Bij de mechanieken

De meeste elektrische gitaren hebben stiften met een gat van opzij, zoals in het bovenste rijtje van drie op de illustratie op de volgende bladzijde. Draai de stift zo dat het gaatje richting snaar wijst.

1. Voer dan de snaar door het gaatje.
2. Haal de snaar een keer over de stift heen.
3. Daarna begin je de snaar op te draaien, terwijl je hem onder het gaatje door laat lopen.

Tipcode EGTR-009

In deze Tipcode zie je hoe je een snaar aan de stemas van het mechaniek vastmaakt.

Verdraaid

Het is heel belangrijk dat een snaar bij het opzetten niet getordeerd wordt. Torderen is wat er gebeurt als je een handdoek uitwringt: je verdraait de uiteinden ten opzichte van elkaar, waardoor er spanning op het materiaal komt te staan. Bij een handdoek is dat de bedoeling: door die spanning pers je het water eruit. Op gitaarsnaren heeft torderen geen goed effect. Ze breken er eerder door. Bovendien klinkt een gitaar met niet-getordeerde snaren 'rustiger'.

Voorkomen

Hoe voorkom je getordeerde snaren? Trek de snaar bij het opzetten alleen aan de kant van het mechaniek licht aan, en niet aan de andere zijde, bij het baleinde. Als de snaar nu gaat draaien (wat hij door het zandlopermodel van de stift van het mechaniek zal

Zo zet je snaren vast bij het stemmechaniek. Bij de meeste gitaren zit het gat in de stift aan de zijkant.

Bij slotted tuners steek je de snaar er van bovenaf in.

De stemasjes moeten in de richting van de pijl draaien.

doen), kan het andere uiteinde meedraaien, en gaat alles dus goed. Het gaat zeker *niet* goed als je de nieuwe snaar aan het baleinde vast aantrekt en hem met de hand een paar keer om de stift wikkelt.

Ellips

Hoe ontdek je nu of je snaren wel of niet getordeerd zijn? Sla ze een voor een bij de twaalfde fret aan. Een snaar die goed gemonteerd is, zie je dan in een mooie ellipsvorm uitslaan. Die ellips wordt heel geleidelijk dunner, tot de snaar uitgetrild is. Onregelmatige trillingen laten zich zien als een soort sprongetjes in het verlopende model van de ellips. Die sprongetjes maken de onrust in de klank zichtbaar. Je lost het probleem op door de snaar los te halen en hem er opnieuw – maar nu goed – op te zetten.

Slotted mechanieken

De meeste bassen en sommige gitaren hebben *slotted* mechanieken, waarbij je de snaar van bovenaf in de stift of schacht steekt en hem daarna door een gleuf (slot) haalt. Meestal moet je dan eerst de snaar precies op lengte knippen, maar er zijn ook mechanieken waar je de snaar helemaal doorheen steekt. Kan dat niet, knip dan elke nieuwe snaar af op de lengte van de oude snaar. Bij gitaren is dat meestal op een centimeter of vier voorbij de stift. Hou bassnaren iets langer: ze zijn dikker en hebben meer ruimte nodig, en ze worden meestal vaker om de stift gewonden. Als de snaar op lengte is, steek je het uiteinde in het gat, je haalt hem door de gleuf en over de stift heen, en je draait hem op zoals hierboven al beschreven werd.

Gitaar: minder is beter

Hoe vaker een gitaarsnaar om de stift gedraaid is, des te sneller hij ontstemt. Hoezo? Als je je snaren opdrukt of je tremolo gebruikt, verandert de spanning op de windingen rond de stift. Laat je de snaren of de tremoloarm weer los, dan is die spanning vaak niet meer hetzelfde als daarvoor – en is de snaar dus niet meer op stemming. Hoe meer windingen, hoe meer variatie, en dus hoe meer kans op vals. Probeer elke snaar niet meer dan twee keer om de stift te wikkelen.

Locking-mechanieken

Het grote voordeel van locking-stemmechanieken (zie bladzijde 65) is dat de snaren helemaal niet meer om de stift gewonden worden. Dan kunnen ze daar dus ook niet meer ontstemmen. Locking-mechanieken zie je vaak alleen op gitaren met een tremolo, maar ook op andere gitaren zijn ze heel effectief – al was het maar omdat iedereen wel eens een snaar opdrukt.

Bas: meer

Het aantal wikkelingen heeft bij bassen veel minder invloed op de stemvastheid, al was het maar omdat bassisten geen tremolo's gebruiken en niet of nauwelijks hun snaren opdrukken. Bassisten kiezen zelfs vaak voor meer wikkelingen dan nodig is om slippen te voorkomen: door de extra wikkelingen wordt de snaar verder naar beneden getrokken. Dat vergroot de druk op de topkam en verbetert de klank.

Te lang

De meeste snaren zijn veel te lang, als je ze koopt. Sommige muzikanten laten dat zo, met decimeters los staaldraad bij de kop, maar de meeste knippen ze af. Dat kun je doen als ze gemonteerd zijn of vooraf, op een centimeter of vier of vijf voorbij de stift. Bij de meeste slotted mechanieken moet je ze vooraf afknippen. Tip: er zijn ook mechanieken met een ingebouwde snarenknipper, zoals de Auto-Trim Tuning Machines van ontwerper Ned Steinberger.

Toplock

Op gitaren met een toplock (zie bladzijde 71) breng je je nieuwe snaren grofweg op spanning met de gewone stemmechanieken. Daarna draai je de toplock aan. Vanaf dat moment kun je alleen nog maar stemmen met de fijnstemmers bij de brug. *Tip:* snaren die met een toplock vastgezeten hebben, zullen op dat punt snel breken als je ze los zou halen. Laat ze dus zitten tot je ze vervangt.

Stabiliseren

Om te voorkomen dat nieuwe snaren steeds ontstemmen, moet je zorgen dat ze goed gaan 'zitten'. Glij met een vinger onder de eerste snaar door en trek hem een stukje omhoog, alsof je hem uitrekt. Luister of hij lager is gaan klinken. Stem hem bij, en herhaal dit tot hij op stemming blijft. Doe hetzelfde met de volgende snaar. Enzovoort.

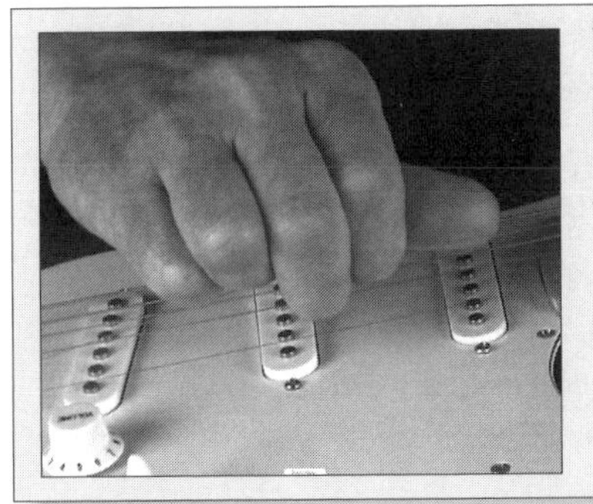

Tipcode EGTR-010

Door nieuwe snaren voor te rekken, blijven ze eerder op stemming.

Bij de zadels

Nieuwe snaren kunnen ook ontstemmen omdat de bocht waar ze over de zadels lopen nog een beetje te ruim is. Dat verhelp je door elke snaar vlak voorbij het zadel even naar beneden te drukken, zodat hij er strak overheen loopt.

Druk elke snaar bij het zadel even naar beneden.

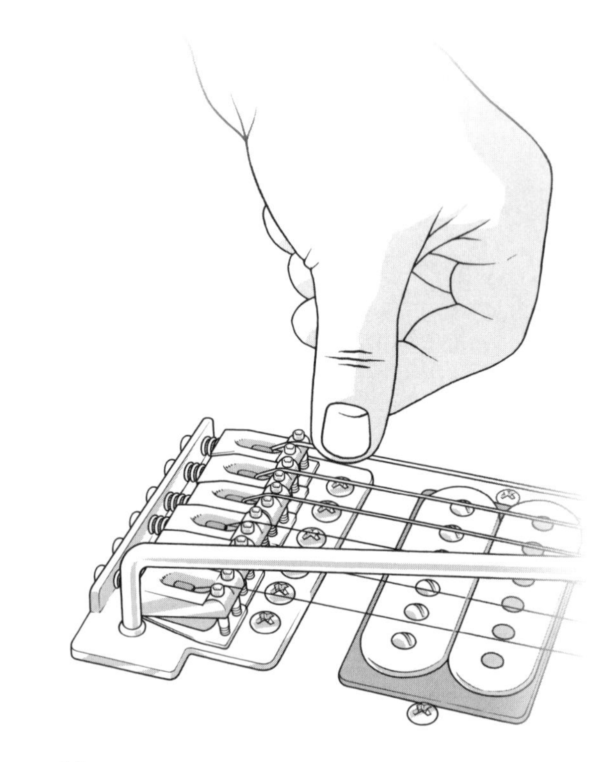

Snaartips

- Zitten er **snaargeleiders** op je instrument, laat de snaren daar dan altijd onderdoor lopen.
- Voorkom dat er bij het opzetten **knikken** in je snaren komen. Knikken zorgen voor onzuiver klinkende snaren en soms zelfs voor breuk.
- Eén **uitzondering**: sommige (bas)gitaristen buigen voor extra 'houvast' aan het stemmechaniek met een tang een haakse knik in de snaar.

- Haal een snaar pas uit zijn zakje als je hem gaat monteren. Doe je dat niet en heb je ongemerkte snaren, dan zijn ze soms **lastig uit elkaar te houden**...
- Als je je nieuwe snaren **te hoog** stemt, kunnen ze breken of je instrument beschadigen.
- Stem je ze veel **te laag**, dan hoor je vooral een hoop gerammel. In hoofdstuk 8 lees je hoe je het goed doet.
- Blijft snaren verwisselen lastig? Floyd Rose heeft instrumenten met het Speedloader **snellaadsysteem** waarbij je de snaren in een handomdraai monteert.

Accessoires

Als gitarist of bassist kun je niet zonder snoer, natuurlijk, en eigenlijk ook niet zonder hoes of koffer, een gitaarband en een goede standaard. En er zijn maar weinig gitaristen die het zonder plectrum doen. Een hoofdstuk vol kooptips.

Als je thuis oefent, maakt het nauwelijks uit wat voor kabel je gebruikt – zolang hij maar niet kraakt en bromt. Ga je optreden, dan wordt een goede kabel belangrijker.

Lang en goed

Er zijn enorme discussies over de vraag of je geluid nu wel of niet vooruitgaat als je vooral dure en liefst niet al te lange kabels gebruikt. Bij kabels van meer dan vijf meter zou je geluid minder helder, duidelijk en dynamisch worden, tenzij je een instrument met actieve elektronica hebt. Hoe langer de kabel, des te belangrijker de kwaliteit zou zijn: een goede lange kabel geeft minder snel klankverlies dan een minder goede. Lang niet iedereen is het daarmee eens. Gelukkig maar, want op een podium heb je al snel een meter of vijf of meer nodig.

Klank

Dat kabels invloed op je klank hebben, is wel duidelijk. Dat hoor je natuurlijk vooral als je een goed instrument, goede apparatuur en geoefende oren hebt. Betere kabels geven je van alles een beetje meer: helderder hoog, mooier midden en lekkerder laag. Daar betaal je ook meer voor. Omdat betere kabels vaak ook langer meegaan, zijn ze uiteindelijk niet eens echt duurder.

Goed vast

Kabels verschillen ook in hoe de pluggen vastzitten en hoe de kwetsbare kabeluiteinden beschermd zijn. Met goede kabels heb je door een goede *afscherming* ook minder snel last van brom, ruis en andere ellende.

Zonder zuurstof

Kabels worden vaak aangeprezen met de term zuurstofvrij koperdraad (oxygen-free copper wire). Dat materiaal zou corrosie en vervorming tegengaan, maar daar is niet iedereen het over eens. Belangrijker is dat bijna alle kabelmakers dit materiaal gebruiken, dus lang hoef je er niet over na te denken.

Goud
Vergulde pluggen gaan corrosie tegen, maar op instrumentkabels zijn ze niet erg zinvol: het zachte goud slijt er door in- en uitpluggen snel af.

De mantel
Hoe goed een kabel is, hangt ook van de mantel af. Meestal is die mantel van kunststof, maar er zijn ook kabels met geweven mantels. Beide soorten zijn er in talloze kleuren, van zwart en zilver tot fluorescerend groen en oranje. Belangrijker is hoe soepel de kabel is. De meeste muzikanten spelen het liefst met een soepele kabel die niet in allerlei bochten blijft staan en makkelijk op te rollen is.

Pluggen
Kabels zijn er met haakse en rechte pluggen. Zo'n haaks model is handig als de output van je gitaar haaks op de body zit; een rechte plug steekt dan een heel eind uit.

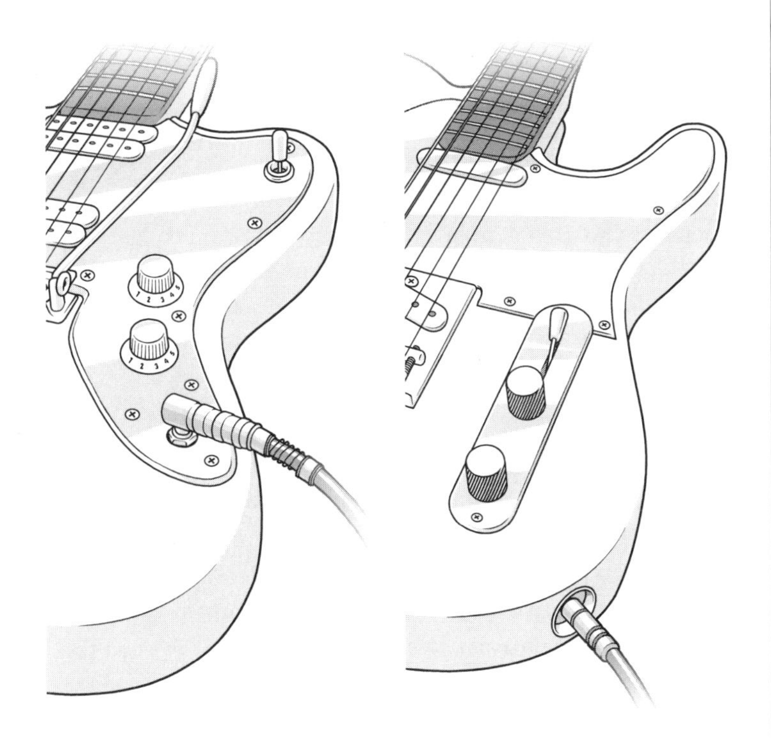

Een haakse (links) en een rechte plug (rechts)

Tegen brom

Als je de kabel uit je instrument trekt, kun je een harde klap en daarna een flinke brom te horen krijgen. Er bestaan kabels met een soort ingebouwde bromonderdrukkers en er bestaan los verkrijgbare accessoires die hetzelfde doen. Een heel effectieve oplossing bestaat uit een tweedelige magnetische plug waarvan de ene helft in je gitaar (of in je versterker) blijft zitten. De andere helft van deze Snap Jacks – met de kabel eraan vast – klik je er zo op. Geluidloos, ook als al je volumeregelaars open staan.

Draadloos

Als je het hele podium over wilt kunnen rennen, kun je een draadloos systeem kopen, met een zendertje in de uitgang van je instrument en een ontvanger in de ingang van je versterker. Draadloze systemen zijn er al vanaf zo'n honderd euro. Duurdere systemen bieden in principe minder drop-outs en minder kans op storing, batterijen die langer meegaan en natuurlijk ook een betere sound.

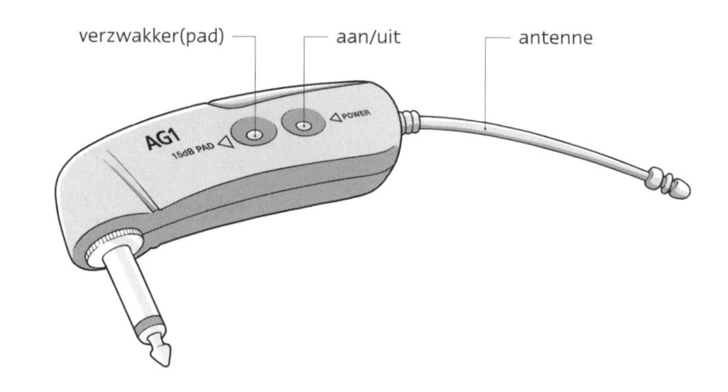

Nauwelijks groter dan een jackplug... (Samson)

KOFFERS EN HOEZEN

Een koffer of hoes is niet alleen voor onderweg belangrijk. Thuis beschermt zo'n verpakking je instrument en je snaren tegen stof, vet, rook en vocht.

Hoezen

Een eenvoudige hoes koop je al voor vijfentwintig euro. Voor meer geld krijg je een voering die meer kan hebben, en dat hoeft niet altijd een dikkere voering te zijn. Een betere hoes betekent als het goed is ook:

- degelijker **materiaal**
- waterafstotende **ritsen** die langer blijven werken en vanbinnen afgeschermd zijn zodat ze niet krassen
- bredere en beter bevestigde **draagbanden** of rugzakbanden
- een band om **de hals van je instrument** vast te zetten
- **effectievere bescherming** tegen temperatuur- en luchtvochtigheidsverschillen.

Gitaarhoes

Veel vakken, makkelijk dragen

De meeste hoezen hebben een of meer extra vakken voor reservesnaren, plectrums, een stemapparaat, kabels en muziek, en soms zelfs voor een lessenaar of een standaard.

Hoes of koffer?

Een hoes is makkelijker te dragen en neemt minder ruimte in dan een koffer, maar een goede koffer biedt meer bescherming.

Twee

Neem je vaak twee gitaren mee, weet dan dat er ook dubbele hoezen bestaan.

Koffers

Koffers met een spaanplaatkern zijn er al voor een euro of vijftig. Voor meer geld koop je een koffer met een steviger kern van gelaagd hout of kunststof. Let er bij aanschaf van een koffer op dat je instrument er goed in past: als het goed is, zit het klem zonder dat er ergens druk op staat. Zo zijn er bijvoorbeeld koffers die je alleen kunt gebruiken voor instrumenten waarvan de kop iets naar achteren wijst (*tilted headstock*; zie bladzijde 58).

Rechthoekig of in model

Rechthoekige koffers bieden meestal meer ruimte voor accessoires dan koffers in (bas)gitaarmodel. Vaak hebben ook die koffers toch wel één binnenvakje voor klein spul. Een zachte voering beschermt het instrument tegen krassen. Sommige koffers hebben een ingebouwde hygrometer en een luchtbevochtiger, wat eigenlijk alleen voor hollowbody's belangrijk is. Een koffer is makkelijker te hanteren en in en uit te laden als er meerdere handgrepen op zitten.

Gitaarband eraf

Haal de gitaarband van je instrument voor je het in z'n koffer of hoes stopt, al was het alleen maar omdat het materiaal van sommige banden sommige soorten lak kan aantasten.

STANDAARDS

Even pauze? Zet je instrument dan in een standaard, in plaats van tegen de muur, je versterker of een stoel.

Klein of groot

Voor onderweg zijn er speciale standaards die je heel compact kunt opvouwen. Grotere modellen staan vaak wat stabieler. Er zijn standaards waar je een heel stel instrumenten in kwijt kunt, en er bestaan zelfs koffers die ook als standaard dienst kunnen doen. Die zijn dan meestal voor meerdere gitaren bedoeld.

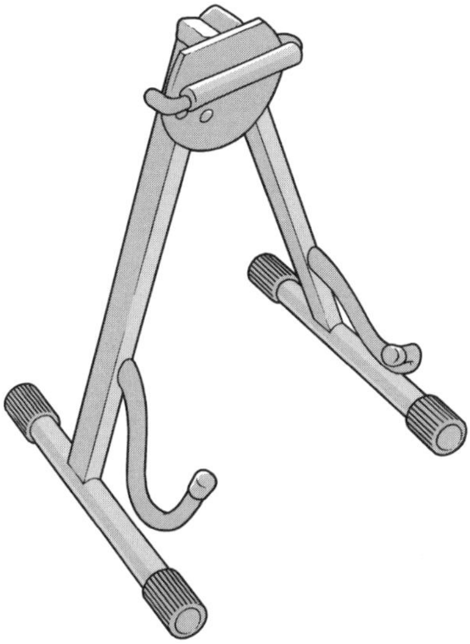

Opvouwbare gitaarstandaard

Stootkussentjes

De stootkussentjes van de standaard kunnen vooral bij hoge temperaturen sporen achterlaten op gitaren met een natuurlijke lak (nitrocellulose). Leg er een doekje overheen.

Halssteun

Sommige standaards hebben een aparte halssteun, en sommige halssteunen hebben een borgsysteem dat voorkomt dat je instrument voorovervalt. De Auto Grab is een borgsysteem dat automatisch dichtklapt.

Heel klein

In plaats van een standaard voor onderweg zijn er ook een soort losse halssteuntjes die je op je versterker kunt vastzetten of in een open input van je versterker kunt steken. Die voorkomen dat je instrument naar opzij wegglijdt en mechanieken verbuigen of halzen sneuvelen.

GITAARBANDEN

Gitaarbanden of *straps* zijn er in tientallen uitvoeringen, materialen en kleuren, en met prijzen van een euro of vijf tot boven de honderd euro.

Snelsluiting

Om een gitaarband vast te zetten, duw je de gitaarbandknoppen van je instrument door de sleuven in de uiteinden van de band. Er zijn ook banden met snelsluitingen: de uiteinden van de band blijven dan aan je instrument zitten.

Kliksluitingen

Nog luxueuzer zijn de systemen die met een metalen kliksluiting werken. Zo'n sluiting bestaat uit twee speciale knoppen en twee bijpassende houders die je aan je gitaarband vastmaakt. Monteren is een kwestie van minuten.

Gitaarband met metalen kliksluitingen (Schaller)

Verzonken

Er bestaan verzonken gitaarbandknoppen. Slechts een enkel merk zet ze standaard op hun instrumenten.

PLECTRUMS

De meeste *plectrums* zijn tussen een halve en drie millimeter dik, maar er zijn ook dikkere.

- Gitaristen die vooral of alleen **akkoorden** spelen, kiezen meestal voor grotere, zachtere en dikkere modellen.
- Voor **solowerk** ben je meestal beter uit met een kleiner, dikker, harder model. Dat speelt preciezer, je kunt er sneller mee spelen, en de klank krijgt meer attack, body en definitie.
- **Betere gitaristen** kiezen vaak dikkere plectrums: ze spelen preciezer, zoals gezegd, en je moet er dus ook preciezer voor spelen...

... in talloze uitvoeringen...

Plectrums, vingers en vingerplectrums

Bassisten gebruiken meestal hun vingers, maar er zijn er die met een plectrum spelen. Speciale basplectrums zijn groot en vrij zacht. Een enkele gitarist doet het met z'n vingers, voor een opvallend, warm, rond geluid, of met vingerplectrums: dat zijn plectrums die je om je vingers schuift.

Materiaal

Verreweg de meeste plectrums worden van een of andere kunststof gemaakt. Celluloid is populair door z'n warme, muzikale klank, maar het gaat niet lang mee. Voorbeelden van andere, veel minder gebruikelijke plectrummaterialen zijn hout en been (warm en rond), metaal en steen (hard en fel) en vilt (heel zacht).

Antislip

Gladde plectrums worden vaak antislip gemaakt met bijvoorbeeld een laagje kurk, een opgeruwd oppervlak, verhoogde letters of - heel simpel - een gat in het midden.

Model

Hoe een plectrum speelt en klinkt hangt ook van het model van de punt af. Het kan geen kwaad om eens een paar verschillende modellen, van rond tot puntig, uit te proberen. Spelen geeft slijtage aan de punt, en dus een andere klank. Met een vijl werk je je plectrum weer bij, of je koopt gewoon een handvol nieuwe. De meeste plectrums kosten bijna niets. Daarom zijn ze vaak ook niet erg glad afgewerkt, wat je met een (nagel)vijl of fijn schuurpapier zo oplost.

Speciale plectrums

Er zijn ook allerlei speciale plectrums, bijvoorbeeld met drie punten in verschillende diktes, of met een 'scharnier' in het midden, of met een gekartelde rand die je voor hevige grwwwwww-effecten over je omwikkelde snaren laat glijden, of...

9

Stemmen

Voordat je gaat spelen, moet je je instrument stemmen, of in elk geval de stemming even checken. Stemmen is niet moeilijk te leren – maar er is wel heel veel over te leren. Behalve simpele technieken en goede tips en trucs lees je in dit hoofdstuk ook over stemapparaten.

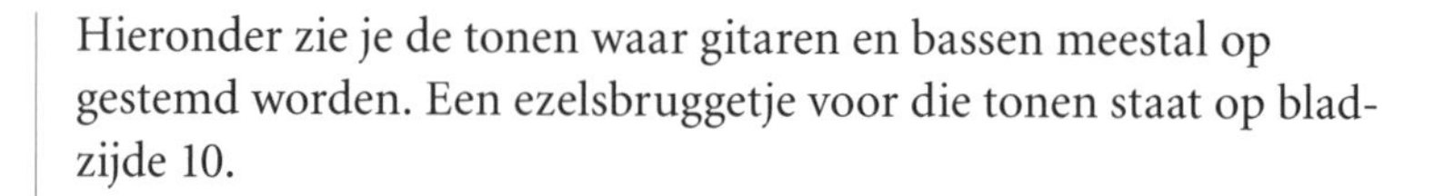

Hieronder zie je de tonen waar gitaren en bassen meestal op gestemd worden. Een ezelsbruggetje voor die tonen staat op bladzijde 10.

Op deze tonen stem je een gitaar.

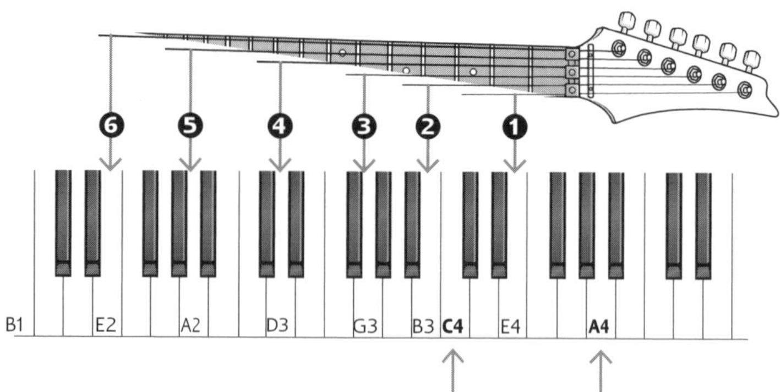

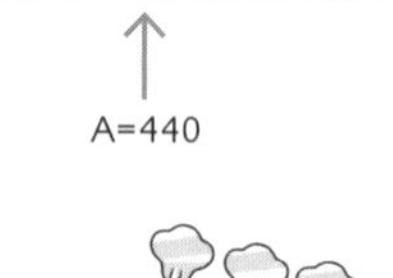

Op deze tonen stem je een basgitaar.

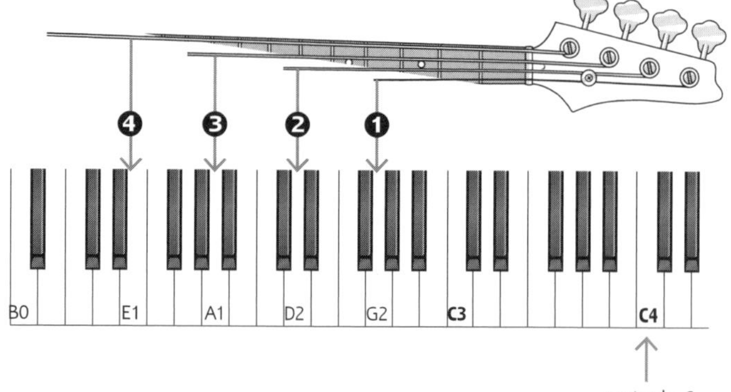

TIPCODE

Tipcode EGTR-011 en EGTR-012

Tipcode EGRT-011 laat de toonhoogtes van de snaren van een elektrische gitaar horen.
In Tipcode EGTR-012 hoor je de toonhoogtes van de snaren van een bas. Voor zevensnarige gitaren en vijf- of meersnarige bassen zit de lage B er ook bij.

Extra snaren
De illustraties laten ook de tonen zien waar de extra snaar van een zevensnarige gitaar en de extra snaren van vijfsnarige (B0) en zes-snarige bassen (B0 en C3) meestal op gestemd worden.

Stemapparaatje
De meeste gitaristen en bassisten stemmen met een stemapparaatje (*tuner*), en daar begint dit hoofdstuk dus mee. Hoewel die apparaatjes op zich heel goed werken, is het toch ook goed om op je oren te leren stemmen. Daarom lees je verderop ook over andere stemmethodes. Veel muzikanten gebruiken zowel het stemapparaatje als hun oren.

Simpel
Een stemapparaatje werkt heel simpel: je steekt je gitaarsnoer erin, en de wijzer (of een LED, een gekleurd lichtje) laat je per snaar zien of die snaar te hoog, te laag of precies goed gestemd is.

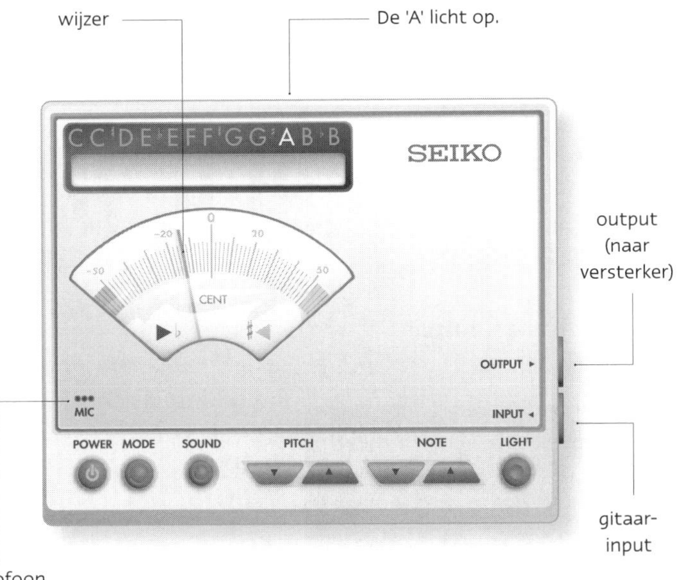

Een automatisch, chromatisch stemapparaat

Simpel
Op de eenvoudigste stemapparaatjes moet je eerst het instrument kiezen (bas of gitaar) en dan de snaar die je wilt stemmen. Hoe dat

precies gaat, verschilt per apparaatje, maar in grote lijnen is dit het verhaal bij zo'n *manual tuner*:

1. Selecteer je instrument (bas of gitaar).
2. Kies de lage E.
3. Speel de lage E (speel niet te hard).
4. Als de wijzer aangeeft dat de snaar te laag klinkt, zet je hem iets strakker. Staat hij te hoog, dan draai je hem iets losser.
5. Zodra de wijzer in het midden staat, is de snaar gestemd.
6. Als alle snaren gestemd zijn, controleer ze dan nog een keer. Vaak moet je er een of meer toch nog even bijstemmen.

Chromatisch

Chromatische stemapparaatjes laten zelf zien welke toon ze 'horen'. Voor zo'n stemapparaatje heb je wel wat muzikale basiskennis nodig: als je de E-snaar stemt en het apparaatje geeft een F aan, moet je weten wat dat betekent.

Sneller

Weet je dat, dan werkt zo'n chromatisch apparaat een stuk sneller dan een niet-chromatische. Ook kun je een chromatisch stemapparaat voor allerlei afwijkende stemmingen gebruiken (zie bladzijde 144-145).

Genummerde tonen

Chromatische stemapparaatjes geven de tonen die ze horen vaak met letters én nummers aan. Die Amerikaanse nummering werd op bladzijde 11 uitgelegd. Je vindt hem ook op de toetsen van de pianoklavieren op de vorige bladzijdes. E1 is de E-snaar van een bas; E2 is de lage E van de gitaar, en E4 de hoge. De lage B van een vijf- of zessnarige bas is B0.

Snaarnummers

Niet-chromatische apparaatjes geven vaak niet de stemtonen maar de snaarnummers aan: 1E is dan de eerste (hoge) E-snaar en 6E de lage. Verwarrend.

TIP

Je oren ook

Als je alleen maar met je ogen stemt, leer je niet horen wanneer je vals speelt. Het is dus beter om ook te luisteren wat er gebeurt als je met je stemapparaatje bezig bent. Je kunt de output van het apparaat direct op je versterker aansluiten, of je sluit je instrument op je versterker aan. Dan schakelt het stemapparaatje z'n ingebouwde microfoon in om te horen wat je doet.

Altijd

Je kunt je stemapparaatje steeds tussen je instrument en je versterker of je effectapparatuur laten zitten, maar ideaal is dat niet. Wil je toch altijd direct kunnen stemmen, koop dan een stemapparaat in pedaalvorm (zie hieronder). Er zijn ook versterkers met een aparte uitgang voor een stemapparaat. Dat werkt goed.

Kooptips

Stemapparaatjes kosten zo'n twintig tot honderd euro of meer. Een paar kooptips:

- Een goed stemapparaat reageert **sneller** en blijft iets langer staan (de naald valt niet meteen weer terug).
- Betere apparaten hebben een **groter bereik**, tot wel zeven octaven. Met goedkope modellen kan het lastig of onmogelijk zijn om een zevensnarige gitaar of een zessnarige bas te stemmen, of om je intonatie af te stellen.
- Betere apparaten kunnen vaak ook **stemtonen** laten horen: dan kun je je instrument dus op die tonen stemmen. Meestal is er dan ook een koptelefoonuitgang aanwezig.
- Kijk even of je het display ook in **het donker** nog kunt lezen. Verlichte LCD-displays zijn zeldzaam; LEDs werken prima.
- Het scheelt veel dure batterijen als het apparaatje na een paar minuten **vanzelf uit** gaat.
- Er zijn ook stemapparaatjes waarop je **alleen de lage E-snaar**

kunt stemmen; dan stem je de rest op die ene snaar af, zoals je verderop leest.

- Sommige stemapparaatjes werken ook als **metronoom** (zie bladzijde 32).
- Sommige **versterkers en veel multi-effecten** hebben ook een ingebouwd stemapparaat.
- Stemmen tijdens een optreden gaat vaak het makkelijkst met een **stemapparaat in pedaalvorm**. Kijk wel of zo'n *pedal tuner* een *true bypass* heeft: dat betekent dat het stemapparaat het gitaarsignaal niet beïnvloedt als het uitstaat.

A=440

Als een gitaar goed gestemd is en je speelt de hoge E-snaar in de vijfde positie, dan trilt die snaar 440 keer per seconde (440 hertz). De toon die je dan hoort is de A waar de meeste bands op stemmen: de A=440.

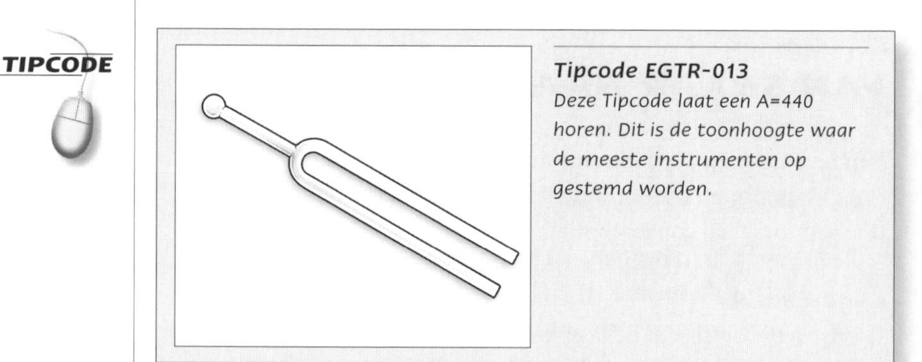

Tipcode EGTR-013
Deze Tipcode laat een A=440 horen. Dit is de toonhoogte waar de meeste instrumenten op gestemd worden.

Ietsje meer

Sommige bands stemmen een fractie hoger of lager, en soms moet je je stemming aanpassen aan een piano die iets te hoog of te laag staat. Daarom kun je de meeste stemapparaatjes ook ietsje hoger of lager afstellen (kalibreren), bijvoorbeeld van A=415 tot A=450.

Vijftig cents, halve toon

Bij veel apparaatjes zie je de getallen –50 en +50 op het display. Dat zijn *cents*. Vijftig cents staat gelijk aan een halve toon (van E naar F, bijvoorbeeld, of van G naar Gis). Dure apparaatjes geven zelfs onhoorbare afwijkingen van één cent aan. Zo'n precieze aanwijzing is vooral ook handig bij het afstellen van je intonatie (zie bladzijde 153-156). De meeste goede stemapparaten zijn tot op twee cent nauwkeurig.

Ingebouwd stemapparaat

In 2008 kwam N-Tune met een stemapparaat dat je in de meeste gitaren en bassen kunt laten inbouwen. Je zet het apparaatje aan door je volumeknop uit te trekken. Het uitgangssignaal wordt dan gedempt. Eenmaal gestemd druk je de knop weer in en kun je spelen. Er zijn ook systemen die je gitaar voor je stemmen, zoals het Duitse Powertune System.

VAN SNAAR NAAR SNAAR

Een heel bekende, eenvoudige manier om je instrument met je oren te stemmen, is door de snaren met elkaar te vergelijken. Dat doe je door steeds op twee snaren dezelfde toon te spelen.

Lage E en A

Ga er even van uit dat de lage E-snaar goed gestemd is. Speel die

Tipcode EGTR-014

Hier zie je op een akoestische gitaar hoe je steeds de ene snaar op de andere kunt stemmen. Op een elektrische gitaar gaat het net zo. Gebruik het cleane kanaal en zet alle effecten uit.

snaar in de vijfde positie. Dan hoor je een A. Vergelijk die toon met de open (niet-ingedrukte) A-snaar. Stem de A-snaar zo dat hij even hoog klinkt als de E-snaar in de vijfde positie.

De andere snaren

Is de A-snaar gestemd, speel dan die snaar in de vijfde positie. Je hoort een D. Stem de open D-snaar daarop af. Stem daarna de andere snaren: de illustratie hieronder laat je zien hoe. De cijfers halverwege de hals geven de posities aan.

Stemmen met ingedrukte en open snaren. Vergelijk steeds de twee met een driehoekje aangegeven snaren. De zwarte stippen geven steeds aan waar je de ene snaar moet indrukken; de open rondjes zijn de open snaren. De toonhoogtes die je hoort staan helemaal bovenaan (EE, BB, enzovoort).

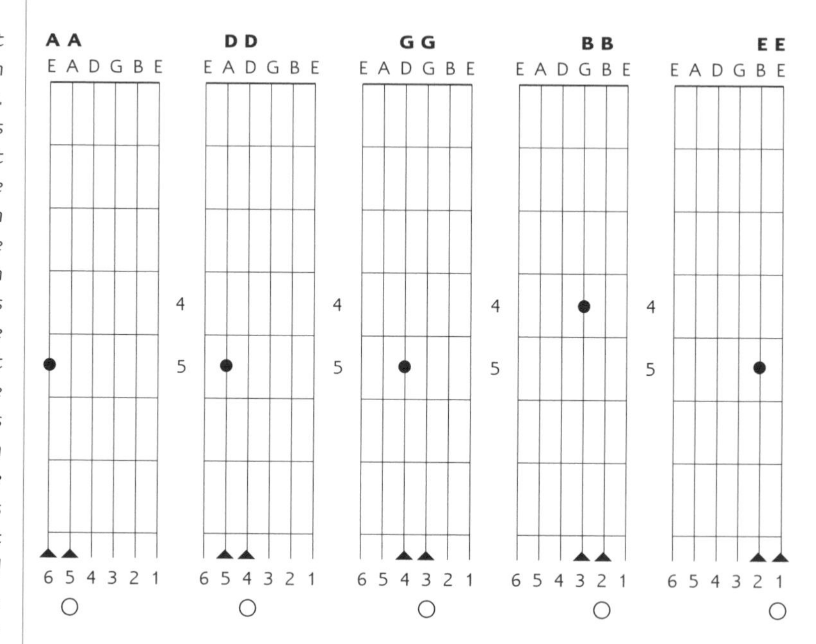

Gitaristen

Voor gitaristen: je speelt de dikkere snaar steeds in de *vijfde* positie, behalve als je de B-snaar stemt. Die snaar vergelijk je met de G-snaar in de *vierde* positie.

Opdrukken

Als je maar moeilijk hoort of een snaar te hoog of te laag klinkt, druk dan de ingedrukte snaar iets op. Dan wordt de toon hoger. Als hij daardoor dichter in de buurt komt van de open snaar, dan moet je de open snaar iets lager stemmen – en andersom.

Zingen

Nog een truc: zing de tonen die je hoort. Dan leer je al snel 'voelen' of je bij de open snaar lager of juist wat hoger moet gaan zingen – en dat vertelt je of die snaar omhoog of omlaag moet.

De juiste toonhoogte

Goed stemmen betekent niet alleen dat de snaren goed op elkaar gestemd zijn: de hoge E-snaar moet ook echt als een hoge E klinken en niet een heel stuk hoger of lager.

Stemvork

Ook dat is te controleren zonder stemapparaatje of piano bij de hand. Een *stemvork* is alles wat je nodig hebt. Tik een van de tanden van zo'n dik metalen vorkje op je knie, bijvoorbeeld, en zet de steel dan op de body van je instrument, op tafel of tegen je oor.

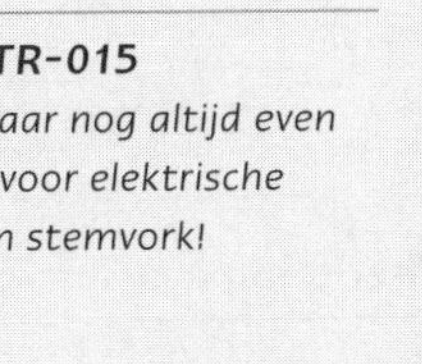

Tipcode EGTR-015
Ouderwets maar nog altijd even effectief, ook voor elektrische gitaristen: een stemvork!

TIPCODE

A of E

De meeste stemvorken geven de toon A=440, omdat daar meestal op gestemd wordt. Voor gitaristen is een stemvork in E makkelijker: die klinkt net zo hoog als de hoge E van je gitaar. Stem die snaar op de toonhoogte van de stemvork, en stem de andere snaren op de hoge E (lees de illustratie op de bladzijde hiernaast van achteren naar voren). Je kunt ook eerst de lage E op de hoge E stemmen, en dan vanaf de lage E verdergaan.

In A

Heb je een stemvork in A, stem dan de hoge E-snaar in de vijfde positie op die toonhoogte af.

Bas

Met een stemvork in A kun je als bassist het best de G-snaar in de veertiende positie pakken. Die toon klinkt precies een octaaf lager dan de A van de stemvork, maar daar is wel goed mee te stemmen. Met een stemvork in E pak je de G-snaar in de negende positie.

Niet precies

Als je niet in een band speelt, is het geen ramp als je niet exact op de juiste toonhoogte zit – maar als alle snaren echt veel te laag klinken (en dus veel te slap staan) krijg je allerlei bijgeluiden. Staan ze te strak (en klinken ze dus te hoog), dan kunnen ze makkelijker breken of je hals kromtrekken.

FLAGEOLETTEN

Stemmen gaat een stuk makkelijker als je ook flageoletten kunt spelen. Flageoletten worden ook wel boventonen of harmonischen genoemd.

Heel licht

Flageoletten zijn met een beetje oefening heel makkelijk te spelen. Plaats een vinger heel licht op de lage E-snaar, precies boven de twaalfde fret – zonder te drukken! Speel de snaar met je andere hand. De ijle toon die je hoort is een flageolet.

Vijfde, zevende, enzovoort

Op dezelfde manier kun je nog veel meer flageoletten spelen. Om te stemmen gebruik je de flageoletten bij de vijfde, de zevende en vaak ook de twaalfde fret.

Vijf en zeven

Je stemt naast elkaar liggende snaren op elkaar af door op de laagste snaar de flageolet bij de vijfde fret te spelen, en bij de dunnere snaar die boven de zevende fret.

Begin met de flageolet boven de vijfde fret van de lage E, die je vergelijkt met de flageolet boven de zevende van de A-snaar. Doe daarna de andere snaren op dezelfde manier.

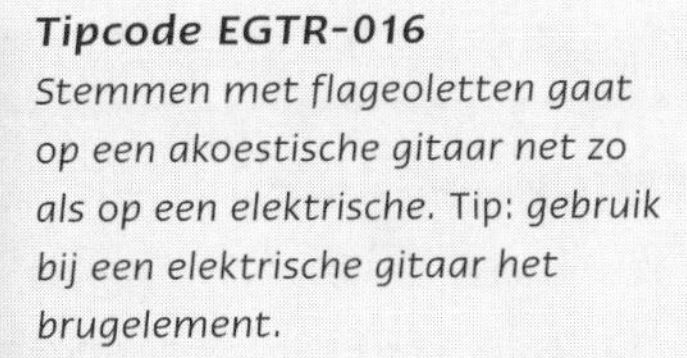

Tipcode EGTR-016
Stemmen met flageoletten gaat op een akoestische gitaar net zo als op een elektrische. Tip: gebruik bij een elektrische gitaar het brugelement.

Gitaar: B en hoge E

Alleen bij de B-snaar gaat het weer anders: vergelijk de harmonische bij de zevende fret van de lage E-snaar met de open B-snaar, of met de flageolet bij de twaalfde fret van die snaar. Stem daarna de hoge E door de flageolet bij de zevende fret te vergelijken met de flageolet boven de vijfde fret van de B-snaar. Controleer ten slotte de stemming nog een keer, en vergelijk ook altijd de hoge E met de lage – open, met flageoletten of allebei.

Lage B op bas

Stem de lage B van een meersnarige bas door de flageolet bij de zevende fret van de E-snaar te vergelijken met de flageolet bij de twaalfde fret van de B-snaar.

En maar door

Flageoletten maken stemmen makkelijker omdat snaren nog een hele tijd door blijven klinken. Bij ingedrukte snaren stopt de toon zodra je de snaar loslaat.

Zwevingen

Flageoletten maken het ook makkelijker om heel kleine toonhoogteverschillen te horen. Als je twee snaren bijna op elkaar afgestemd hebt, hoor je langzamere of snellere zwevingen (beats). Stem nu voorzichtig bij. Als het goed is, worden de zwevingen steeds langzamer. Stoppen de zwevingen, dan zijn de toonhoogtes gelijk. Worden ze sneller, dan ben je te ver gegaan. *Tip:* het aantal zwevingen of beats per seconde vertelt je hoeveel hertz de ene snaar lager of hoger klinkt dan de andere.

TIPCODE

Tipcode EGTR-017
Hier is duidelijk te horen hoe het aantal zwevingen of beats kleiner wordt door de snaar bij te stemmen.

Stemvork in A

Heb je een stemvork in A? Speel dan de flageolet bij de vijfde fret van de A-snaar.

Brugelement

Tip: je hoort boventonen of flageoletten het best als je het brugelement gebruikt. Draai de toonregelaar helemaal open.

GELIJKZWEVEND

De hierboven beschreven stemmethode wordt veel gebruikt, maar helaas is hij niet perfect. Je zul vaak merken dat je toch nog één of twee snaren iets moet bijstemmen, afhankelijk van welke akkoorden je gebruikt. Dat heeft te maken met het feit dat de flageolet boven de zevende fret een kwint is – en als je een kwint perfect zuiver stemt, klinken sommige snaren in bepaalde toonsoorten en bij bepaalde akkoorden niet zuiver.

De oplossing

Natuurlijk is er voor dit probleem ook een oplossing. Stem eerst je lage E-snaar, bijvoorbeeld met een stemapparaat.

1. Stem de hoge E-snaar op de flageolet boven de vijfde fret van de lage E-snaar
2. Stem de D-snaar: speel de flageolet boven de twaalfde fret van de lage E-snaar en vergelijk deze toon met de D-snaar in de tweede positie.
3. Stem de B-snaar: speel de B-snaar in het derde vakje en vergelijk deze D met de flageolet boven de twaalfde fret van de D-snaar.
4. Stem de G-snaar: speel de flageolet boven de twaalfde fret van de G-snaar en vergelijk hem met de derde positie van de hoge E-snaar.
5. Stem de A-snaar: speel de flageolet boven de twaalfde fret van de A-snaar en vergelijk hem met de tweede positie van de G-snaar.

Als het goed is, klinkt je gitaar nu bij elk akkoord en in elke toonsoort goed.

Getempereerde stemming

De stemmethode hierboven geeft een zogenaamde getempereerde of gelijkzwevende stemming. Net als bij piano's is zo'n stemming bij gitaren nodig om in alle toonsoorten zuiver te kunnen spelen. Als je een piano of een gitaar voor bepaalde toonsoorten perfect zuiver stemt (dat heet dan een reine stemming), klinkt hij in andere toonsoorten hoorbaar vals.

INTERVALLEN EN AKKOORDEN

Veel muzikanten stemmen ook door gewoon naar de toonhoogteverschillen van hun open snaren te luisteren. Het toonhoogteverschil (het *interval*) tussen de E-snaar en de A-snaar is een *reine kwart*: de A klinkt een *reine kwart* hoger dan de E. Dat moet je leren horen.

Stoomboot

Hoe dat toonhoogteverschil klinkt, hoor je als je *Zie ginds komt de stoomboot* zingt. Het woord '*ginds*' klinkt een kwart hoger dan het woord '*Zie*'. De truc: je zingt *Zie* op de toon die je hoort als je de lage E laat klinken. Stem dan de A-snaar af op de toonhoogte van het woordje '*ginds*'. Op dezelfde manier gebruik je de A-snaar (*Zie*) om de D-snaar (*ginds*) te stemmen, enzovoort.
Liever geen *sinterklaas*? Zing dan de eerste twee lettergrepen van het *Wilhelmus.*

Oh, when the saints

Alleen bij de B-snaar is het weer anders, natuurlijk. Zing het eerste woord ('*Oh*') van *Oh, when the saints go marching in* bij de G-snaar en stem de B-snaar op de toon die je hoort bij het tweede woord, '*when*'. Dit interval heet een *grote terts.*

In je kop

Als je die intervallen goed in je kop hebt zitten, zijn die liedjes niet meer nodig: je leert steeds beter horen of een snaar te hoog of te laag staat.

Akkoorden

Je kunt ook akkoorden pakken en luisteren of alle snaren zuiver klinken. Doe dat liefst met een of meer akkoorden die je gebruikt in het nummer dat je gaat spelen. Dan heb je alleen wel kans dat het ene akkoord prima klinkt en het andere een stuk minder. Een voorbeeld?

Zuiver – of niet

Als je je gitaar zo stemt dat het E-majeurakkoord in de eerste positie loepzuiver klinkt, dan is het A-majeurakkoord al wat minder zuiver (let vooral op de Cis die je op de B-snaar speelt) en de akkoorden D-majeur en C-majeur klinken nog minder fijn.

Oplossingen

De afwijkingen die je hoort, zijn niet in 't kort uit te leggen. De meeste muzikanten nemen ze voor lief. Doe je dat niet, dan is het probleem bijvoorbeeld op te lossen met de stemmethode op bladzijde 140-141, of met het systeem van Buz Feiten (topkam verplaatsen en een ander intonatiemodel gebruiken), het Fretwave-systeem (met twee frets met kleine bochtjes erin) of de Earvana (met een heel speciale topkam). Een paar fabrikanten leveren hun instrument standaard met een van deze systemen, en je kunt elk instrument laten aanpassen. Op internet is er met het intypen van de hier genoemde namen meer informatie over te vinden.

MEER STEMTIPS

- Stem een snaar **altijd omhoog**. Als een snaar te hoog klinkt, draai hem dan eerst te laag en ga daarvandaan omhoog. Dan hoor je beter wat er gebeurt en het maakt je stemming stabieler.
- Worden je snaren **snel vals** of zijn ze lastig te stemmen? Dan zijn ze net nieuw en moeten ze nog gaan 'zitten' (bladzijde 115), of er zitten te veel windingen rond de stift (bladzijde 114), of ze zijn op, of je instrument moet afgesteld worden, of je zadels zijn beschadigd, of je tremolo is niet in orde...
- Blijven de snaren in **de topkam** hangen? Duw ze dan bij het stemmen vlak achter de topkam steeds iets naar beneden. Stem, druk, luister, stem... Je kunt de groeven ook 'smeren' door de punt van een zacht potlood erin rond te draaien. Vervangen werkt beter, uiteindelijk.
- Klink je opeens gruwelijk vals nadat je je **tremolo** gebruikt hebt? Soms helpt het dan als je je tremoloarm nog even flink op en neer haalt: met een beetje mazzel schiet alles weer op z'n plek.
- Heb je een tremologitaar? Kijk dan uit dat je tijdens het stemmen niet **op de brug** drukt – en da's vooral opletten als de fijnstemmers in de brug zitten. De truc: stem, laat de fijnstemmer los, luister, stem...
- Tot slot: in plaats van een stemvork of een stemapparaat kun je het ook met een **stemfluitje** proberen. Kost weinig, maar wordt snel vals.

ANDERE STEMMINGEN

Vooral heavy-metalgitaristen stemmen hun gitaar vaak een halve toon of meer lager dan normaal, en bassen kunnen natuurlijk ook anders gestemd worden. Met een *capo* kun je de stemming van je instrument ook een halve toon of meer verhogen. Bij een *open stemming*, ten slotte, stem je je snaren op de tonen van een akkoord.

Halve toon of meer

Als je je gitaar een halve toon of meer lager stemt, krijg je een zwaarder, vetter, dikker geluid en de lagere spanning maakt snaren opdrukken makkelijker. Moet het nog steviger, zet er dan ook dikkere snaren op. Je kunt je gitaar bijvoorbeeld een halve toon lager stemmen (Es, As, Des, Ges, Bes, Es) of een hele toon (D, G, C, F, A, D). Bij nog lagere stemmingen heb je steeds meer kans op bijgeluiden. Kijk dan eens naar gitaren die voor die lage stemmingen gebouwd zijn (bladzijde 165). Op zevensnarige jazzgitaren wordt de extra B-snaar nogal eens naar een lage A gestemd.

Afstellen

Bij lage stemmingen (drop tunings) moet je mogelijk je tremolo en je hals opnieuw laten afstellen: daar wordt tenslotte veel minder hard aan getrokken. Meer weten? Zie hoofdstuk 10.

D-tuners en B-benders

Het kan soms prettig zijn om er op je gitaar ook een lage D bij te hebben, dus dan stem je je lage E een toon naar beneden. Er zijn zelfs gitaren die daar een speciaal hendeltje voor hebben: zulke *D-tuners* zijn ook los te koop. Er zijn ook *B-benders* waarmee je de B-snaar tijdelijk een halve toon omhoog (C) stemt.

Van B naar C

Omdat de lage B-snaar op vijf- en zessnarige bassen niet altijd even strak en puntig wil klinken, stemmen veel bassisten hem een halve toon omhoog, naar een C. Dat scheelt.

Een capo

Sommige nummers klinken lekkerder of zijn makkelijker te spelen als je al je snaren een heel eind hoger kunt laten klinken. Dat doe je met een capo: een klem die je in de juiste positie op de hals zet. Moet je hele gitaar een hele toon hoger klinken, dan zet je de capo in de tweede positie – vlak bij de fret, net als je vingers, zoals in de illustratie hieronder.

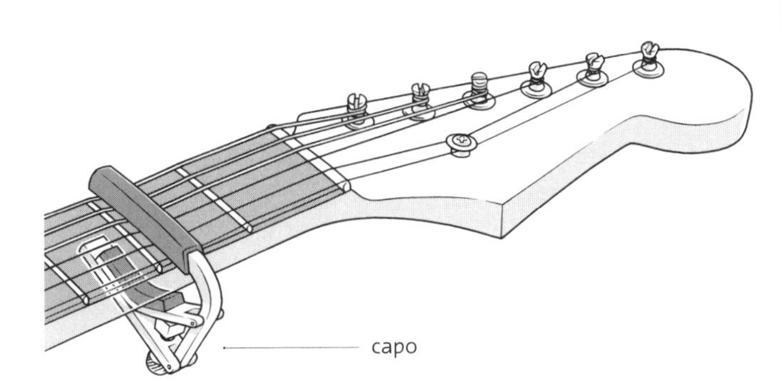

Deze capo kan ook andersom gemonteerd worden (Shubb).

Open stemmingen

Gitaristen gebruiken ook wel open stemmingen: dan stemmen ze de open snaren op de tonen van een akkoord. Zo kun je hele nummers spelen door gewoon je wijsvinger over alle snaren te leggen (barré) en over de toets te schuiven; dan speel je alle akkoorden die je nodig hebt zonder lastige vingerzettingen – maar dat is natuurlijk niet de enige toepassing.

Twee voorbeelden

Twee voorbeelden? Als je je snaren op D, G, D, G, B en D stemt (van laag naar hoog), klinkt er een G-majeurakkoord. Stem ze op E, A, E, A, Cis en E, en je open snaren geven een A-majeurakkoord.

10

Onderhoud

Afgezien van wat schoonmaakwerk hebben gitaren en bassen eigenlijk niet veel onderhoud nodig. Er zijn een paar kleine dingen die je makkelijk zelf kunt doen. Andere klussen vragen om ervaring, goed gereedschap en de nodige kennis, dus die laat je liefst aan een reparateur over. Aan het eind van dit hoofdstuk vind je nog wat tips voor onderweg.

Als je je instrument na het spelen met een droge, zachte doek afneemt, hoef je verder weinig te poetsen. Is dat wel een keer nodig, dan zijn er allerlei schoonmaakspullen te koop.

Body's en gelakte toetsen

De meeste massieve body's en klankkasten zijn afgewerkt met polyurethaan- of nitrocelluloselak. Die kun je met een gewone gitaarcleaner reinigen en laten glanzen. Gelakte toetsen (alle maple toetsen!) behandel je daar ook mee.

Welke reiniger

Gitaarcleaners zijn er in allerlei variaties. Zo heb je crèmes en sprays, je hebt cleaners die beter polijsten of juist makkelijker reinigen, sneller werken of juist beter vuil verwijderen, en heel veel of juist heel weinig doen tegen de wolkachtige resten die eerdere cleaners mogelijk achterlieten. Veel reinigers zijn ook te gebruiken voor knoppen, mechanieken en slagplaten. Het beste advies? Vraag je dealer, vraag andere muzikanten en probeer er vooral een stel zelf uit. Lees altijd eerst de instructies en probeer om te beginnen een beetje op de achterkant van je instrument. Belangrijke tip: maak je instrument stofvrij voor je gaat poetsen, want stof krast. Echt.

Olie of was

Is je (bas)gitaar met olie of was afgewerkt, zodat je de houtnerf nog kunt voelen, gebruik dan een reiniger die ook voor ongelakte toetsen aanbevolen wordt (zie hieronder). Ook bijenwas wordt wel geadviseerd, of een milde gitaarcleaner. Er zijn maar heel weinig fabrikanten die een gebruiksaanwijzing bij hun instrument doen, en ook voor dit soort adviezen ben je vooral op je dealer aangewezen.

Niet doen

Experimenten met andere schoonmaakspullen kunnen voor allerlei ellende zorgen, van vettige laagjes tot kale plekken, maar er zijn tal van muzikanten en reparateurs die met veel succes en voor weinig geld meubel- of autoreinigers gebruiken. Vraag eens rond!

De knoppen

Als je body goed schoongemaakt moet worden, is het handig als je niet alleen de snaren maar ook de knoppen eraf haalt. Sommige knoppen zitten met een klein schroefje vast; andere zitten klem op een tweedelige as. Krijg je zo'n knop niet met je vingers los, probeer hem dan voorzichtig met een schroevendraaier omhoog te wrikken, en gebruik daarbij een stuk stevig karton om de body te beschermen. Nog veiliger? Lááit het doen.

TIP

Custom knoppen

Als je knoppen er toch af zijn, is het misschien leuk om er heel andere knoppen op te zetten. Er zijn fabrikanten die ze in alle mogelijke modellen aanbieden, van doodshoofden tot UFO's.

Ongelakte toetsen

Als je op een ongelakte toets duidelijk kunt zien waar je je vingers neerzet, is het hoog tijd om er iets aan te doen. Gebruik bijvoorbeeld een speciale *fingerboard conditioner* of citroenolie (*lemon oil*). Deze middeltjes maken de toets niet alleen schoon, maar ze voorkomen ook dat het hout uitdroogt. *Tip:* hou je snaren altijd vrij van conditioners en olie.

Doeken, kwasten, wattenstaafjes

Naast een paar pluisvrije, zachte doeken (eentje om de reiniger op te brengen, eentje om hem uit te wrijven) is het makkelijk om voor de kleine hoeken en kieren een zachte tandenborstel, een zachte kwast en wat wattenstaafjes bij de hand te hebben.

Krakende knoppen

Hoewel het meestal met een spuitje contactspray opgelost is, kun je krakende toon- en volumeregelaars toch meestal het best aan je reparateur overlaten: die weet hoe je dat het best aanpakt.

De frets

Schone, gladde frets spelen makkelijker. Verschillende fabrikanten maken speciale doeken of polijstpapier voor je frets.

AFSTELLEN

Een goed afgestelde (bas)gitaar klinkt zuiverder en beter, en speelt en stemt makkelijker. De belangrijkste punten die afgesteld moeten worden zijn de snaarhoogte, de hals, de tremolo, de intonatie en de hoogte van de elementen. Zelf doen of niet? Alleen als je zeker weet dat je het tot een goed einde brengt. Vooral het afstellen van snaarhoogte en hals vraagt meer vakkennis dan je zou denken.

SNAARHOOGTE

De snaarhoogte (de afstand tussen snaren en toets) wordt in de wandeling vaak de *actie* genoemd, maar het woord actie is eigenlijk veel breder: het staat voor hoe het instrument speelt of 'voelt'. Dat hangt niet alleen van de snaarhoogte af, maar bijvoorbeeld ook van het model van de frets, de radius van de toets en het profiel van de hals.

Te laag, te hoog

Bij een te geringe snaarhoogte rammelen de snaren tegen je frets (fret buzz, string buzz), of ze stikken tegen de frets als je ze opdrukt, of de snaar boven de snaar die je opdrukt kruipt onder je vingers en maakt een eind aan de toon. Als je snaren te hoog staan, moet je te hard werken en heb je kans op valse tonen omdat je je snaren te ver moet indrukken (waardoor de spanning en dus de

Nodig

Bijstellen van de actie kan bijvoorbeeld nodig zijn als je lichtere of zwaardere (of een ander merk!) snaren bent gaan gebruiken, bij seizoenswisselingen (hout - en dus ook de snaarhoogte - reageert op wisselingen in de luchtvochtigheid). Experimenteren met de snaarhoogte kan ook zinvol zijn.

toon omhooggaat). Daartussenin is het een kwestie van smaak en techniek.

Beetje lager, beetje hoger

Als je voor snelheid en speelgemak gaat, kies je voor een vrij lage actie. Een hogere actie is iets zwaarder spelen, maar geeft een betere toon, meer sustain, en strakke, rammelvrije akkoorden, ook als je de snaren hard aanslaat. Voor bassisten zijn slappingtechieken meestal makkelijker met een vrij lage actie. Wil je extra volume en dynamiek, kies dan voor een hogere actie.

Zadels, topkam, hals

De actie kan afgesteld worden door het verhogen of verlagen van de zadels of de topkam, of door het afstellen van de hals, of door een combinatie van die drie. Beslissen wat wel en niet moet gebeuren vraagt vakmanschap. Zo heeft het absoluut geen zin om de zadels te verhogen (wat op zich de makkelijkste manier is) als de hals niet goed staat.

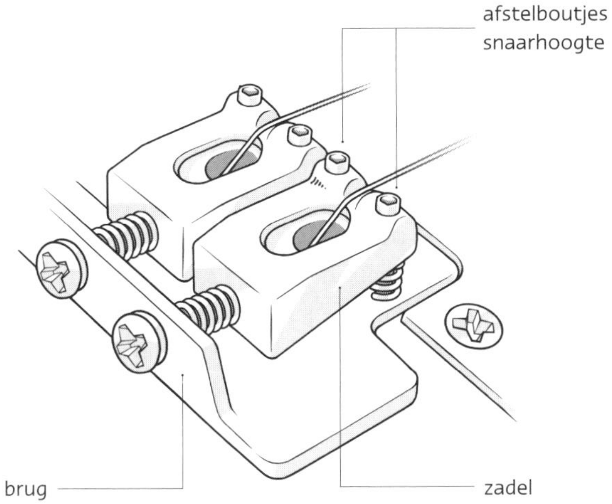

afstelboutjes snaarhoogte
brug
zadel

Een brug met een zadel per snaar (zie bladzijde 68)

Hoe hoog?

Even voor het idee: de hoge E moet een dikke millimeter boven de twaalfde fret zitten, en de lage E ongeveer twee millimeter. Bassnaren hebben meer ruimte nodig omdat ze verder uitslaan; denk aan een kleine drie millimeter voor de E-snaar. Snaarhoogtes meten gaat het makkelijkst door voorzichtig boortjes van verschillende diameters tussen fret en snaar te steken.

De hals

Ook de afstelling van de hals speelt mee in de snaarhoogte. Als je van opzij heel goed naar een hals kijkt, zie je dat hij van kop naar body iets hol is. Of hij hol genoeg is (de *neck relief*), controleer je door de lage E in de eerste en de vijftiende positie in te drukken. Gebruik een capo in de eerste positie; dan heb je nog een hand over. Als het goed is, zit er nu tussen de E-snaar en de middelste frets een kleine millimeter ruimte. Is het meer, dan sta je waarschijnlijk te zwaar te spelen. Met de halspen is dat af te stellen.

De ene hals is te hol, de andere staat bol.

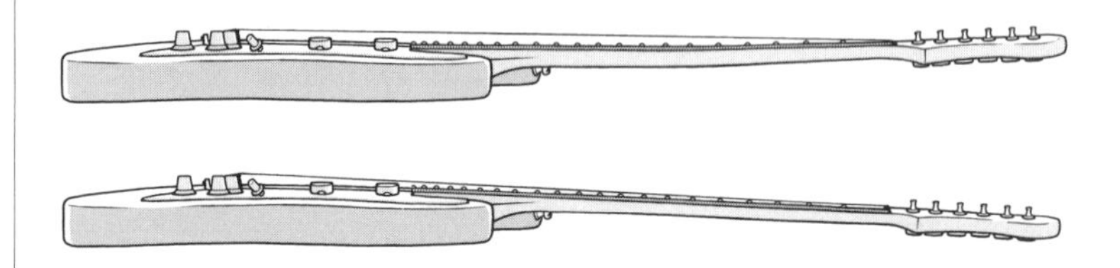

S-bochten

Er zijn ook halzen met andere afwijkingen, zoals een soort S-bocht bij de achtste fret of een knik ergens hogerop. Allemaal werk voor een vakman.

De snaren aan de ene kant, de tremoloveren aan de andere...

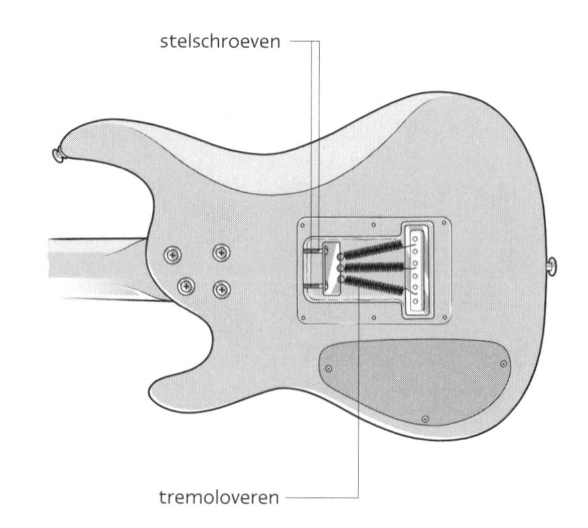

TREMOLO

Bij een tremolobrug trekken de snaren aan de ene en de tremoloveren aan de andere kant van de brug. Voor de klank, de zuiverheid en de bespeelbaarheid van je gitaar moeten die twee in evenwicht zijn. Als je van snaardikte of van merk of type snaren wisselt, heb je dik kans dat je tremolo afgesteld moet worden.

INTONATIE

Bij de meeste instrumenten kunnen de zadels ook in de lengterichting afgesteld worden. Als die afstelling – de *intonatie* – niet klopt, speel je regelmatig vals, ook op een perfect gestemde gitaar. Hoe werkt dat? Eenvoudig: als een zadel te ver naar voren of naar achteren staat, is het net alsof de frets verkeerd geplaatst zijn. Het afstellen van de intonatie is bij de meeste bruggen niet zo moeilijk, maar je hebt wel een goed stemapparaat of een paar nog betere oren nodig.

De twaalfde fret

De bekendste manier om de intonatie af te stellen is ervoor te zorgen dat de flageolet boven de twaalfde fret precies even hoog klinkt als de ingedrukte snaar bij die fret. Stem eerst je instrument. Speel op de E-snaar de flageolet boven de twaalfde fret. Speel dan diezelfde snaar in de twaalfde positie.

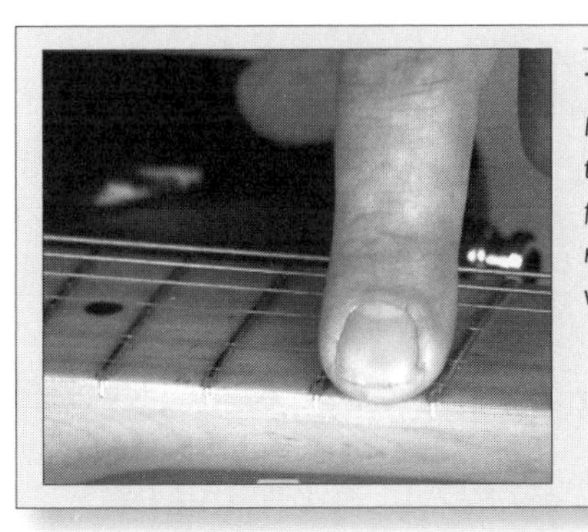

Tipcode EGTR-018

In Tipcode EGTR-018 wordt de toonhoogte van de bij de twaalfde fret ingedrukte snaar vergeleken met de flageolet op dat punt. Het verschil is behoorlijk.

Hoger of lager?

- Als de 'ingedrukte' toon **hoger** klinkt dan de flageolet, dan is de afstand tussen fret en zadel te klein. Draai het instelboutje voor de intonatie zo dat het zadel naar achteren (richting de brug) getrokken wordt.
- Als de 'ingedrukte' toon **lager** klinkt dan de flageolet, dan moet het zadel dus richting elementen verplaatst worden. Zo verklein je de afstand tussen fret en zadel, en dus ook de trillende lengte van de ingedrukte snaar. Die gaat daardoor hoger klinken.

Je stelt de intonatie af door de zadels naar voren of naar achteren te schuiven, zodat de snaarlengte verandert.

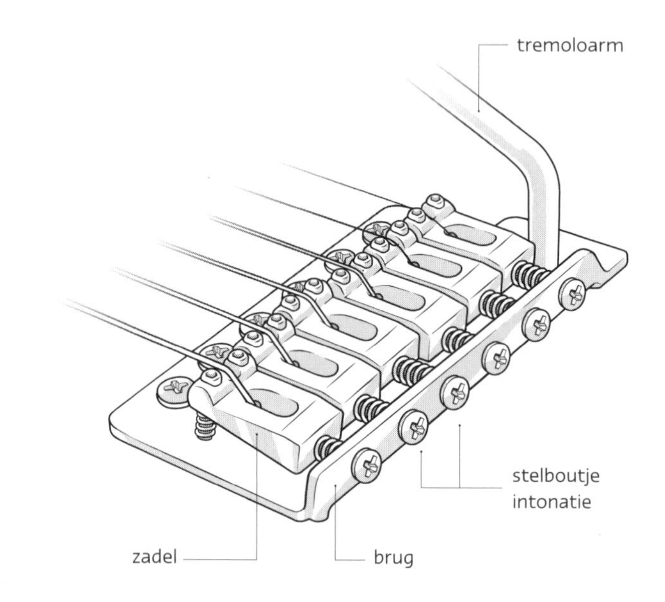

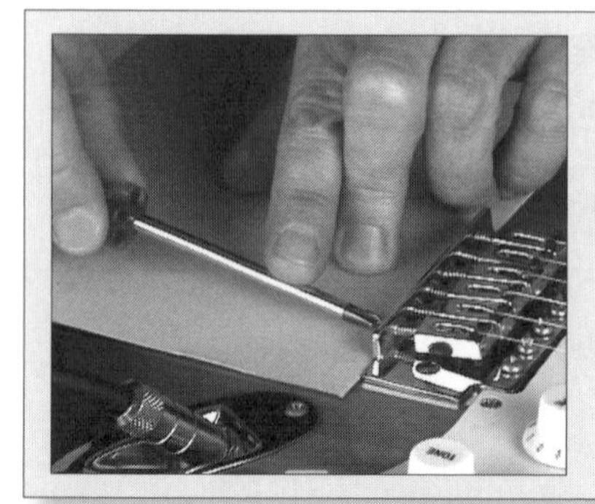

Tipcode EGTR-019
Draai het zadel richting de elementen om de open snaar (en dus ook de flageolet) lager te laten klinken.

Verplaats, stem, vergelijk

Als je een zadel verplaatst, al is het maar een beetje, verandert meteen de stemming van die snaar. Stem de snaar opnieuw, en vergelijk dan de flageolet en de ingedrukte snaar opnieuw. Is het zadel van de eerste snaar goed afgesteld, doe dan de andere snaren.

Intonatietips

- Leg je instrument op een tafel. **Voorkom krassen** door er een dikke handdoek of een groot stuk schuimplastic onder te leggen.
- Ondersteun ook **de hals**, bijvoorbeeld met een opgerolde handdoek.
- Leg een **stuk karton** op de body, vlak achter de brug: dat helpt krassen voorkomen.
- Sla de snaren steeds **even hard** en op dezelfde plaats aan.
- Trek de snaar steeds **even omhoog** als je het zadel verplaatst hebt; dan kan hij zich even 'zetten'.
- De intonatie afstellen heeft geen zin met **vuile of oude snaren**.
- Controleer je intonatie **elke keer** dat je nieuwe snaren opzet.
- In plaats van de flageolet te spelen, kun je de ingedrukte snaar (twaalfde positie) ook steeds met de **open snaar** vergelijken.

Stapje verder

Een iets nauwkeuriger, tijdrovender en veeleisender manier om de intonatie af te stellen, gaat in drie stappen:

1. Stel het zadel van de A-snaar zo af dat de flageolet boven de vijfde fret van de lage E-snaar gelijk is aan de A-snaar in de negentiende positie. Vergelijk de andere snaren op dezelfde manier (gitaristen: speel de B-snaar in de twintigste positie).
2. Alle snaren afgesteld? Vergelijk dan de flageolet boven de zevende fret van de lage E-snaar met de A-snaar in de veertiende positie (enzovoort; alleen op de B-snaar speel je de vijftiende positie). Als je de snaren bij stap 1 perfect hebt afgesteld, klinkt de ingedrukte snaar nu waarschijnlijk steeds iets te laag. De truc

is om de zadels zo af te stellen dat ze zowel bij stap 1 als bij stap 2 'bijna' goed staan: de gulden middenweg...

3. Stel tot slot het zadel van de lage E af door de flageolet boven de twaalfde fret van de A-snaar te vergelijken met de lage E in de zeventiende positie.

ELEMENTHOOGTE

Elementen kunnen in de hoogte versteld worden, en soms zelfs per snaar. Een te laag afgesteld element geeft te weinig output, dynamiek en helderheid. Een te hoog element maakt het geluid schril, en bij enkelspoelselementen kan er *string pull* optreden.

String pull

Bij string pull trekken de magneten letterlijk aan je snaren. Dat vermindert de sustain en geeft valse boventonen, jankende bijgeluiden of zelfs tegen de frets kletterende snaren. In een heel milde vorm zorgt string pull voor zacht zwevende boventonen, ongeveer zoals een chorus dat doet – en er zijn natuurlijk ook gitaristen die dat juist wel aangenaam vinden.

Zelf doen

De elementhoogte is zelf in te stellen. Als uitgangspunt: zorg voor een maximale output zonder string pull. Een ander idee: zet het brugelement zo hoog mogelijk – voor vette solo's met veel output – en het halselement juist vrij laag, voor fijne akkoorden. Of probeer eens wat er gebeurt als je het element bij de dunne snaren hoger zet dan bij de dikke, bijvoorbeeld.

Duimsteun

Bassisten zetten vaak hun duim op een van de elementen. Daarom moeten elementen zowel in hoge als lage posities stabiel vast te zetten zijn.

STOPBAR TAILPIECE

Er is natuurlijk nog veel meer af te stellen. Zo kun je een stopbar tailpiece (zie bladzijde 67) ietsje hoger zetten voor een zangeriger, lichter geluid, of juist lager zodat de druk van de snaren op de zadels hoger wordt: dat geeft een strakkere, fellere sound en meer attack – en als je overdrijft ook meer gebroken snaren.

STORING

Bijna elke bas en gitaar bromt of ruist wel een beetje. Wordt het te veel, dan kan dat in het instrument zitten, maar ook in de kabel, de versterker, je effecten, de verlichting (tl-buizen!), het stopcontact, een spoorlijn... Een paar suggesties.

Kabel, instrument, versterker?

Kijken waar de brom vandaan komt is een kwestie van proberen. Vervang de kabel, probeer een ander instrument met dezelfde kabel, steek kabel en instrument in een andere versterker, enzovoort.

Je instrument

Een (bas)gitaar kan onder meer storen door slechte bedrading, versleten outputcontacten of een gebrekkige afscherming of aardegeleiding. Allemaal werk voor je reparateur.

Stopcontacten

Zit de storing niet in je eigen spullen, probeer dan een ander stopcontact, en soms wil het helpen als je de stekker omdraait. Gebruik geaarde stopcontacten voor apparaten met een randaardestekker. Er zijn ook speciale storingsonderdrukkers te koop.
Lees *Tipboek Versterkers en effecten* voor meer informatie over deze onderwerpen.

ONDERWEG

- Zorg dat er altijd de nodige **reservespullen** in je koffer of hoes zitten: snaren, plectrums, een of meer kabels, en batterijtjes voor effectapparatuur, actieve instrumenten en stemapparaten.
- Laat apparatuur en instrumenten **nooit onbewaak**t in een auto of een busje liggen.
- Je bas of gitaar is in een auto **het veiligst** tussen achterbank en voorstoelen.
- Kijk met houten instrumenten – vooral, maar niet alleen met hollowbody's – altijd uit voor snelle wisselingen in temperatuur en **luchtvochtigheid**. Is het erg koud buiten, wacht dan liefst even met uitpakken als je binnenkomt; dan kan je instrument langzaam wennen. Een dikke hoes of een goede koffer helpt ook.
- Leg je instrument **niet** ergens neer waar het te heet wordt. Vermijd kachels, radiatoren, airco's en kofferbakken van auto's.
- **Droge lucht** (vrieskou en de cv helemaal open) is slecht voor hout; vochtige lucht is slecht voor snaren en elektronica. De beste luchtvochtigheid, zowel voor mensen als voor bassen en gitaren, is zo tussen de 40 en de 60%.
- Ga je vliegen? Vraag of je je instrument als **handbagage** mee mag nemen.
- Zit er een **serienummer** op je instrument, schrijf het dan ergens op – bijvoorbeeld achter in dit boek (zie bladzijde 240).
- Dat serienummer heb je in elk geval nodig als je je instrument gaat **verzekeren**. Schade aan muziekinstrumenten valt lang niet altijd onder een gewone inboedelverzekering. Er bestaan speciale muziekinstrumentenverzekeringen.

11

Terug in de tijd

Solidbody-gitaren en -bassen zijn er eigenlijk nog maar kort – zeg maar vanaf 1950. Vanaf het allereerste begin waren ze onmisbaar in allerlei muziekstijlen en op talloze podia, en het ziet er niet naar uit dat dat nog gaat veranderen.

Hoe groot de verschillen ook zijn, toch stamt de elektrische gitaar duidelijk af van de akoestische. De geschiedenis van die voorganger begon zo ergens toen er nog met pijl en boog op eten gejaagd werd. Eerst ontdekte iemand dat je met de trillende snaar van die boog ook muziek kon maken, en later knoopte een ander er ter versterking een kalebas aan vast. Die kalebas van toen is de klankkast van nu.

Zeventiende-eeuwse gitaar met vijf dubbele snaren

Luthier

In de loop van de eeuwen ontstonden overal ter wereld ontelbare variaties op dat eerste snaarinstrument. Allemaal met een klankkast, een hals en snaren – maar dat was ook zo'n beetje de enige overeenkomst. Een van de bekendste voorouders van de akoestische gitaar is de luit. Dat is nog te zien aan het woord *luthier*, zoals gitaarbouwers in het Engels en het Frans genoemd worden. In de zestiende eeuw waren er al instrumenten die aardig leken op de gitaar van nu. Vaak hadden ze vijf enkele of dubbele snaren. De lage E ontbrak nog.

De klassieke gitaar

Ergens rond 1850 ontwikkelde de Spaanse gitaarbouwer Antonio de Torres de klassieke gitaar, die nu nog altijd als basismodel gebruikt wordt. Destijds zaten er nog darmsnaren op die gitaar; nu worden nylon snaren gebruikt.

De steelstring

Rond diezelfde tijd bouwde George Friedrich Martin de voorloper van de moderne steelstring, met een grotere klankkast dan de klassieke gitaar en met een ander zangbalkjespatroon: de balkjes die het bovenblad versterken, liggen in de vorm van een X (*X-bracing*) in plaats van in de vorm van een waaier, zoals bij de klassieke gitaar (*fan-bracing*).

Koekenpan

De Fyring Pan, rond 1933 gebouwd door George D. Beauchamp, wordt vaak genoemd als de allereerste elektrische gitaar. De opdrachtgever was Adolph Rickenbacker.

Les Paul en Paul Bigsby

Gitarist Les Paul maakte zo'n tien jaar later de eerste solidbody-gitaar, op basis van een Epiphone. De solidbody van Paul Bigsby uit 1947 leek al heel wat meer op een 'moderne' gitaar, en weer een jaar daarna verscheen Gibson met de eerste gitaar met niet één, maar twee elementen.

Fender Broadcaster en Stratocaster

... en in 1950 introduceerde Fender 's werelds eerste elektrische gitaar die in grote aantallen gebouwd kon worden. Dat was de Broadcaster, die al snel in Telecaster omgedoopt werd. De Telecaster wordt nog altijd gemaakt. Een nog bekender gitaarontwerp, de Fender Stratocaster, verscheen in 1954.

Nog een keer Les Paul

In diezelfde periode ontwikkelde Gibson de humbucker. Dat element werd al snel de standaard op Gibsons Les Paul-gitaren, en ook dat is een model dat nog nooit is weg geweest.

Basgitaren

Toen de eerste solidbody's een feit waren, bedacht Leo Fender dat hij op dezelfde manier ook basgitaren kon maken. Dat zou bassisten bevrijden van die grote, nauwelijks te vervoeren en altijd te zacht klinkende contrabassen, die vanwege hun formaat ook wel hondenhokken genoemd worden.

Precies

Contrabassen zijn altijd fretloos, maar Fender bouwde zijn basgitaren juist mét frets: zo kon je veel 'preciezer' spelen (lees: 'makkelijker zuiver'). Hij koos een bijpassende naam voor zijn ontwerp: het was de Precision, en hij wordt nog steeds gebouwd.

Toen en nu

De meeste moderne gitaren en bassen zijn nog altijd op die oude ontwerpen gebaseerd – en er zijn heel wat muzikanten die eigenlijk het liefst zo'n echte oude zouden willen hebben. Aan de andere kant is er vanaf die eerste gitaren natuurlijk ook een boel veranderd en verbeterd, variërend van actieve elektronica en ruisarme elementen tot koolstofvezelversterkingen en andere nieuwe materialen, instrumenten met body en hals uit één stuk, tweezijdige halspennen, koploze instrumenten, locking-mechanieken, verzonken gitaarbandknoppen, D-tuners, gitaarsynthesizers, en nog veel meer. En natuurlijk kun je met een massieve body ook alle kanten op als het om speciale modellen en kleuren gaat, van V-vormige ontwerpen zoals hieronder (uit 1958!) tot body's met ingebouwde handgrepen en andere grappen.

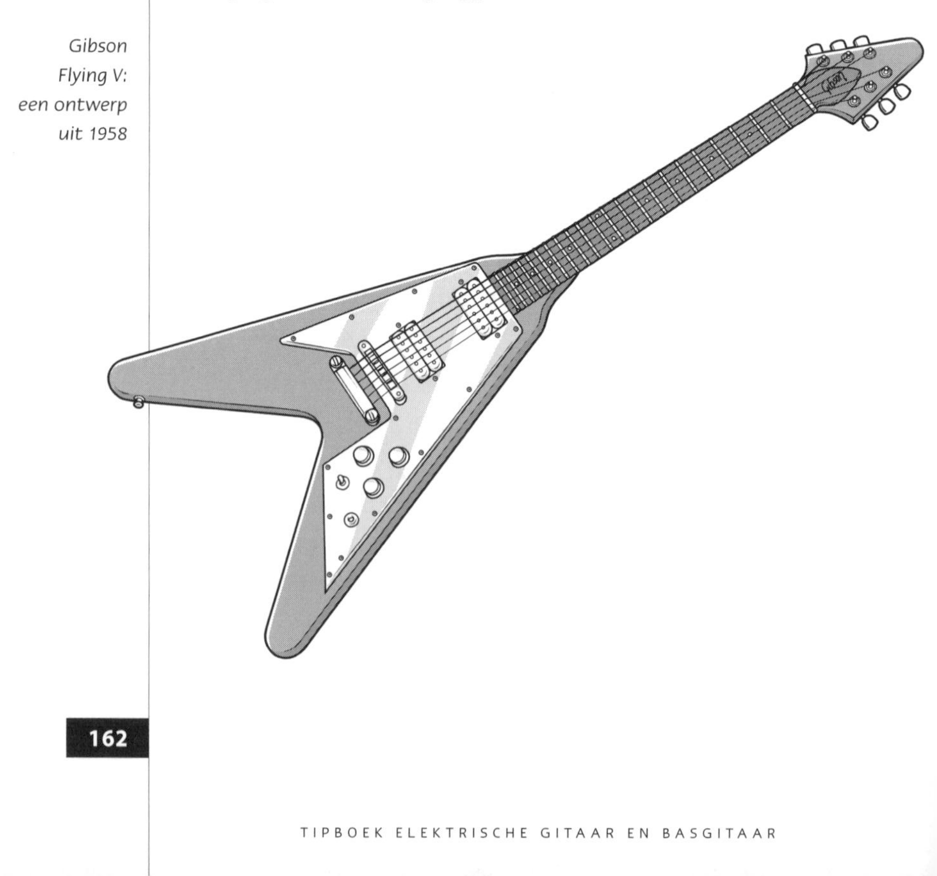

Gibson Flying V: een ontwerp uit 1958

12

De familie

Gitaren zijn snaarinstrumenten, en daar zijn er zoveel van dat die niet allemaal in dit boek passen. In dit hoofdstuk vind je vooral een paar variaties op de elektrische (bas)gitaar en een kennismaking met de akoestische gitaar en een paar nauw verwante familieleden.

Er zijn bassen met rubber snaren, elektrische reisgitaren met ingebouwde luidsprekers of programmeerbare stemmechanieken, bassen met een vioolvormige klankkast en gitaren met vijf halzen, en er zijn bijvoorbeeld dubbelhalzen, meersnarige en koploze instrumenten, en instrumenten met een afwijkende mensuur.

Vioolbas (Höfner)

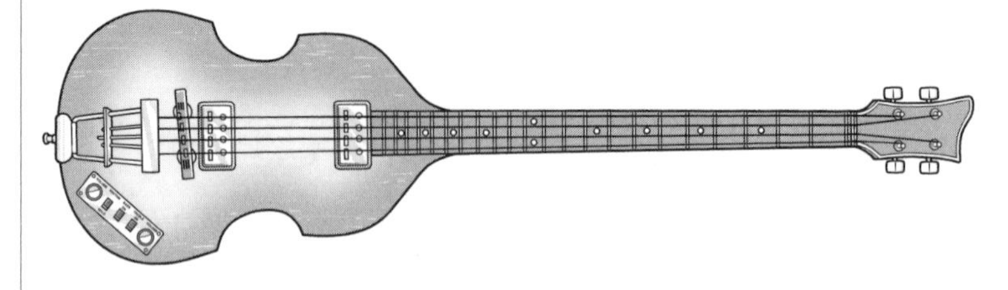

Dubbelhalzen

Elektrische bassen en gitaren met twee halzen zijn er in allerlei combinaties – met een zessnarige en een twaalfsnarige gitaarhals bijvoorbeeld, maar ook wel met een zessnarige bashals met frets en een viersnarige fretloze, of met een elektrische en een akoestische helft.

Een Gibson met een zes- en een twaalfsnarige hals

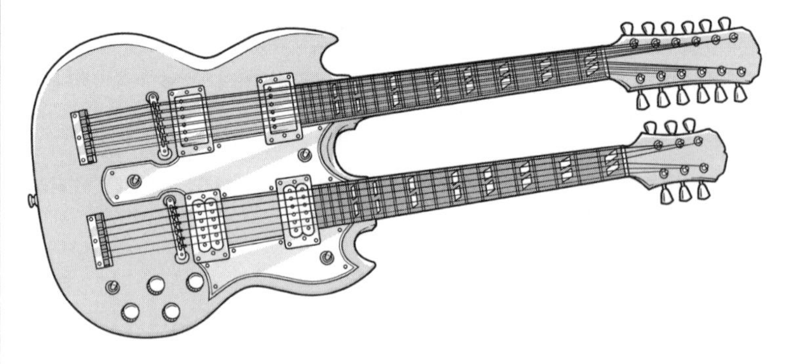

Meer snaren

Ze zijn minder populair dan akoestische twaalfsnarige gitaren, maar ze bestaan wel: elektrische gitaren met zes 'dubbele' snaren. Een van de vele varianten is de tiensnarige gitaar, waarbij vier snaren verdubbeld zijn voor een vollere, rijkere sound.

Meersnarige bassen

Begin jaren tachtig kwam de vijfsnarige bas langzaam opzetten,

Een twaalf-snarige basgitaar met bas- en gitaarsnaren (Hamer)

en later verschenen er steeds meer zessnarige modellen, en zelfs zeven-, acht- en negensnarige bassen worden gebouwd. Iets anders zijn de bassen met naast elke snaar één of zelfs twee gitaarsnaren die dan steeds een octaaf hoger klinken, of achtsnarige bassen met alleen maar hoger klinkende extra snaren, zodat je er ook gitaar op kunt spelen. Minder snaren kan ook: voor bassisten die alleen maar 'echte' bassen spelen, zijn er G-snaarloze driesnarige bassen gebouwd.

Lager en lager

Voor gitaristen die echt de laagte in willen, zijn er gitaren met een extra lange mensuur van rond de 27" tot meer dan 30". Ze worden vaak baritongitaren genoemd, of ze krijgen bijvoorbeeld een naam waarin het woord *subsonic* verwerkt is. Ze worden vaak een kwart lager gestemd dan een gewone gitaar (B, E, A, D, Fis, B), maar ook wel als een zevensnarige gitaar zonder hoge E (dan wordt die Fis een G en komen er allerlei noten op andere plaatsen te zitten) of in andere stemmingen.

Hoger

Zo zijn er ook bassen voor hogere stemmingen, zoals de piccolobas, die vaak net zo gestemd wordt als de laagste vier snaren van een gitaar, of de tenorbas met bijvoorbeeld de stemming A, D, G, C (een kwart hoger dan normaal).

Koploos

Begin jaren tachtig bouwde Ned Steinberger een bas met de stemmechanieken bij de staart. Zo werd een kop overbodig. Andere koploze bassen en gitaren, vaak heel compact en met een kleine body, verschenen al snel.

Koploze bas (Steinberger)

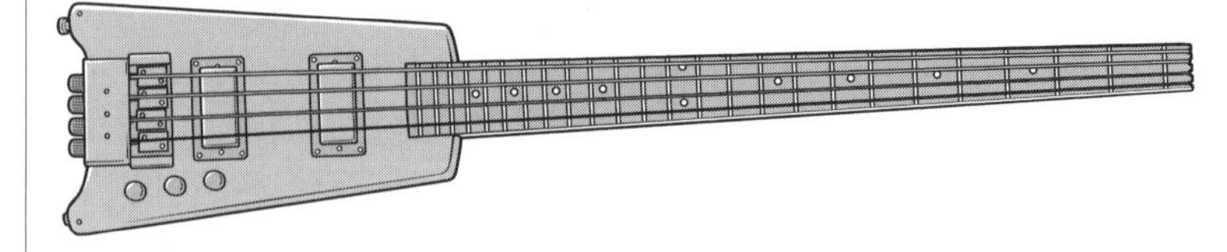

Staande bassen
De elektrische basgitaar werd bedacht omdat een contrabas zo moeilijk te vervoeren is. De instrumenten hebben dezelfde stemming. Verschillende fabrikanten maken kruisingen van de twee instrumenten: staande bassen met de massieve body en de elementen van een elektrische bas en de lange, fretloze hals van een contrabas.

Tipcode EGTR-020
Een contrabas heeft dezelfde stemming als een elektrische basgitaar – maar hij klinkt heel anders.

AKOESTISCHE GITAREN

Bij een akoestische gitaar wordt de klank van de snaren door de klankkast 'akoestisch' versterkt.

Klassiek, nylonsnarig
De klassieke, nylonsnarige of Spaanse gitaar wordt vooral voor klassieke muziek gebruikt, maar ook wel daarbuiten. De nylon snaren (drie omwikkeld, drie kaal) zorgen voor een warme, kleurrijke klank.

Een klassieke, nylonsnarige gitaar en een steelstring

Steelstrings

De staalsnarige gitaar, een Amerikaans instrument, wordt ook wel folk- of westerngitaar genoemd, of kortweg steelstring. De meeste modellen hebben een grotere klankkast dan de klassieke gitaar, en ze klinken harder en – inderdaad – metaliger. Om het verschil tussen hollowbody's met een gewelfde top aan te geven, worden ze ook wel *flattops* genoemd

Tipcode EGTR-021

Hier hoor je het klankverschil tussen een klassieke, nylonsnarige gitaar en een steelstring.

ELEKTRO-AKOESTISCH

Om akoestische instrumenten ook op grotere podia en in harder spelende bands te kunnen gebruiken, wordt er vaak een element ingebouwd. Het resultaat is een *elektro-akoestische (bas)gitaar.* Vooral akoestische bassen hebben vaak een element, omdat ze van zichzelf heel zacht klinken.

... op de linker-schouder...

Piëzo

De meeste elektro-akoestische instrumenten hebben een onzichtbaar, in de brug ingebouwd piëzo-element. Zo'n elementje is niet magnetisch, maar drukgevoelig: het reageert op de drukverschillen die door de trillende snaren veroorzaakt worden, en zet ze om in elektrische signalen. Dat werkt dus ook met nylon snaren. Het vrij zwakke signaal wordt opgepept door een voorversterkertje dat meestal in de klankkast zit. Piëzo-elementen worden ook wel in elektrische bassen en gitaren gebruikt (zie bladzijde 86).

Knoppen

Bij elektro-akoestische gitaren en basgitaren zitten de knoppen meestal op de linkerschouder: dan kun je er makkelijk bij. Daarnaast bestaan er klankgatvoorversterkers, waarbij de knoppen in de klankkast zitten, langs de rand van het klankgat.

Dat is minder makkelijk te bedienen, maar er hoeft geen hap uit de zijkant van het instrument gezaagd te worden.

Akoestisch of elektrisch?

Behalve 'echte' elektro-akoestische gitaren en bassen zijn er ook allerlei andere instrumenten die van beide kanten wat hebben. Een klassiek klinkende gitaar met nylon snaren, een element en een ondiepe, bijna massieve body (die ook wel semi-solid genoemd wordt), bijvoorbeeld, of een gitaar die speelt als een elektrische maar klinkt als een akoestische, of een elektro-akoestische met een klankkast in de vorm van een bekende elektrische... Vaak zie je aan de naam van het instrument al een beetje wat je kunt verwachten: zo heb je de Classic Electric (Gibson), de Acousticaster (Godin), de Stratacoustic (Fender) en Ampli-Coustic (Renaissance).

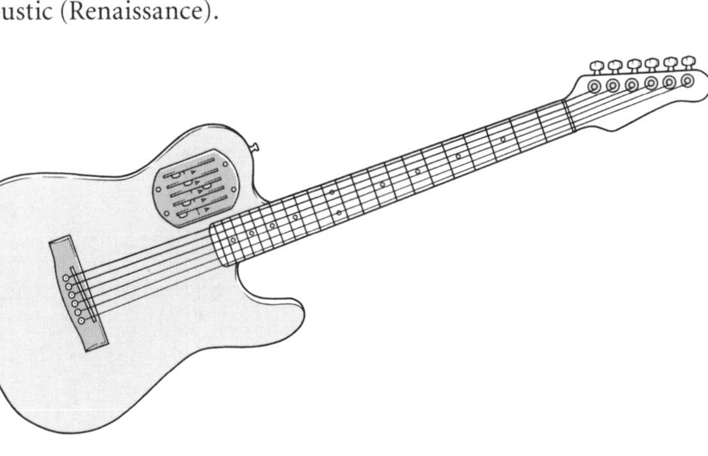

Elektrisch spelen, akoestisch klinken... (Godin Acousticaster)

Tipboek Akoestische gitaar

Meer over akoestische en elektro-akoestische gitaren vind je in *Tipboek Akoestische gitaar* (zie bladzijde 246).

ANDERE TOKKELINSTRUMENTEN

De gitaar is een tokkelinstrument, net als de basgitaar. Het zijn lang niet de enige twee instrumenten uit die familie.

Lapsteelgitaar

Een lapsteelgitaar is een staalsnarige gitaar die je op je schoot (*lap*) houdt. De snaren worden getokkeld met om de duim en de vingers geschoven plectrums. In plaats van de snaren te stoppen door ze tegen de toets te drukken, zoals bij een gewone gitaar, glij je er met een slide of *steel* (een over je vinger geschoven buisje) overheen. Frets ontbreken; in plaats daarvan staan er streepjes op de toets.
Ook gewone gitaren – met name resonators – worden wel als lapsteelgitaar gebruikt. Ze hebben dan een extra hoge actie en een hals met een vierkant profiel.

Pedalsteelgitaar

Pedalsteelgitaren worden op dezelfde manier bespeeld. De op een frame gemonteerde instrumenten hebben meestal twee en soms zelfs drie halzen, meestal met tien maar ook wel met acht, twaalf of meer snaren per hals. De stemming van de snaren is tijdens het spelen met pedalen te wijzigen.
Naast die pedalen heeft het instrument vaak ook meerdere met de knieën te bedienen hefbomen. Een volumepedaal wordt met de rechtervoet bediend.

Stijlen

Lap- en pedalsteelgitaren hoor je vooral in muziek uit Hawaï, in country en bluegrass, maar ook wel in andere stijlen.

Chapman Stick

De *Chapman Stick*, die vaak ook kortweg *Stick* genoemd wordt, is een kruising tussen een gitaar, een bas en een piano. De acht tot twaalf snaren 'hamer' je met je vingertoppen op de toets (*tapping*). Op die manier kun je tegelijkertijd een melodie, een baspartij en akkoorden spelen, net als op een piano. Er zijn ook andere fabrikanten die zulke instrumenten maken, soms met meer of minder snaren.

Luit

De luit is een instrument dat je nog maar zelden hoort, met een peervormige klankkast met een bolle, uit stroken hout opgebouwde achter- en zijkant, een brede, korte hals, houten stempennen en een zachte klank.

Mandoline

De oorspronkelijke *mandoline*, met heel kortere hals, is duidelijk familie van de luit. Tegenwoordig zijn mandolines er ook in allerlei andere modellen, zoals het instrument dat je hieronder ziet. De korte hals is gebleven, maar de top is gewelfd en de achterzijde is niet meer bol. Er zijn vier dubbele snarenkoren ofwel vier keer twee gelijkgestemde snaren, in G, D, A en E. De G-snaren klinken even hoog als de G-snaar van een gitaar.

Mandoline

Andere mandolines

Er zijn ook mandolines met een bolle klankkast, zoals die van een luit, en de Portugese mandoline heeft een vlak bovenblad. Variaties op de mandoline zijn bijvoorbeeld de *mandola*, de twaalfsnarige *mandriola* en de *mandoloncello.*

Een vijfsnarige banjo

Banjo

De *banjo* is een met duim- en vingerplectrums bespeeld tokkelinstrument met vier of vijf (en heel soms zelfs zes) metalen snaren en een klankkast die er nog het meest uitziet als een trommel, met een strak gespannen kunststof vel als 'bovenblad'. Vijfsnarige banjo's worden, net als de mandoline, vooral in bluegrass en country gebruikt, en viersnarige bijvoorbeeld in verschillende volksmuziekstijlen en oude-stijljazz.

Saz, oud, balalaika...

Veel snaarinstrumenten uit andere culturen zijn vooral bekend door de volksmuziek die erop gespeeld wordt. Een paar bekendere voorbeelden zijn zogenaamde volksluiten zoals de Turkse *saz* en de Griekse *bouzouki's*, of de peervormige, fretloze *oud*, die je vooral in Arabische en Noord-Afrikaanse muziek nog kunt horen, de Russische *balalaika's* met hun opvallende driehoekige klankkast, of de Bulgaarse *tambura*, met een heel ondiepe, peervormige klankkast en vier dubbele snaren.

Balalaika

13

De fabriek in

Of een gitaar nu in een gigantische fabriek of in een eenpersoonswerkplaats gebouwd wordt, in heel grote lijnen gebeurt er overal hetzelfde.

Een solidbody ziet er bijna altijd uit alsof hij van één stuk massief hout gemaakt is, maar dat gebeurt maar zelden. Meestal bestaat de body uit twee of meer stukken hout, of uit een aantal dunne laagjes, of zelfs uit een soort spaanplaat. Transparant gelakte instrumenten hebben meestal een aparte top, die later op de body gelijmd wordt.

Spiegelbeeld

Tweedelige body's en tops in de hogere prijsklasse vertonen vaak links en rechts hetzelfde patroon: dan is er één stuk hout in twee schijven gezaagd en als een boek opengevouwen. De twee helften van zo'n *bookmatched top* of body worden met de ruggen aan elkaar gelijmd. Dat ziet er niet alleen goed uit, maar deze techniek verkleint ook de kans op kromtrekken.

Bookmatched body

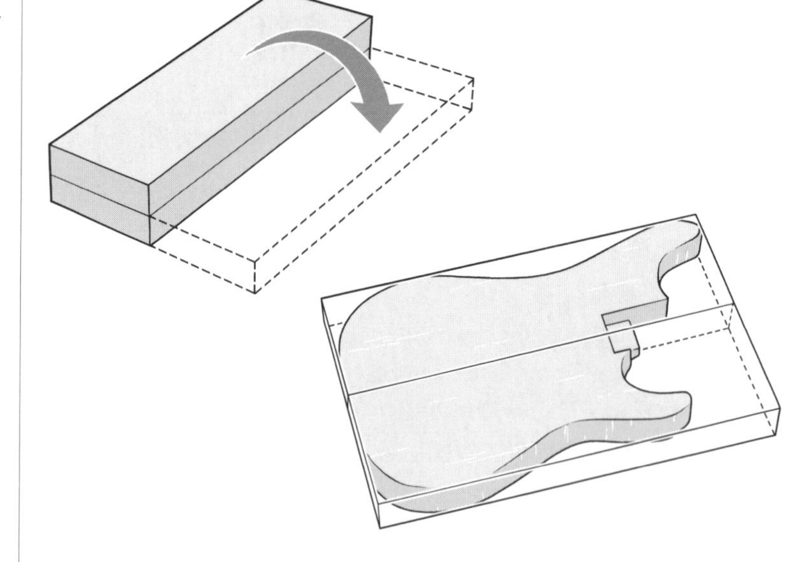

Met de hand of met computers

Het in model brengen van de body en andere houten onderdelen gaat soms nog met de hand, maar computergestuurde boor-, frees- en zaagmachines zijn natuurlijk allang geen uitzondering meer. Bij instrumenten met een doorlopende hals bestaat de body uit twee vleugels die aan weerszijden van de hals worden gezet. Om de frets goed in de hals te zetten, worden zware persen gebruikt.

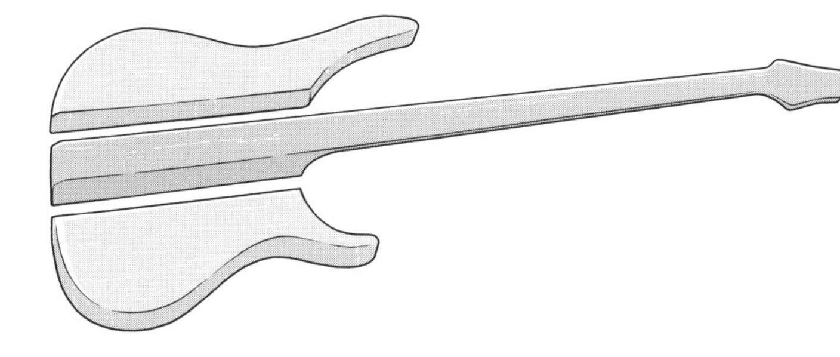

Body met doorlopende hals

Afwerken

Door nieuwe droogtechnieken is het lakproces enorm versneld, maar er worden wel nog altijd meerdere laklagen opgebracht. Tussen elke twee lagen wordt uitgebreid geschuurd, en de laatste laag wordt meestal hoogglanzend gepolijst.

In elkaar

Uiteindelijk worden de hals, de elementen en bijbehorende elektronica, de mechanieken, de snaren en andere losse onderdelen gemonteerd. De meeste fabrikanten maken deze spullen niet zelf.

Zelf doen?

Omdat elk denkbaar gitaaronderdeel los te koop is (van knoppen en fretdraad tot al dan niet compleet voorgevormde body's en halzen), zijn elektrische gitaren zo'n beetje de makkelijkste instrumenten om zelf te maken. Toch heb je dik kans dat een kant-en-klaar instrument voor hetzelfde geld beter speelt, klinkt en oogt.

Met klankkast

Duurdere archtops hebben bookmatched boven- en achterbladen die met de hand in model gestoken worden, net als bij strijkinstrumenten. De zijkanten (de *ribben*) worden met behulp van een mal gemaakt. Dunne latjes helpen om een goede verbinding tussen de bladen en de ribben tot stand te brengen.

14

De merken

Er zijn honderden bas- en gitaarmerken; in de meeste gitaarwinkels kom je er zo al een heel stel tegen. In dit hoofdstuk maak je kennis met de namen die je vaker ziet; ze zijn (heel) grofweg in een paar prijsklassen ingedeeld.

De (bas)gitaarmarkt is niet echt overzichtelijk. Er zijn niet alleen heel veel verschillende merken, maar er zijn ook fabrieken die instrumenten voor allerlei merken bouwen. Bovendien laten veel merken hun (bas)gitaren in verschillende landen bouwen. De goedkoopste modellen in China, Indonesië of Korea, bijvoorbeeld, de middenklasse-instrumenten in Tsjechië of Mexico, en de dure toplijn in Amerika of Japan.

Eén fabriek, meer merken

Veel fabrikanten, vooral in Azië, maken instrumenten en onderdelen voor verschillende merken. Vaak hebben ze ook een eigen 'huismerk'.

Nieuwe merken

Een aantal merken bestaat al heel lang, en die merken zullen ook nog jaren blijven. Andere merknamen verdwijnen na een paar jaar. Ook komen er steeds merknamen bij. En dan zijn er ook nog merknamen die ooit alleen op heel dure instrumenten stonden en nu opeens voor veel goedkopere instrumenten gebruikt worden. Met andere woorden: wat je hieronder leest, kan met de dag veranderen. Gelukkig zijn er genoeg muziektijdschriften en websites (zie bladzijde 189 en verder) waar je voor actuele informatie terechtkunt.

Grote merken

Een aantal grote fabrikanten maakt elektrische bassen en gitaren in verschillende prijsklassen, en daarbij vaak ook nog akoestische instrumenten, versterkers, effecten, snaren en heel andere instrumenten: **Fender** (en **Squier**), **Gibson** (en **Epiphone**), **Peavey**, **Ibanez** en **Yamaha**.

Fender en Squier

Fender maakte in 1950 's werelds eerste in serie gebouwde solidbody-gitaren, en een paar jaar later de eerste elektrische bassen. De toplijn van het merk komt nog altijd uit Amerika; goedkopere instrumenten worden elders gemaakt.
Naast Fender maakt het bedrijf ook gitaren en bassen onder de naam Squier. Bovendien is Fender eigenaar van een groot aantal andere bas- en gitaarmerken.

Gibson en Epiphone

Gibson is al sinds 1902 actief. Hun eerste semi-akoestische gitaar, de Electric Spanish Guitar, werd dertig jaar later gebouwd. De naam Gibson vind je alleen op professionele gitaren. **Epiphone** is een tweede merknaam van hetzelfde bedrijf.

Ibanez

Ibanez was oorspronkelijk een Spaans gitaarmerk dat in Japan geïmporteerd werd door Hoshino, een bedrijfje dat in 1908 bladmuziek begon te verkopen. Zo'n vijftig jaar later verschenen de eerste originele Japanse Ibanez-gitaren in Amerika.

Peavey

Peavey, onder leiding van oprichter Hartley Peavey, is Amerika's grootste muziekinstrumentenfabriek, met gitaren en bassen in verschillende prijsklassen, en verder onder meer versterkers, drums en microfoons.

Yamaha

Het eenpersoons orgelfabriekje waar Torakusu **Yamaha** in 1889 mee begon, is nu 's werelds grootste muziekinstrumentenleverancier. Van gitaren en bassen tot versterkers, piano's en dwarsfluiten, maar ook op motorfietsen en zeilboten vind je het logo met de drie gekruiste stemvorken.

In de breedte

Er zijn ook kleinere fabrikanten die instrumenten in verschillende prijsklassen maken, zoals de drie Amerikanen **Gretsch, BC Rich** en **Washburn**.

Voor weinig

Andere merken vind je vooral of alleen maar in de prijsklasse tot zo'n tweehonderd of tweehonderdvijftig euro. Een paar voorbeelden zijn **Eko**, **Encore**, **Richwood**, **Silvertone**, **Stagg** en **Volcano**. Als een merk ook hollowbody's in huis heeft, zijn die altijd duurder.

Iets hoger

De meeste merken beginnen rond die prijs, of iets hoger. Sommige gaan niet verder dan vijfhonderd euro; andere hebben ook duurdere, professionele modellen in huis. Een paar kleinere en grotere namen zijn **Aria**, **Cort**, **Danelectro**, **Dean**, **DeArmond**, **Farida**, **Fernandes**, **Framus**, **Hohner**, **London City**, **Richwood**, **Samick** en **Vintage**.

En nog meer

Blade, **Burns**, **Carvin**, **Charvel**, **Godin**, **Hamer**, **Jackson**, **LTD**, **Kay**, **Shecter** en **Shine** zijn voorbeelden van merken die vooral of alleen maar modellen van boven de vijfhonderd euro maken. Vaak hebben ze daarnaast ook veel duurdere instrumenten in huis.

Alleen professioneel

De lijst namen van merken die alleen maar professionele instrumenten in het programma hebben, met prijzen vanaf zo'n duizend euro en meer, is eindeloos. Een paar bekendere en minder bekende namen zijn **Alembic**, **Baker**, **Brian Moore**, het Nederlandse **Bo~el**, **Brian Moore**, **ESP**, **G&L**, **Modulus**, **Music Man**, **Parker**, **Paul Reed Smith**, **Rickenbacker**, **Sadowsky**, **Tom Anderson** en **Vigier**. Sommige merken specialiseren zich in archtops, zoals **Benedetto**, **D'Angelico**, **Guild**, **Heritage**, **Höfner**, **Monteleone** en **Renaissance**.

Nieuwere merken

Sommige gitaarmerken hebben eerst naam gemaakt op een (heel) ander gebied. Zo kwam **Taylor**, bekend van z'n akoestische gitaren, in 2008 met een elektrische solidbody. **Floyd Rose**, ontwerper van de gelijknamige tremolo, verscheen al eerder met een reeks gitaren met het unieke Speedloader-systeem (zie bladzijde 117).

Alleen bassen

De meeste gespecialiseerde basfabrikanten zitten ook in die prijsklasse, en ook zo'n namenlijst is ellenlang, van A Basses tot Zon. Een paar van deze merken bieden ook bassen in de lagere en middenprijsklasse, zoals **MTD**, **Spector** en **Warwick**.

Op bestelling

Je kunt ook een instrument op bestelling laten bouwen. Ook in Nederland en België en de omringende landen zijn kleine bedrijfjes waar instrumenten nog per stuk gemaakt worden, precies zoals je ze hebben wilt. Gitaar- en basbouwers vind je bijvoorbeeld in de vaktijdschriften of via je muziekwinkelier. Bij een paar van de eerdergenoemde merken kun je trouwens ook je eigen instrument laten bouwen, met een keuze uit allerlei houtsoorten, halzen, toetsen, elementen en hardware.

Elementen en hardware

Er zijn talloze kleinere en grotere bedrijfjes die bijvoorbeeld alleen maar elementen bouwen, of alleen maar stemmechanieken, bruggen en andere hardware. Met hun spullen kun je je eigen instrument opwaarderen, en de meeste fabrikanten halen hun onderdelen ook bij deze bedrijven vandaan; er zijn weinig fabrikanten die alles zelf maken. Een paar bekende elementfabrikanten zijn **Joe Barden**, **Bartolini**, **EMG**, **Evans**, **DiMarzio**, **Lawrence**, **Lindy Fralin** en **Seymour Duncan**, en in de afdeling hardware zijn **Gotoh**, **Grover**, **Hipshot**, **Kluson**, **Schaller** en **Sperzel** de bekendste namen.

Woordenlijst

In deze woordenlijst worden de meeste vaktermen uit dit boek nog eens kort omschreven, met een verwijzing naar de pagina('s) waar meer over dat onderwerp te vinden is. De vertaling van Engelse bas- en gitaartermen vind je op www.tipbook.com.

Actie
Snaarhoogte (de afstand tussen snaren en toets), maar ook wel het samenspel van snaarhoogte, radius, model van de frets en andere elementen.

Actieve bas
Bas met ingebouwde elektronica en uitgebreide toonregeling.

Actieve elementen
Actieve elementen geven een heel clean en ruisvrij signaal.

Archtop
Zie: *Hollowbody.*

Binding
Zie: *Inleg.*

Bookmatched
Een bookmatched boven- of achterblad bestaat uit twee delen die elkaars spiegelbeeld zijn.

Brug
De snaren lopen van de stemmechanieken naar de brug. De brug maakt het contact tussen de snaren en de body.

Brugelement
Het element bij de brug.

Brugzadels
Zie: *Zadels.*

Coiltap
Schakelaar waarmee je een humbucker als een enkelspoelselement kunt laten klinken.

Compoundwound snaren
Snaren met meer dan één omwikkeling.

Cutaway
Ook wel positieholte genoemd. Een uitsparing in de body die hogere posities makkelijker speelbaar maakt.

Doorlopende hals
Hals die van kop tot staart doorloopt.

Double-locking tremolo
Zie: *Locking nut, locknut.*

D-tuner
Mechaniekje om je lage E-snaar van je gitaar naar D te stemmen.

Element
Zet de trillingen van je snaren om in elektrische signalen en stuurt ze naar de versterker.

Elementschakelaar
Schakelaar waarmee je kiest welk(e) element(en) je gebruikt.

Enkelspoelselement
Element met één spoel. Klinkt helderder, cleaner en strakker dan een dubbelspoels humbucker. Zie ook: *Humbucker.*

Feedback
Rondzingen. De doordringende huiltoon die je hoort als iemand een microfoon op een luidspreker richt. Ook hollowbody's en gitaarelementen kunnen rondzingen.

Fijnstemmers
Gitaren met een double-locking

tremolo hebben fijnstemmers in de brug. Zie ook: *Locking nut, locknut.*

Flatwounds
Snaren met een vlakke omwikkeling. Zie: *Roundwounds.*

Fretdraad
Frets zijn korte stukjes fretdraad.

Fretloos
Bassen en (heel soms) gitaren zonder frets.

Frets
De metalen stripjes die de toets in vakjes verdelen. Bij een gefret instrument bepaalt de positie van de fret of een toon zuiver klinkt. Bij een fretloos instrument bepaal je de exacte toonhoogte door de plaatsing van je vinger.

Halselement
Het element bij de hals.

Halspen
Verstelbare pen waarmee de hals afgesteld kan worden.

Hardtail-gitaar
Zie: *Tremolo.*

Hardware
De brug, de stemmechanieken en andere metalen onderdelen.

Hollowbody
Veelgebruikte term voor elektrische gitaren met een holle klankkast en een gewelfd bovenblad. Door dat gewelfde bovenblad worden ze ook vaak archtops genoemd. Archtops zijn meestal wel, maar niet altijd elektrisch.

Humbucker
Een element met twee spoelen. Onderdrukt (*bucks*) brom (*the hum*) en klinkt vetter, dikker, breder en warmer dan een enkelspoelselement.

Inleg
Beschermende sierstrip rondom de body, en soms rond de hals en de kop.

Intonatie
Om in alle posities zo zuiver mogelijk te kunnen klinken, moet de intonatie goed zijn afgesteld.

Kale snaren
De twee of drie niet-omwikkelde gitaarsnaren. Zie ook: *Omwikkelde snaren.*

Kam
Zie: *Topkam.*

Kop
De stemmechanieken zitten meestal aan een of beide kanten van de kop.

Locking nut, locknut
Klemt je snaren boven aan de hals vast; vaak onderdeel van een double-locking tremolo, waarbij de snaren ook in de brug met klemmen worden vastgezet. Ook wel toplock genoemd.

Locking-stemmechanieken
Stemmechanieken waarin de snaren vastgeklemd worden. Voorkomt ontstemmen.

Mensuur
Vaak snaarlengte genoemd; is het dubbele van de afstand van de topkam tot de twaalfde fret. Belangrijk voor hoe een instrument speelt en klinkt.

Midi
Met midi kun je met je gitaar een synthesizer laten klinken of andere muzikale elektronica aansturen. Midi staat voor *musical instrument digital interface.*

Nulfret
Extra fretje, vlak naast de topkam.

Nut, nutje
Zie: *Topkam.*

Omwikkelde snaren
Om bassnaren en de laagste drie of vier gitaarsnaren laag genoeg te laten klinken zonder dat ze veel te lang of veel te dik worden, worden ze met vlak of rond metaaldraad omwikkeld.

Output, output jack
De uitgang van je (bas)gitaar.

Passieve instrumenten
De meeste gitaren en bassen zijn passief: ze hebben geen actieve (meestal met een batterij gevoede) voorversterker of elementen. Zie: *Actieve bas* en *Actieve elementen.*

Piëzo-element
Drukgevoelig element; wordt vooral op akoestische maar ook wel op elektrische instrumenten gebruikt. Geeft een 'akoestisch' geluid, ook op elektrische instrumenten.

Plank
Straatnaam voor solidbody. In het Engels: *ax* (bijl).

Positieholte
Zie: *Cutaway.*

Positiemarkeringen
Geven de derde, vijfde, zevende, negende en twaalfde (enzovoort) positie of fret aan.

Potmeter, potentiometer
Met je volume- en toonknoppen bedien je de in de body verborgen potmeters, die dan meer of minder signaal doorlaten.

Radius
Geeft de bolling van de toets aan. Meestal in inches uitgedrukt; ook wel *camber* genoemd.

Reverse headstock
Een 'omgekeerde kop'. Maakt de hoge snaren korter en de lage langer, met gevolgen voor klank, bespeelbaarheid en stemvastheid.

Rondzingen
Zie: *Feedback.*

Roundwounds
Met ronde draad omwikkelde snaren. Zie ook: *Flatwounds.*

Semi-akoestisch, semi-hollow, semi-solid
Allemaal termen waarvan niemand precies weet wat ze betekenen. Gebruikt voor allerlei gitaren met één of twee magnetische of piëzo-elementen, een diepe of een minder diepe

holle klankkast, of een body met een of meer kleinere klankkamers.

Slagplaat
Beschermt de lak tegen krassen van nagels en plectrums.

Slotted mechaniek, slotted tuner
Mechaniek waar je de snaar van bovenaf in de stift steekt.

Snaargeleider
Trekt de snaren naar beneden, strak over de topkam.

Snaarhoogte
De afstand tussen snaren en toets. Ook wel actie genoemd.

Snaarlengte
Zie: *Mensuur.*

Spoel
De meeste elementen hebben één of twee spoelen, ofwel met koperdraad omwikkelde magneten. Zie: *Enkelspoelselement* en *Humbucker.*

Staartstuk
Bij hollowbody's zitten de snaren vast aan een aan de 'staart' bevestigde snaarhouder: het staartstuk.

Staggered pickups
Elementen met pooltjes op verschillende hoogtes.

Staggered mechanieken
Stemmechanieken met stiften in aflopende hoogte.

Stemmechanieken
Open of gesloten mechaniekjes, één voor elke snaar.

Stift
Het asje van het stemmechaniek, waar je de snaren omheen draait. Ook wel schacht of stemas genoemd.

Stop tailpiece, stopbar tailpiece
Bij solidbody's kunnen de snaren aan de brug, aan de achterzijde van de body (string-through) of aan een apart staartstuk (de stop of stopbar tailpiece) vastzitten.

Stratitis
Zie: *String pull.*

String pull
Als een enkelspoelselement te hoog staat, kan de magneet aan je snaren gaan trekken, met kans op kletterende snaren en andere ongewenste geluiden. Ook wel Stratitis genoemd.

Thinline
Gitaar met een ondiepe klankkast. Ook wel slimline genoemd, onder meer.

Toets
De voorkant van de hals, waar je de snaren tegenaan drukt (*fingerboard, fretboard*).

Topkam
De topkam (ook wel kam, nut of nutje), boven aan de hals, geleidt de snaren naar de mechanieken.

Toplock
Zie: *Locking nut, locknut.*

Tremolo
Met de arm van de tremolo kun je al

je snaren tegelijk lager (en soms ook hoger) laten klinken. Tremolo's worden ook wel vibrato's, trems of whammy's genoemd, en de tremoloarm een pookje.
Een tremologitaar is een gitaar met een tremolo. Een hard-tail gitaar is er een zonder.

Vibrato
Zie: *Tremolo.*

Zadels
De snaren lopen bij de brug over een of meer zadels. Met beweegbare zadels kunnen onder meer intonatie en actie afgesteld worden.

Meer weten?

Over elektrische gitaren en bassen is natuurlijk nog veel meer te lezen, in tijdschriften, boeken en op internet. Daarnaast zijn er verschillende organisaties waar je als gitarist terechtkunt, bijvoorbeeld voor informatie over leraren en muziekscholen. Alle adressen en andere gegevens vind je op de volgende bladzijden.

TIJDSCHRIFTEN

Er zijn maar liefst zes Nederlandstalige tijdschriften waarin tests en andere artikelen over gitaren en bassen te vinden zijn. Ze zijn allemaal via een abonnement of los te koop. *Meet Music* ligt gratis in een aantal muziekwinkels.

- *De Bassist*, www.debassist.nl
- *Gitaar Plus*, gitaarplus@tiscali.nl
- *Gitarist*, www.gitarist.nl
- *Music Maker*, www.musicmaker.nl
- *Meet Music*, www.meetmusic.com

Buitenlandse tijdschriften

Is bovenstaand aanbod je niet genoeg, dan kun je bij de buitenlandse muziekpers terecht. Niet alle hieronder genoemde magazines zijn hier (even makkelijk) verkrijgbaar. In de meeste gitaartijdschriften komen ook bassen en bassisten aan bod; daarnaast zijn er ook gespecialiseerde tijdschriften voor bassisten. Hieronder eerst de Amerikaanse, dan de Engelse en daarna de Duitse bladen.

- *20th Century Guitar Magazine*, USA, www.tcguitar.com
- *Guitar Digest*, USA, www.guitardigest.com
- *Guitar One*, USA, www.guitarworld.com/guitarone
- *Guitar Player*, USA, www.guitarplayer.com
- *Guitar World*, USA, www.guitarworld.com
- *Just Jazz Guitar*, USA, www.justjazzguitar.com
- *Vintage Guitar Magazine*, USA, www.vguitar.com
- *Guitar & Bass*, UK, www.ipcmedia.com/brands/guitar
- *Guitarist*, UK, www.guitarist.co.uk
- *Total Guitar*, UK, www.futurenet.com
- *Guitar Techniques*, UK, www.futurenet.com
- *Gitarre & Bass*, Duitsland, www.gitarrebass.de
- *Guitar*, Duitsland, www.ppv-verlag.de

BOEKEN

Er zijn tientallen gitaar- en basboeken, soms alleen over een bepaald merk of een bepaalde periode, of alleen over een bepaald soort instrumenten. Een paar voorbeelden van wat meer algemene boeken, waarvan er slechts een paar (ook) in het Nederlands zijn:

- *De gitaar – Handboek voor de gitarist*, Ralph Denyer (Becht, 1994; ISBN 90 2300 826X).
- *Het ultieme gitaarboek*, Tony Bacon (Uniekboek, Houten, 1992/1994; ISBN 90 6017 6731). Niet meer te koop? Probeer dan *The Ultimate Guitar Book*, Tony Bacon (Knopf, 1997; ISBN 0 375 70090 0).
- *Complete Guitarist*, Richard Chapman (Dorling Kindersley, 1994; 191 pagina's; ISBN 978-1564587-114).
- *The Guitar Handbook*, Ralph Denyer (Knopf, 1992; 256 pagina's; ISBN 978-0679742-753).
- *The Ultimate Guitar Book*, Tony Bacon (Knopf, 1997; 192 pagina's; ISBN 978-0375700-903).
- *Totally Guitar: The Definitive Guide*, Tony Bacon (Thunder Bay Press, 2004; 6-8 pagina's, ISBN 978-1592231-997).
- *Complete Guide to Guitar and Amp Maintenance – A Practical Manual for Every Guitar Player*, Ritchie Flieger (Hal Leonard, 1994; 80 pagina's; ISBN 978-0793534-906).
- *Guitar Player Repair Guide*, Dan Erlewine (GPI Publications, 1990; 309 pagina's, ISBN 978-0879302-917).
- *Gruhn's Guide to Vintage Guitars – An Identification Guide for American Fretted Instruments*, George Gruhn, Walter Carter (Backbeat Books, 1999; 581 pagina's; ISBN 978-08793042-25).
- *American Guitars – An Illustrated History*, Tom Wheeler (Harper Collins, 1992; 384 pagina's; ISBN 978-0062731-548).
- *The Electric Guitar Sourcebook: How To Find The Sounds You Like*, Dave Hunter (Backbeat Books, 2006; 192 pagina's; 978-0879308-865).
- *How To Make Your Electric Guitar Play Great!*, Dan Erlewine (Backbeat Books, 2001; 133 pagina's; ISBN 978-0879306-014).

- *Electric Guitars: The Illustrated Encyclopedia*, Tony Bacon (Thunder Bay Press, 2000; 318 pagina's; ISBN 978-1571452-818).
- *Blue Book of Electric Guitars*, S.P. Fjestad (Blue Book Publications, 2005, negende druk; 1008 pagina's; ISBN 978-18867680-574).

BASBOEKEN

Boeken over basgitaren zijn er niet in het Nederlands; wel is er een handvol Amerikaanse uitgaves, zoals:

- *The Bass Book*, Tony Bacon, Barry Moorhouse (Backbeat Books, 2008; 176 pagina's, ISBN 978-0879309-244).
- *101 Bass Tips: Stuff All The Pros Know And Use*, Gary Willis (Hal Leonard Corporation, 2002; 80 pagina's; ISBN 978-0634017-476).
- *The Bass Player Book*, Karl Coryat (Backbeat Books, 1009; 224 pagina's; ISBN 978-0879305-734).
- *American Basses: An Illustrated History And Player's Guide To The Bass Guitar*, Jim Roberts (Backbeat Books, 2003; 210 pagina's, ISBN 978-0879307-219).

INTERNET

Naast alle Engelstalige gitaristenwebsites zijn er ook twee Nederlandstalige sites. Daarmee begint onderstaande lijst. Verder bestaan er verschillende (Engelstalige) sites voor bassisten.

- www.gitaarnet.nl (Nederlandstalig)
- www.guitarfacts.nl (Nederlandstalig)
- www.electric-guitars.net
- www.gbase.com
- www.guitar.about.com
- www.guitar.com
- www.guitardigest.com
- www.guitarnotes.com
- www.guitarnuts.com

- www.guitarsite.com
- www.guitarstuff.co.uk
- www.jazzguitar.com
- www.newmillguitar.com
- www.wholenote.com

Voor bassisten

Websites voor bassisten zijn onder meer:

- www.12stringbass.com
- www.activebass.com
- www.altguitarbass.com
- www.talkbass.com

GITAARARCHIEF

Het Nederlands Gitaar- en Drumarchief (NDGA) beschikt over een grote collectie oude en nieuwe boeken, tijdschriften, artikelen, catalogi, audio- en videomateriaal en andere informatiebronnen. Op zoek naar iets speciaals? Telefoon 0118-470935.

LERAAR GEZOCHT?

Een privéleraar of muziekschool bij jou in de buurt is te vinden via:

- de Nederlandse Raad voor de Muziek, telefoon 010-4568688, nrm@continentalart.org;
- de Muziekdocentenbank van de NtB (Nederlandse Toonkunstenaarsbond), www.muziekdocentenbank.nl, www.ntb.nl (alleen privéleraren).

Speel je behalve elektrisch ook klassiek, of wil je dat leren, dan kun je terecht bij de Nederlandse vereniging van gitaardocenten (www.egta.nl).

TIPCODE-LIJST

De Tipcodes die je in dit boek tegenkomt, geven op www.tipbook.com toegang tot onder meer korte filmpjes en klankfragmenten die de tekst nog eens extra verduidelijken. Hieronder vind je een lijst van de Tipcodes uit dit Tipboek.

Tipcode	Onderwerp	Blz.	Hfst.
EGTR-001	De gitaarsnaren: E, A, D, G, B, E	**10**	2
EGTR-002	De bassnaren: E, A, D, G	**11**	2
EGTR-003	Tremolo: vibrato en pitch bend	**13, 69**	2, 5
EGTR-004	Clean en vervormd	**18**	2
EGTR-005	Effecten	**21**	2
EGTR-006	Bas met en zonder frets	**63**	5
EGTR-007	Brug- en halselement	**75**	5
EGTR-008	Humbucker en enkelspoelselement	**76**	5
EGTR-009	Nieuwe snaren opzetten	**111**	7
EGTR-010	Snaren stabiliseren	**115**	7
EGTR-011	Toonhoogtes gitaarsnaren	**130**	9
EGTR-012	Toonhoogtes bassnaren	**130**	9
EGTR-013	A=440	**134**	9
EGTR-014	Stemmen: snaar op snaar	**135**	9
EGTR-015	Stemvork	**137**	9
EGTR-016	Stemmen met flageoletten	**139**	9
EGTR-017	Zwevingen	**140**	9
EGTR-018	Afstellen intonatie	**153**	10
EGTR-019	Zadel beweegt, toonhoogte verandert	**154**	10
EGTR-020	Contrabas	**166**	12
EGTR-021	Klassieke gitaar en steelstring	**167**	12

Akkoord-diagrammen

Op de volgende pagina's vind je de akkoorddiagrammen van een groot aantal veelgebruikte akkoorden. De akkoorden zijn per toonsoort gerangschikt en van bijna elk akkoord worden verschillende liggingen gegeven. Ook powerchords en schuifakkoorden zijn opgenomen, en achterin vind je een aantal voorbeelden van populaire akkoordenschema's. Een korte toelichting op hoe akkoorden opgebouwd zijn ontbreekt natuurlijk niet.

Zoals ook in hoofdstuk 3 al uitgelegd werd, laat een akkoorddiagram je per akkoord precies zien waar je welke vingers neer moet zetten. Met een songbook bij de hand kun je zo al snel de nodige nummers leren spelen.

De diagrammen

In de akkoorddiagrammen op de pagina's 204-227 is veel meer te zien dan waar je je vingers moet neerzetten.

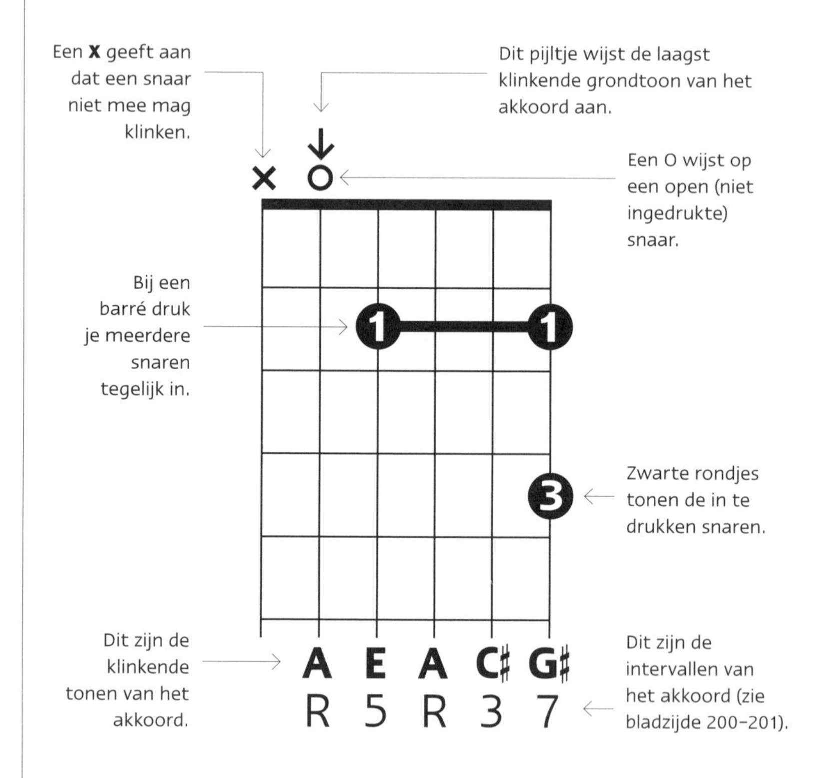

Nummers

De nummers in de zwarte rondjes verwijzen naar de vingers die je gebruikt: 1 is je wijsvinger, 2 is je middelvinger, enzovoort.

Haakjes

Bij een O tussen haakjes mag je kiezen of je die snaar open laat meeklinken of niet. Een (X) betekent dat je de snaar naar keuze kunt dempen of laten meeklinken.

Tabnotatie

Akkoorden zijn in plaats van met diagrammen ook in tabnotatie weer te geven. Je ziet dan een rijtje met zes cijfers die – net als bij tablatuur – aangeven welke snaren je in welke vakjes moet indrukken. Het eerste cijfer slaat op de lage E, het tweede op de A, enzovoort. Net als bij de akkoorddiagrammen geeft een kruisje aan dat je die snaar niet moet spelen of hem moet dempen. Open snaren worden meestal met een nul (0) aangegeven. Het bovenste D7-akkoord van bladzijde 214 ziet er in tabnotatie dus zo uit: X–(0)–0–2–1–2.

Verticaal

Dezelfde tabnotatie wordt ook wel verticaal gebruikt, van de lage E naar de hoge (of andersom, zoals hieronder!). Zo kun je de akkoorden van een nummer makkelijk na elkaar zetten.

Akkoorden

		A7	D7	E7
Snaren	E	0	2	0
	B	2	1	0
	G	0	2	1
	D	2	0	0
	A	0	(0)	2
	E	0	X	0

Opbouw van akkoorden

Er zijn veel verschillende soorten akkoorden: majeurakkoorden, mineurakkoorden, verminderde akkoorden, enzovoort. Elk soort akkoord is op dezelfde manier opgebouwd uit een grondtoon en twee of meer andere tonen. Op bladzijde 200-201 lees je hoe dat precies werkt.

Tabel

Op de volgende twee bladzijden staat een tabel met de opbouw van verschillende soorten akkoorden. Van elk soort akkoord wordt ook een voorbeeld gegeven (in C). Van de – minder vaak gebruikte – akkoordtypes in het onderste deel van deze tabel zijn in dit boek geen akkoorddiagrammen opgenomen.

Meerdere liggingen

Elk akkoord is in meerdere liggingen te spelen, zoals je op bladzijde 204-227 ziet. Elke ligging heeft z'n eigen klankkleur en z'n eigen sfeer. Speel je een akkoord in een ligging hoger op de hals, dan klinkt het dus niet alleen hoger, maar ook anders. Een andere reden om verschillende liggingen of *omkeringen* te gebruiken is dat je daarmee soms makkelijker van het ene naar het andere akkoord kunt gaan. Bovendien kun je muzikale lijnen zo vloeiender laten lopen: akkoorden sluiten in andere liggingen vaak mooier op elkaar aan. In de akkoordenschema's op bladzijde 236-239 is dat goed te merken.

Powerchords

Op bladzijde 228 zijn een aantal powerchords te vinden. Dat zijn makkelijk speelbare akkoorden waarin je alleen de grond-

Akkoordsymbool	Alternatieve symbolen	Akkoordtonen
C	–	C, E, G
$Cmaj^7$	CM^7, C^Δ	C, E, G, B
C7	$Cdom^7$	C, E, G, B♭
C6	$Cmaj^6$	C, E, G, A
C9	–	C, E, G, B♭, D
Cm	C–, Cmi, Cmin	C, E♭, G
Cm^7	$C-^7$, Cmi^7, $Cmin^7$	C, E♭, G, B♭
Cm^9	$C-^9$, Cmi^9, $Cmin^9$	C, E♭, G, B♭, D
Csus4	Csus	C, F, G
Cadd9	–	C, E, G, D
C7sus4	–	C, F, G, B♭
Csus2	–	C, D, G
Caug	C+, C^{+5}, $C^{\sharp 5}$	C, E, G♯
Cdim	C°, $C^{\circ 7}$, C^{-7}, $Cdim^7$	C, E♭, G♭, A
$C^{\flat 5}$	–	C, E, G♭
$C7^{\flat 9}$	$C7^{-9}$	C, E, G, B♭, D♭
Cm^6	$C-^6$, $Cmin^6$	C, E♭, G, A
$Cm^{7(\flat 5)}$	$C^\varnothing$, $C-^{7(\flat 5)}$	C, E♭, G♭, B♭
Cmi^{ma7}	$C-^\Delta$, Cm^Δ, $Cm^{(maj7)}$	C, E♭, G, B

De makkelijkste

Bij de akkoorddiagrammen op bladzijde 204-227 staat de meest gebruikelijke ligging steeds bovenaan. Als je net begint, richt je dan vooral op die bovenste akkoorden, die meestal ook redelijk makkelijk te spelen zijn. De andere liggingen, die onder dat eerste akkoord staan, komen later wel.

toon en de vijfde toon (de kwint) van een akkoord laat klinken. Powerchords kun je al op twee snaren spelen. Vaak worden er drie gebruikt. Dan hoor je één of twee keer de grondtoon van het akkoord (de één een octaaf hoger dan de ander), of één of twee keer de kwint, ook weer met een octaaf verschil.

Intervallen (1 = R)	Akkoordnaam
1, 3, 5	C-majeur
1, 3, 5, 7	C-majeur septiem, C-majeur zeven
1, 3, 5, ♭7	C-septiem, C-zeven, C-dominant septiem
1, 3, 5, 6	C-zes
1, 3, 5, ♭7, 9	C-negen
1, ♭3, 5	C-mineur
1, ♭3, 5, ♭7	C-mineur septiem, C-mineur zeven
1, ♭3, 5, ♭7, 9	C-mineur negen
1, 4, 5	C-sus (vier)
1, 3, 5, 9	C-toegevoegde negen
1, 4, 5, ♭7	C-zeven sus vier
1, 2, 5	C-sus (twee)
1, 3, ♯5	C-vermeerderd
1, ♭3, ♭5, 𝄫7 (=6)	C-verminderd, C-verminderd septiem
1, 3, ♭5	C-mol vijf
1, 3, 5, ♭7, ♭9	C-septiem mol negen
1, ♭3, 5, 6	C-mineur zes
1, ♭3, ♭5, ♭7	C-halfverminderd, C-mineur zeven mol vijf
1, ♭3, 5, 7	C-mineur/majeur zeven

En meer

- Op bladzijde 230-233 zijn een groot aantal schuifakkoorden met en zonder barré bij elkaar gezet. De hierboven genoemde powerchords worden overigens ook wel als schuifakkoorden gezien.
- Talloze liedjes zijn uit niet meer dan drie akkoorden opgebouwd. Hoe dat werkt en welke akkoorden dat vaak zijn, lees je op bladzijde 235.
- Op bladzijde 236-239 zijn wat voorbeelden van akkoordenschema's in verschillende muziekstijlen opgenomen.
- Op internet is nog veel meer te vinden; op bladzijde 202-203 staan alvast een paar goede websites.

OPBOUW VAN AKKOORDEN

Hoe worden akkoorden precies opgebouwd? Eigenlijk is dat heel eenvoudig.

- De grondtoon is de eerste toon van het akkoord. Bij een C-majeurakkoord is dat de C.
- De tweede toon van het akkoord ligt daar een grote terts boven (E).
- De derde toon klinkt een reine kwint boven de grondtoon (G).

In cijfers

Het akkoord C-majeur bestaat dus uit de tonen C–E–G. In cijfers ziet het er zo uit: R–3–5. De R staat voor de grondtoon (*root note*), de 3 is de terts en de 5 is de kwint. In plaats van een R wordt ook wel een 1 (prime) gebruikt.

Mineur

In een mineurakkoord ligt de tweede toon van het akkoord een kleine terts boven de grondtoon. Het akkoord C-mineur is dus C–Es–G ofwel R–♭3–5. De mol (♭) verlaagt de terts met een halve toon.

Verminderd

Bij een verminderd akkoord wordt niet alleen de terts verlaagd, maar ook de kwint (R–♭3–♭5).

Overmatig

Een overmatig akkoord bestaat uit twee grote tertsen (R–3–♯5). Als C de grondtoon is, bestaat het akkoord uit de tonen C–E–Gis. Zo heeft dus elk soort akkoord z'n eigen opbouw.

Vierklanken

Alle akkoorden hierboven bestaan uit drie klanken. Er zijn ook akkoorden met vier of meer tonen. De tonen die aan het basisakkoord toegevoegd worden, worden vaak met cijfers aangegeven. In de tabel op bladzijde 198-199 zijn ook een aantal van de hieronder genoemde vierklanken opgenomen.

- Staat er een 7 achter het akkoordsymbool, dan komt er als vierde toon een kleine septiem bij. Het akkoord C7 bestaat dus uit de tonen C–E–G–Bes (R–3–5–♭7). *Tip:* de kleine septiem klinkt een octaaf min een hele toon hoger.
- Staat er maj7 achter het akkoordsymbool, dan komt er als vierde toon een grote septiem bij. Cmaj7 bestaat uit de tonen C–E–G–B (R–3–5–7). *Tip:* een grote septiem klinkt een octaaf min een halve toon hoger.
- Staat er een 6 achter het akkoordsymbool, dan komt er een grote sext bij (C–E–G–A ofwel R–3–5–6).
- Verdere uitbreidingen spreken eigenlijk voor zich. Bij een ♭5 wordt de kwint een halve toon verlaagd (C–E–Ges); bij een 9 voeg je behalve een Bes ook een hoge D aan het akkoord toe, bij ♭9 een Des en bij ♯9 een Dis. Daarnaast zijn er ook 11- en 13-akkoorden.

Weglaten

Bij sommige liggingen moet je bepaalde tonen van een akkoord weglaten of het is makkelijker of mooier om ze weg te laten. Dan speel je bijvoorbeeld de 5 of de 7 niet. Zo staan er op bladzijde 226 twee A♭7-akkoorden zonder 5. Bij bepaalde liggingen kan zelfs de grondtoon vervallen.

Vierklanken op zes snaren

Kun je op een gitaar, die tenslotte zes snaren heeft, wel een drie- of een vierklank spelen? Ja, want verschillende tonen van zo'n akkoord kunnen meerdere keren voorkomen. In een C-majeur-akkoord komt bijvoorbeeld de (grond)toon C twee keer voor en de terts E drie keer.

WEBTIPS

Op internet zijn nog veel meer akkoorden te vinden. Ook voor tabs en songteksten kun je er terecht. Kijk bijvoorbeeld eens op de volgende sites:

- www.tabsrus.nl
- www.gootar.com/folder/ghelpdutch.html
- www.looknohands.com/chordhouse
- www.thecipher.com
- www.chordbook.com
- www.guitarchords247.com
- www.e-chords.com
- www.911tabs.com
- www.ultimate-guitar.com
- www.mxtabs.net
- www.guitaretab.com
- **Powertabs** zijn bestanden waarin ook het traditionele notenschrift is opgenomen. Deze bestanden zijn te openen met gratis te downloaden programma's zoals Power Tab Editor. Omdat er midibestanden aan gekoppeld zijn, kun je ze ook afspelen.

- De tabs en akkoordenschema's op sommige sites laten **niet altijd precies** zien hoe het origineel gespeeld wordt. Ook zijn ze lang niet allemaal foutloos – maar dat hoor je dan vaak wel.
- Van populaire songs zijn soms wel **meer dan twintig versies** te vinden. De ene versie kan beter zijn of jou beter liggen dan de andere.
- Van veel songs zijn ook **eenvoudige versies** opgenomen. Vaak wordt met sterretjes aangegeven welke tabs het vaakst gedownload worden. Dat zijn niet altijd de beste, maar vaak wel de makkelijkste.
- Ook voor **bassisten** zijn er talloze tabs te vinden!
- In veel nummers wordt gebruikgemaakt van gitaren met een capo of met een **afwijkende stemming** (zie bladzijde 144-145). Dat wordt niet altijd aangegeven.

A

- Barré
- Indrukken met 2e vinger
- Indrukken mag
- Indrukken met duim
- Laagste grondtoon ↓
- Niet laten klinken ×
- Open snaar o
- Naar wens niet laten klinken (×)
- Naar wens open laten (O)

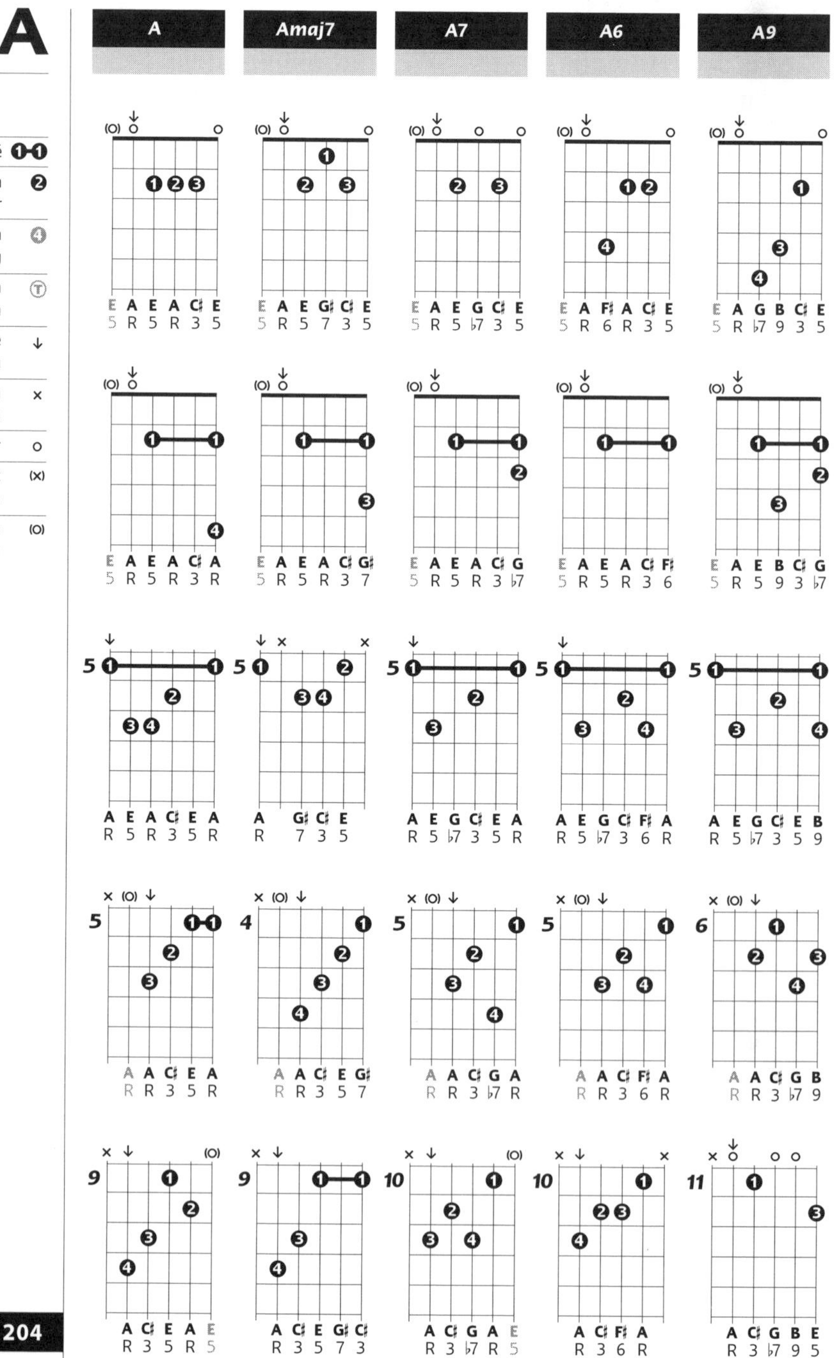

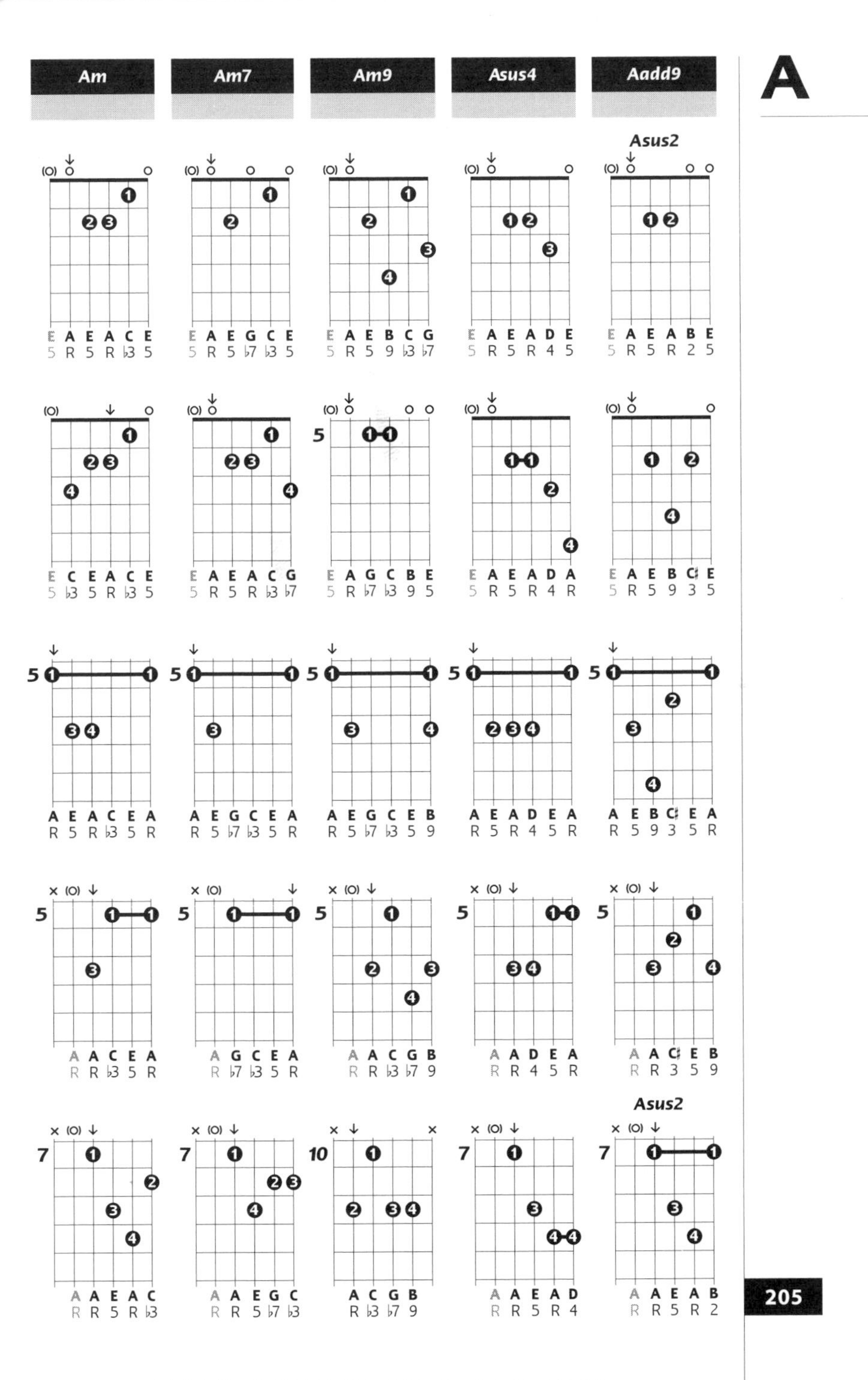
Am
Am7
Am9
Asus4
Aadd9
A
Asus2
Asus2

B♭

Enharmonisch: **A♯**

Barré	❶–❶
Indrukken met 2e vinger	❷
Indrukken mag	④
Indrukken met duim	Ⓣ
Laagste grondtoon	↓
Niet laten klinken	×
Open snaar	o
Naar wens niet laten klinken	(×)
Naar wens open laten	(o)

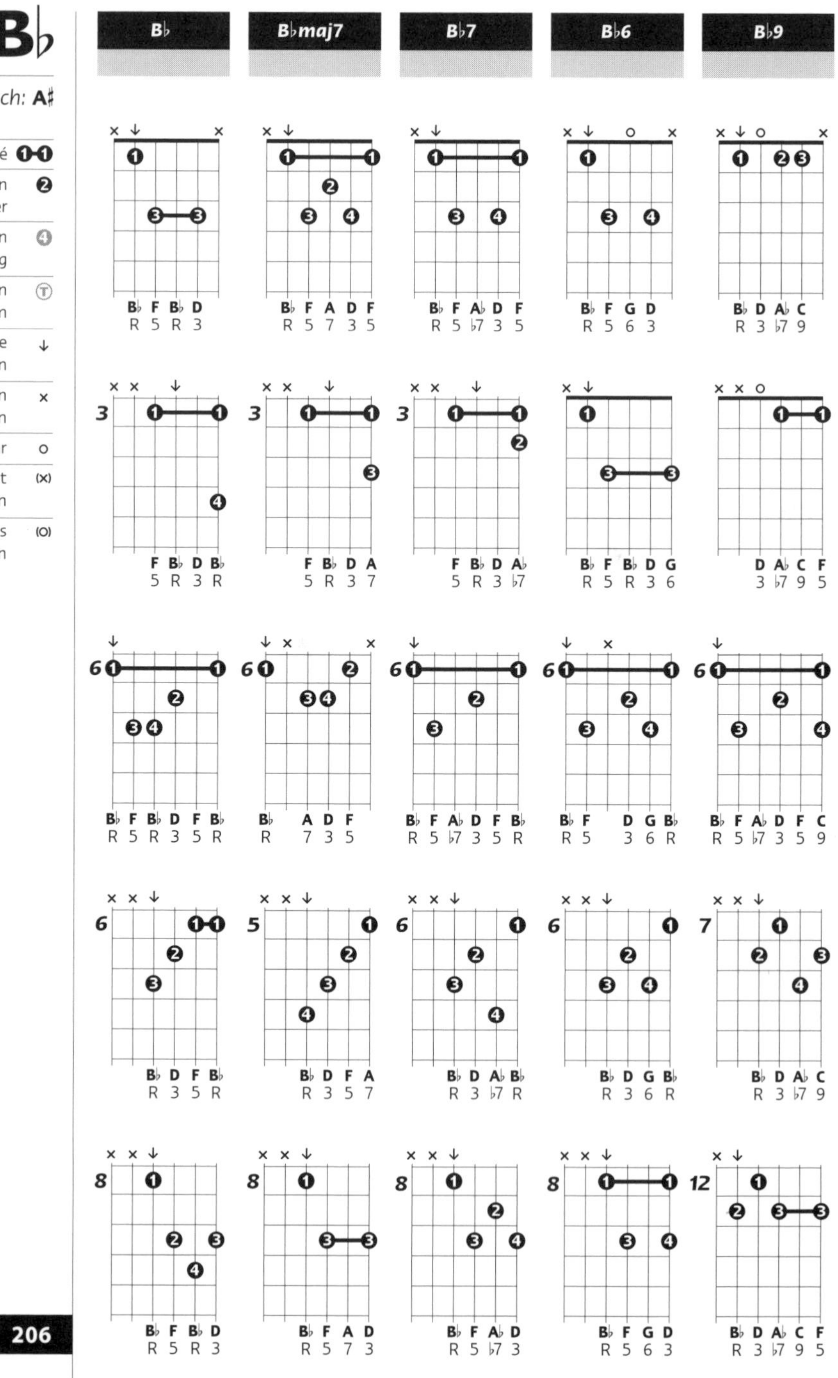

B♭

Enharmonisch: **A♯**

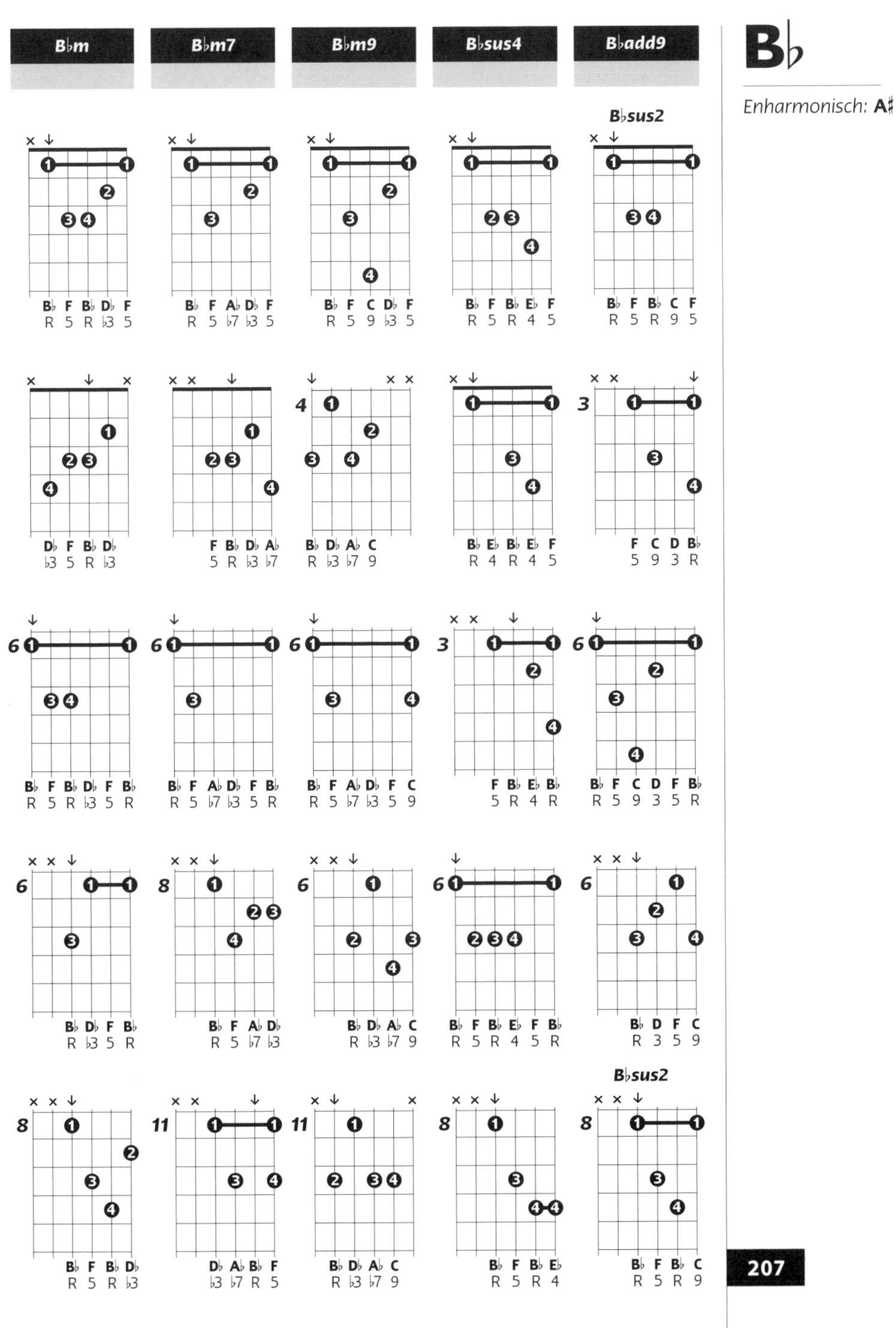

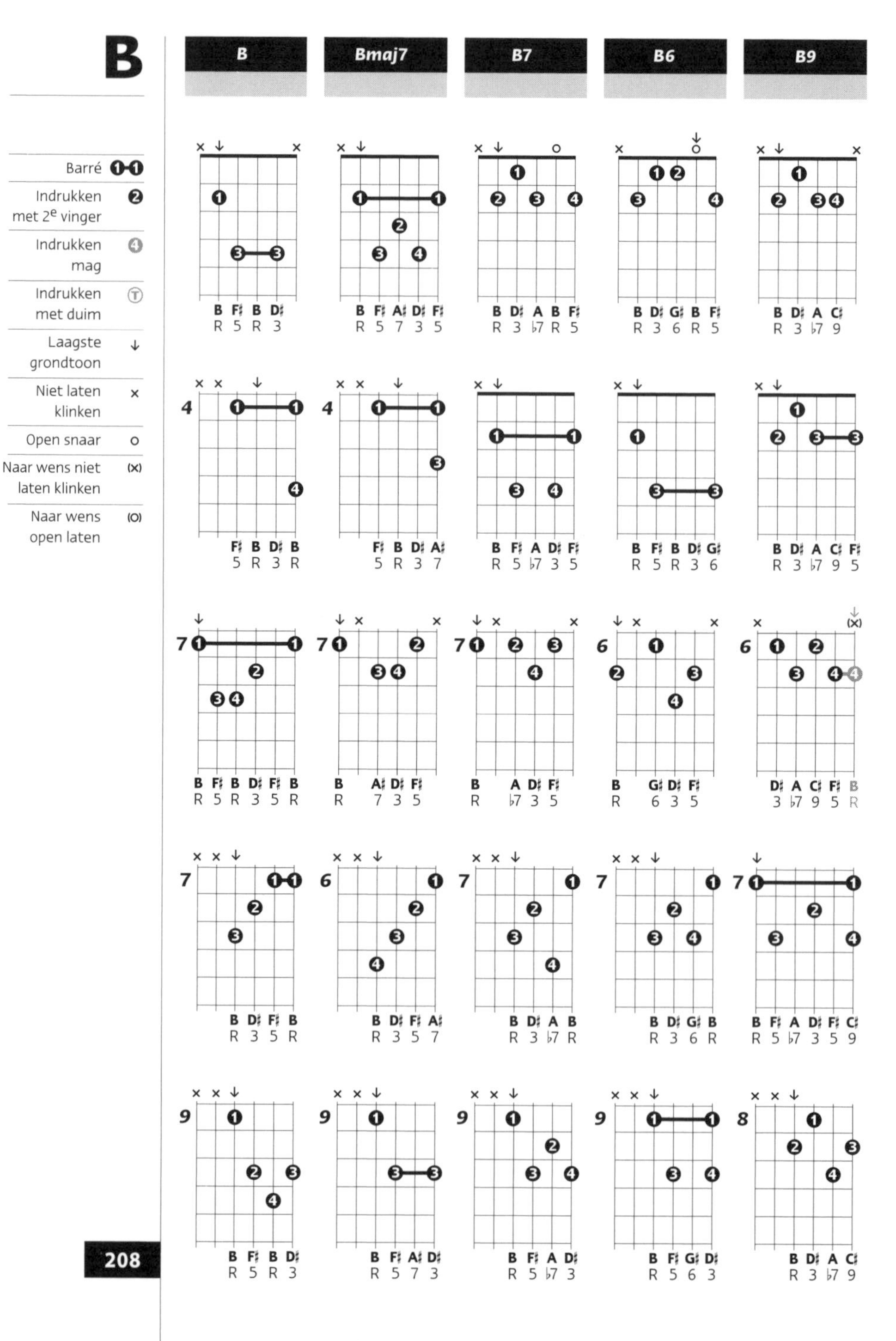
B
Barré
Indrukken met 2e vinger
Indrukken mag
Indrukken met duim
Laagste grondtoon
Niet laten klinken
Open snaar
Naar wens niet laten klinken
Naar wens open laten
B
Bmaj7
B7
B6
B9

B

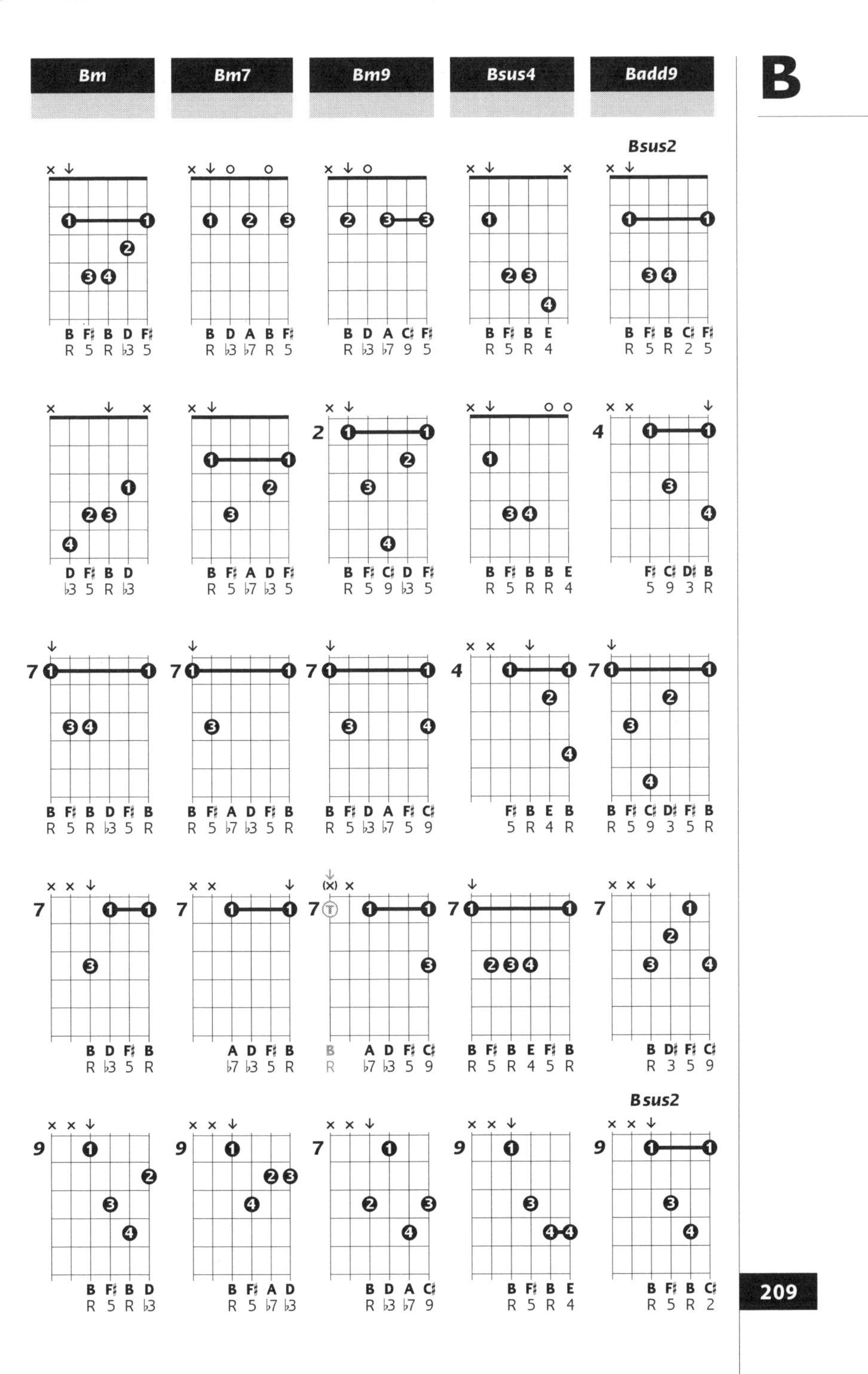
Bm
Bm7
Bm9
Bsus4
Badd9
Bsus2
B F♯ B D F♯
R 5 R ♭3 5
B D A B F♯
R ♭3 ♭7 R 5
B D A C♯ F♯
R ♭3 ♭7 9 5
B F♯ B E
R 5 R 4
B F♯ B C♯ F♯
R 5 R 2 5
D F♯ B D
♭3 5 R ♭3
B F♯ A D F♯
R 5 ♭7 ♭3 5
B F♯ C♯ D F♯
R 5 9 ♭3 5
B F♯ B B E
R 5 R R 4
F♯ C♯ D♯ B
5 9 3 R
B F♯ B D F♯ B
R 5 R ♭3 5 R
B F♯ A D F♯ B
R 5 ♭7 ♭3 5 R
B F♯ D A F♯ C♯
R 5 ♭3 ♭7 5 9
F♯ B E B
5 R 4 R
B F♯ C♯ D♯ F♯ B
R 5 9 3 5 R
B D F♯ B
R ♭3 5 R
A D F♯ B
♭7 ♭3 5 R
B A D F♯ C♯
R ♭7 ♭3 5 9
B F♯ B E F♯ B
R 5 R 4 5 R
B D♯ F♯ C♯
R 3 5 9
Bsus2
B F♯ B D
R 5 R ♭3
B F♯ A D
R 5 ♭7 ♭3
B D A C♯
R ♭3 ♭7 9
B F♯ B E
R 5 R 4
B F♯ B C♯
R 5 R 2

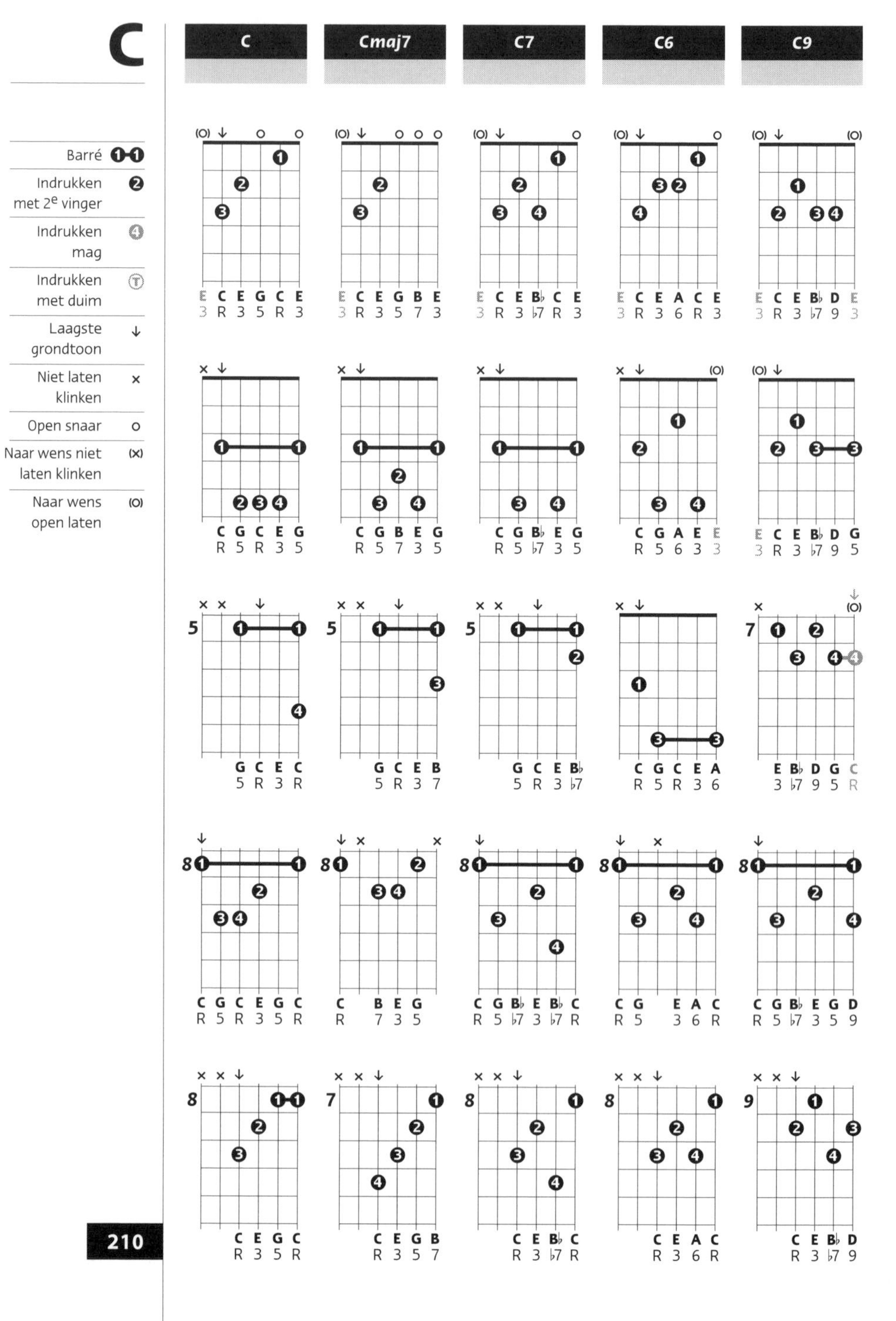
C
Barré
Indrukken met 2e vinger
Indrukken mag
Indrukken met duim
Laagste grondtoon
Niet laten klinken
Open snaar
Naar wens niet laten klinken
Naar wens open laten
C
Cmaj7
C7
C6
C9

C

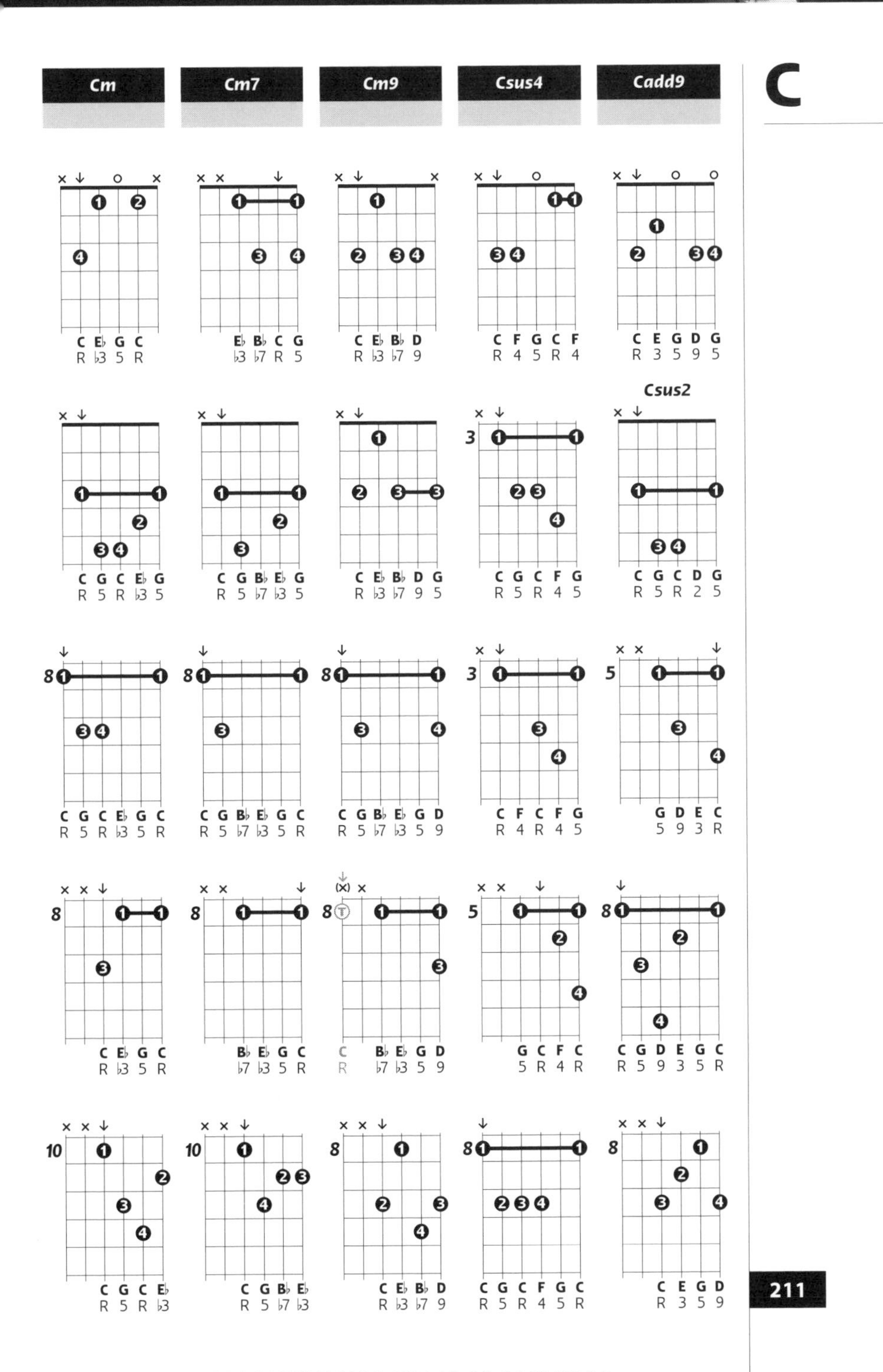
Cm
Cm7
Cm9
Csus4
Cadd9
C E♭ G C
R ♭3 5 R
E♭ B♭ C G
♭3 ♭7 R 5
C E♭ B♭ D
R ♭3 ♭7 9
C F G C F
R 4 5 R 4
C E G D G
R 3 5 9 5
Csus2
C G C E♭ G
R 5 R ♭3 5
C G B♭ E♭ G
R 5 ♭7 ♭3 5
C E♭ B♭ D G
R ♭3 ♭7 9 5
C G C F G
R 5 R 4 5
C G C D G
R 5 R 2 5
C G C E♭ G C
R 5 R ♭3 5 R
C G B♭ E♭ G C
R 5 ♭7 ♭3 5 R
C G B♭ E♭ G D
R 5 ♭7 ♭3 5 9
C F C F G
R 4 R 4 5
G D E C
5 9 3 R
C E♭ G C
R ♭3 5 R
B♭ E♭ G C
♭7 ♭3 5 R
C B♭ E♭ G D
R ♭7 ♭3 5 9
G C F C
5 R 4 R
C G D E G C
R 5 9 3 5 R
C G C E♭
R 5 R ♭3
C G B♭ E♭
R 5 ♭7 ♭3
C E♭ B♭ D
R ♭3 ♭7 9
C G C F G C
R 5 R 4 5 R
C E G D
R 3 5 9

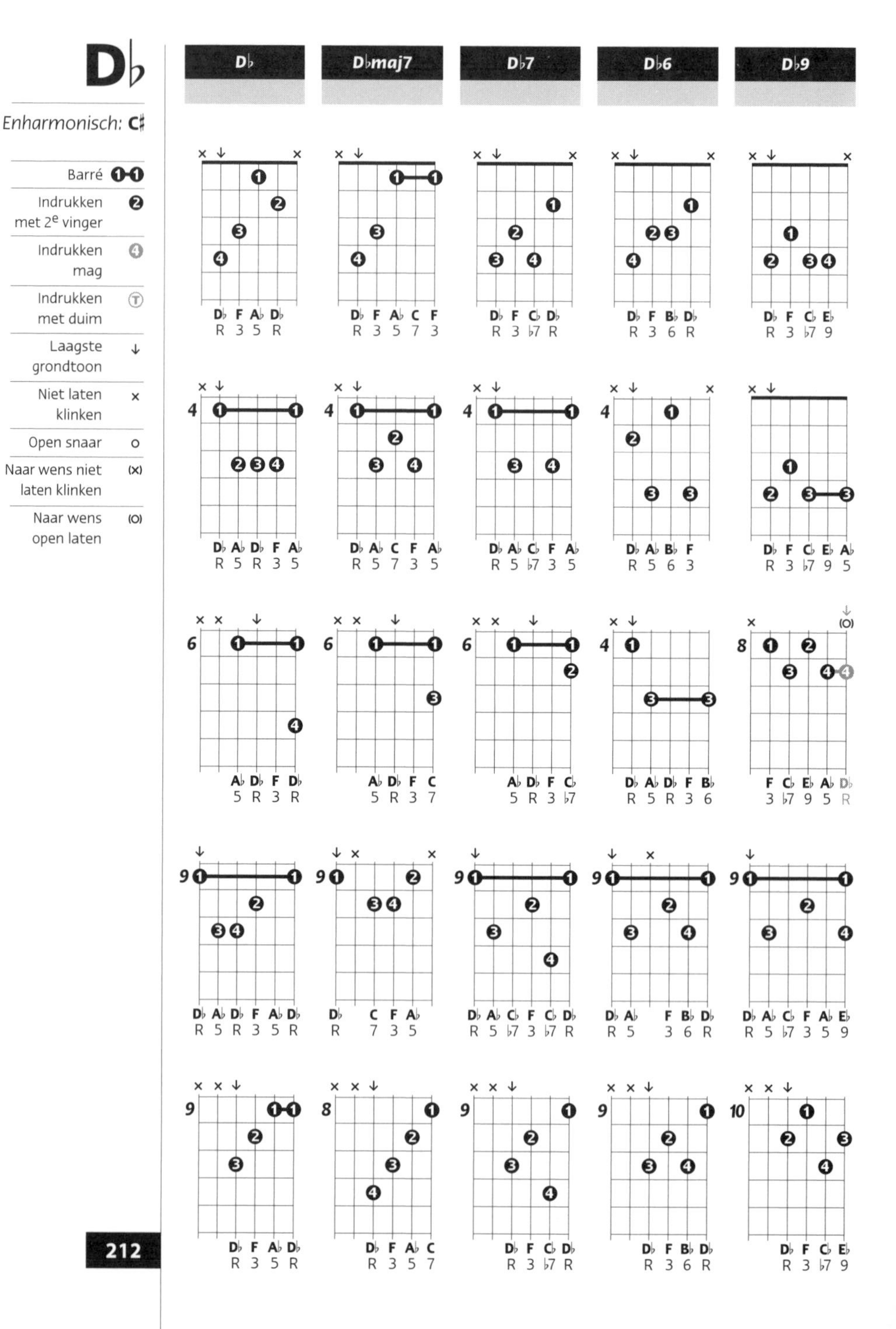
D♭
Enharmonisch: C♯
Barré
Indrukken met 2e vinger
Indrukken mag
Indrukken met duim
Laagste grondtoon
Niet laten klinken
Open snaar
Naar wens niet laten klinken
Naar wens open laten
D♭
D♭maj7
D♭7
D♭6
D♭9
D♭ F A♭ D♭
R 3 5 R
D♭ F A♭ C F
R 3 5 7 3
D♭ F C♭ D♭
R 3 ♭7 R
D♭ F B♭ D♭
R 3 6 R
D♭ F C♭ E♭
R 3 ♭7 9
D♭ A♭ D♭ F A♭
R 5 R 3 5
D♭ A♭ C F A♭
R 5 7 3 5
D♭ A♭ C♭ F A♭
R 5 ♭7 3 5
D♭ A♭ B♭ F
R 5 6 3
D♭ F C♭ E♭ A♭
R 3 ♭7 9 5
A♭ D♭ F D♭
5 R 3 R
A♭ D♭ F C
5 R 3 7
A♭ D♭ F C♭
5 R 3 ♭7
D♭ A♭ D♭ F B♭
R 5 R 3 6
F C♭ E♭ A♭ D♭
3 ♭7 9 5 R
D♭ A♭ D♭ F A♭ D♭
R 5 R 3 5 R
D♭ C F A♭
R 7 3 5
D♭ A♭ C♭ F C♭ D♭
R 5 ♭7 3 ♭7 R
D♭ A♭ F B♭ D♭
R 5 3 6 R
D♭ A♭ C♭ F A♭ E♭
R 5 ♭7 3 5 9
D♭ F A♭ D♭
R 3 5 R
D♭ F A♭ C
R 3 5 7
D♭ F C♭ D♭
R 3 ♭7 R
D♭ F B♭ D♭
R 3 6 R
D♭ F C♭ E♭
R 3 ♭7 9

D♭

Enharmonisch: **C♯**

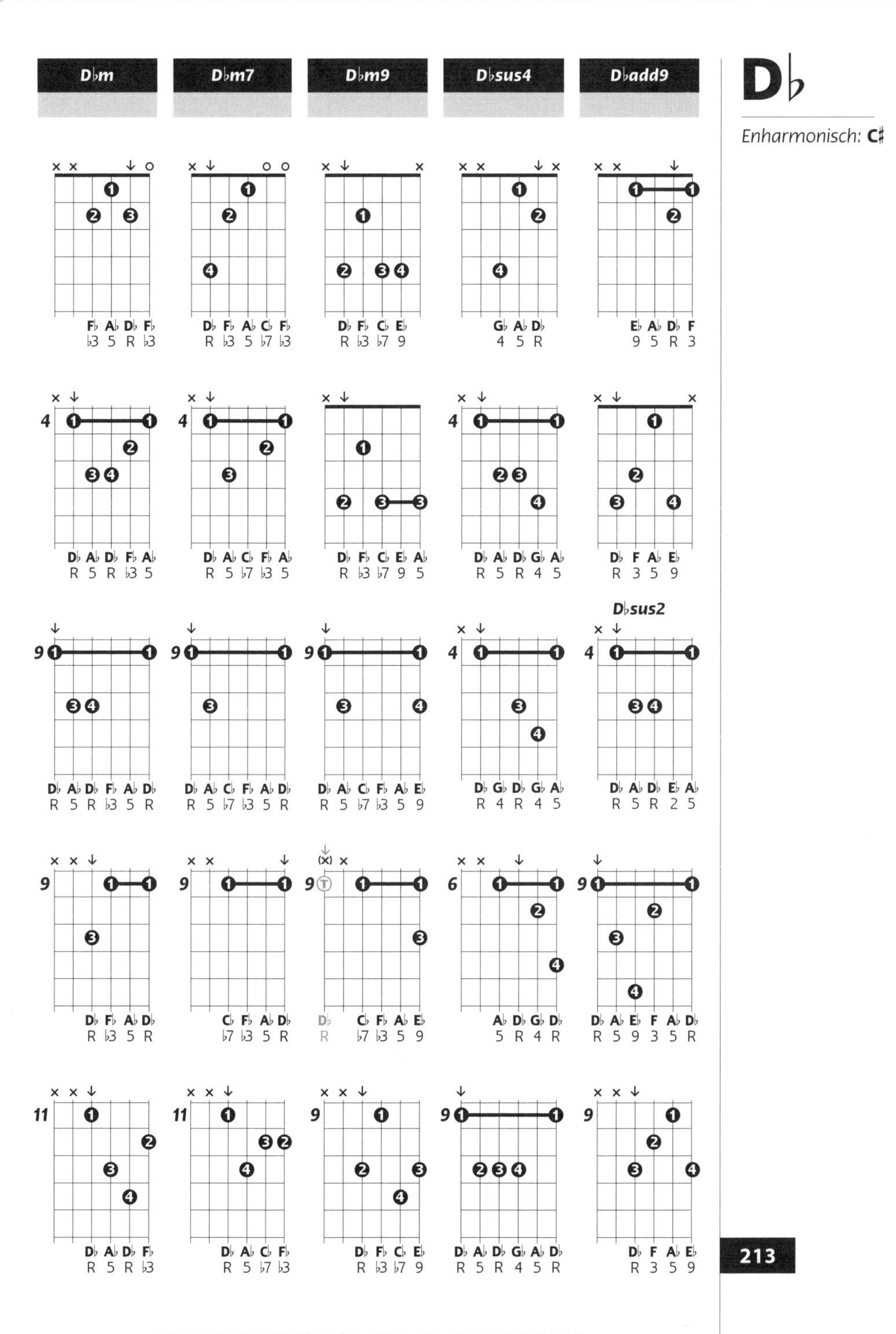

D

Barré
Indrukken met 2e vinger
Indrukken mag
Indrukken met duim
Laagste grondtoon
Niet laten klinken
Open snaar
Naar wens niet laten klinken
Naar wens open laten

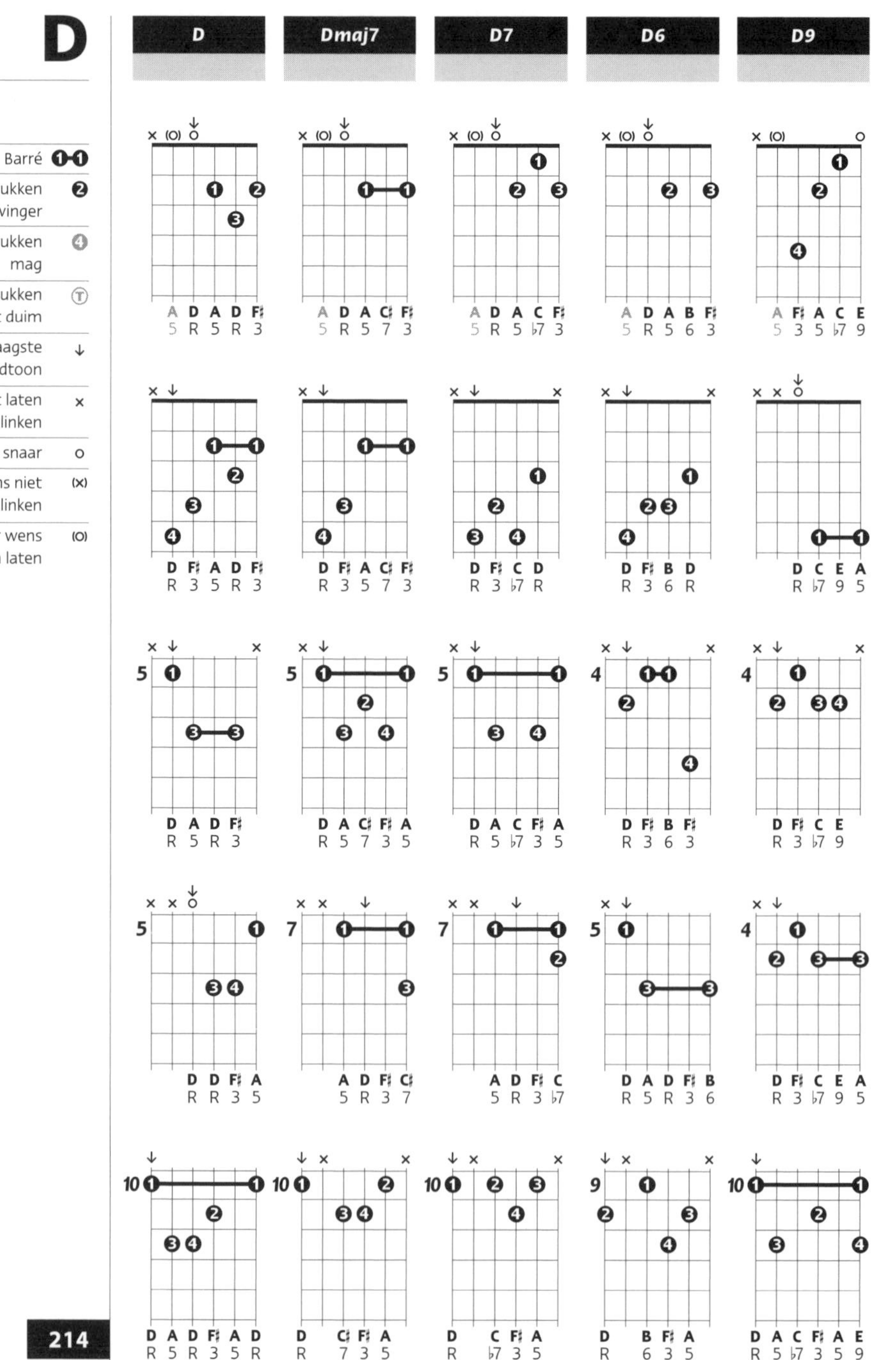

D

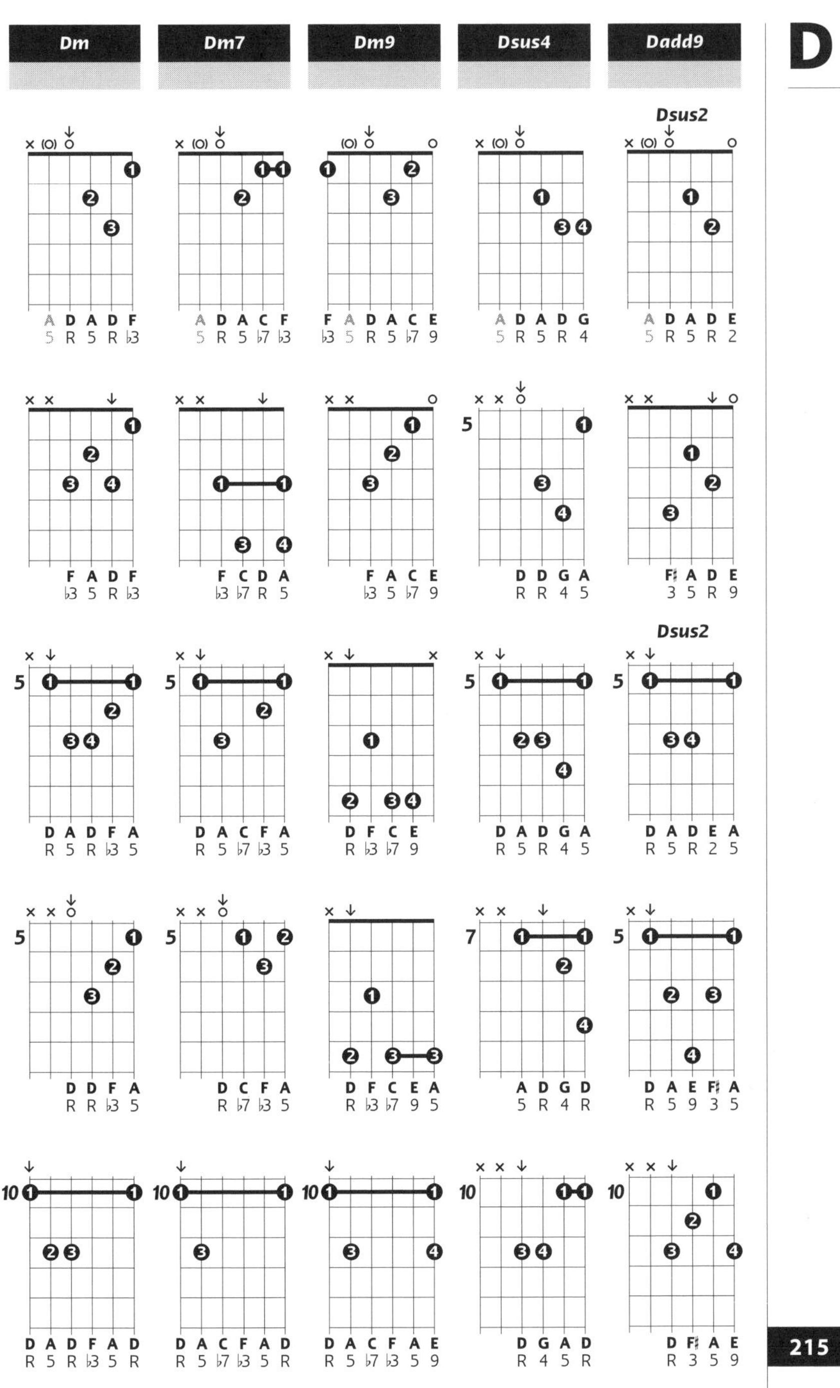
Dm
Dm7
Dm9
Dsus4
Dadd9
Dsus2
A D A D F
5 R 5 R ♭3
A D A C F
5 R 5 ♭7 ♭3
F A D A C E
♭3 5 R 5 ♭7 9
A D A D G
5 R 5 R 4
A D A D E
5 R 5 R 2
F A D F
♭3 5 R ♭3
F C D A
♭3 ♭7 R 5
F A C E
♭3 5 ♭7 9
D D G A
R R 4 5
F♯ A D E
3 5 R 9
Dsus2
D A D F A
R 5 R ♭3 5
D A C F A
R 5 ♭7 ♭3 5
D F C E
R ♭3 ♭7 9
D A D G A
R 5 R 4 5
D A D E A
R 5 R 2 5
D D F A
R R ♭3 5
D C F A
R ♭7 ♭3 5
D F C E A
R ♭3 ♭7 9 5
A D G D
5 R 4 R
D A E F♯ A
R 5 9 3 5
D A D F A D
R 5 R ♭3 5 R
D A C F A D
R 5 ♭7 ♭3 5 R
D A C F A E
R 5 ♭7 ♭3 5 9
D G A D
R 4 5 R
D F♯ A E
R 3 5 9

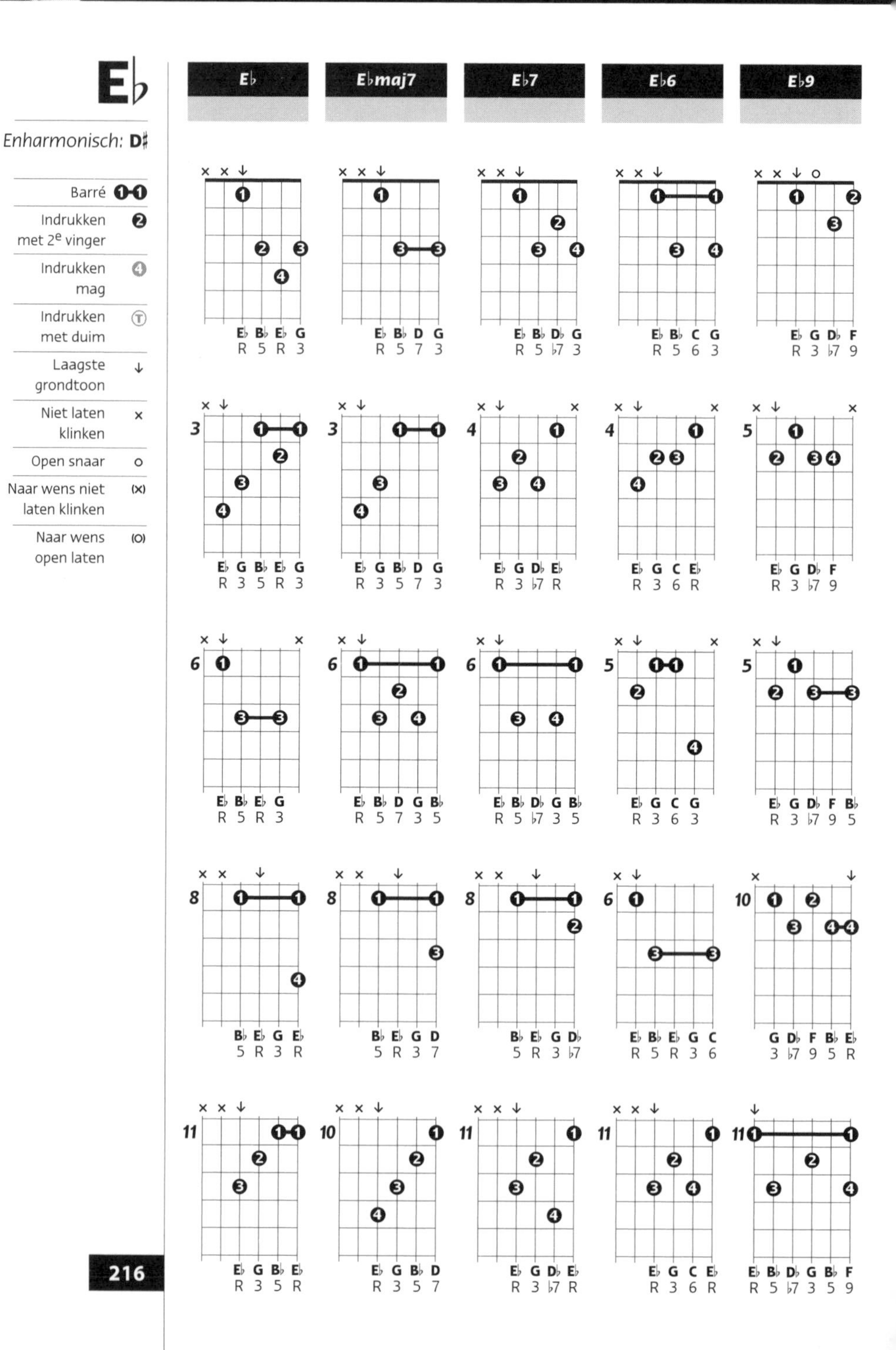
E♭
Enharmonisch: D♯
Barré
Indrukken met 2e vinger
Indrukken mag
Indrukken met duim
Laagste grondtoon
Niet laten klinken
Open snaar
Naar wens niet laten klinken
Naar wens open laten
E♭
E♭maj7
E♭7
E♭6
E♭9
E♭ B♭ E♭ G
R 5 R 3
E♭ B♭ D G
R 5 7 3
E♭ B♭ D♭ G
R 5 ♭7 3
E♭ B♭ C G
R 5 6 3
E♭ G D♭ F
R 3 ♭7 9
E♭ G B♭ E♭ G
R 3 5 R 3
E♭ G B♭ D G
R 3 5 7 3
E♭ G D♭ E♭
R 3 ♭7 R
E♭ G C E♭
R 3 6 R
E♭ G D♭ F
R 3 ♭7 9
E♭ B♭ E♭ G
R 5 R 3
E♭ B♭ D G B♭
R 5 7 3 5
E♭ B♭ D♭ G B♭
R 5 ♭7 3 5
E♭ G C G
R 3 6 3
E♭ G D♭ F B♭
R 3 ♭7 9 5
B♭ E♭ G E♭
5 R 3 R
B♭ E♭ G D
5 R 3 7
B♭ E♭ G D♭
5 R 3 ♭7
E♭ B♭ E♭ G C
R 5 R 3 6
G D♭ F B♭ E♭
3 ♭7 9 5 R
E♭ G B♭ E♭
R 3 5 R
E♭ G B♭ D
R 3 5 7
E♭ G D♭ E♭
R 3 ♭7 R
E♭ G C E♭
R 3 6 R
E♭ B♭ D♭ G B♭ F
R 5 ♭7 3 5 9

E♭

Enharmonisch: **D♯**

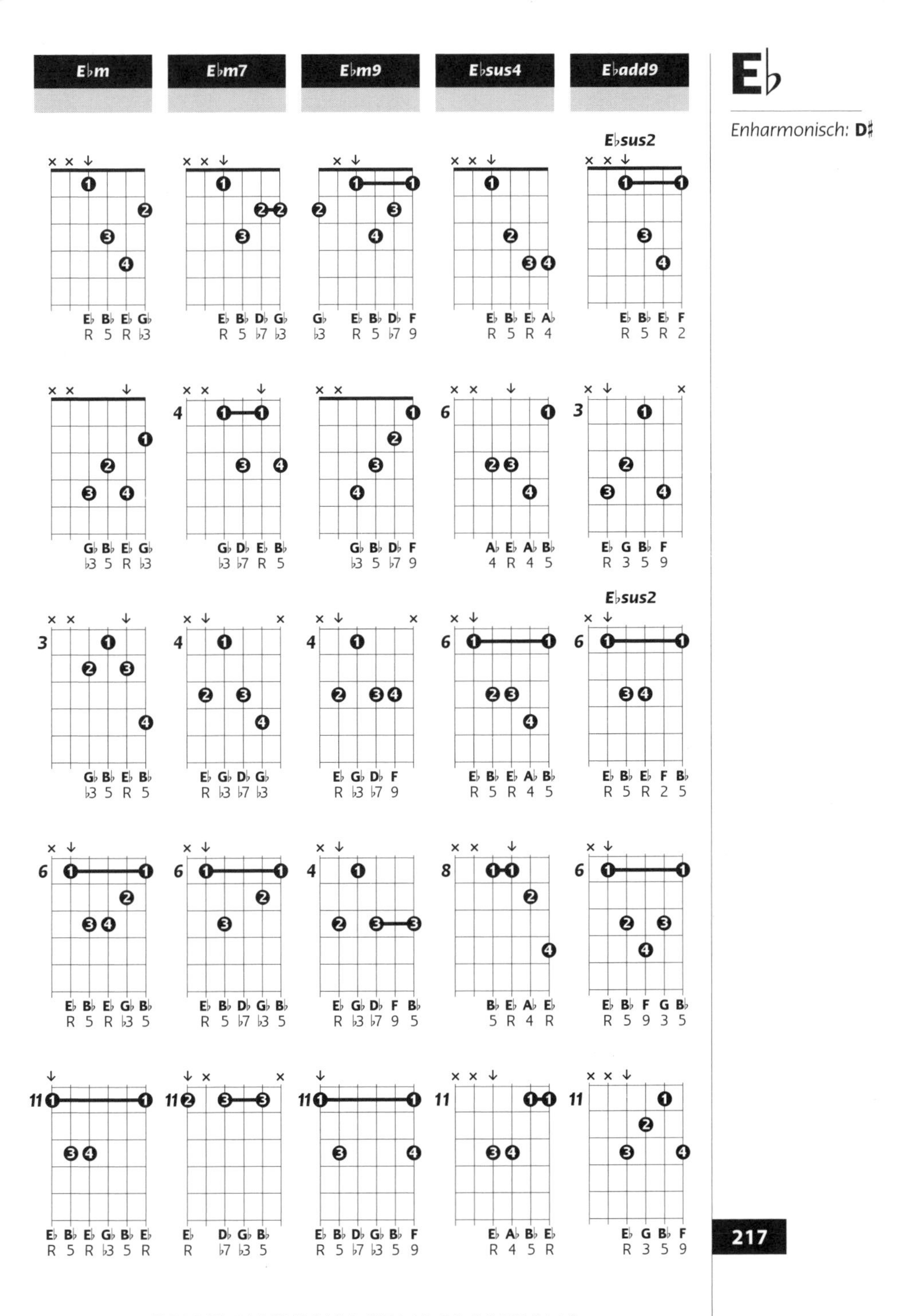

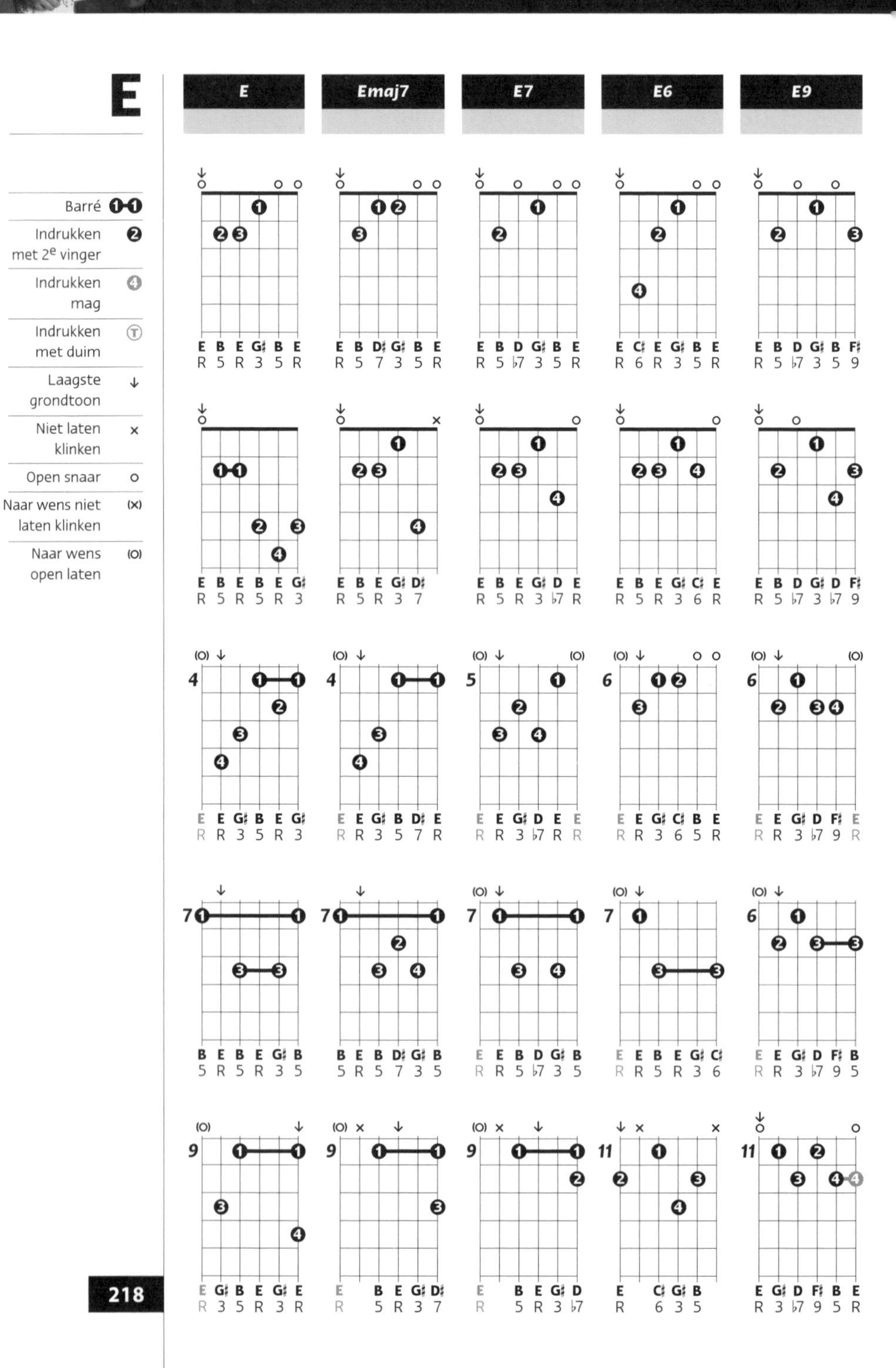
E
E
Emaj7
E7
E6
E9
Barré
Indrukken met 2e vinger
Indrukken mag
Indrukken met duim
Laagste grondtoon
Niet laten klinken
Open snaar
Naar wens niet laten klinken
Naar wens open laten

E

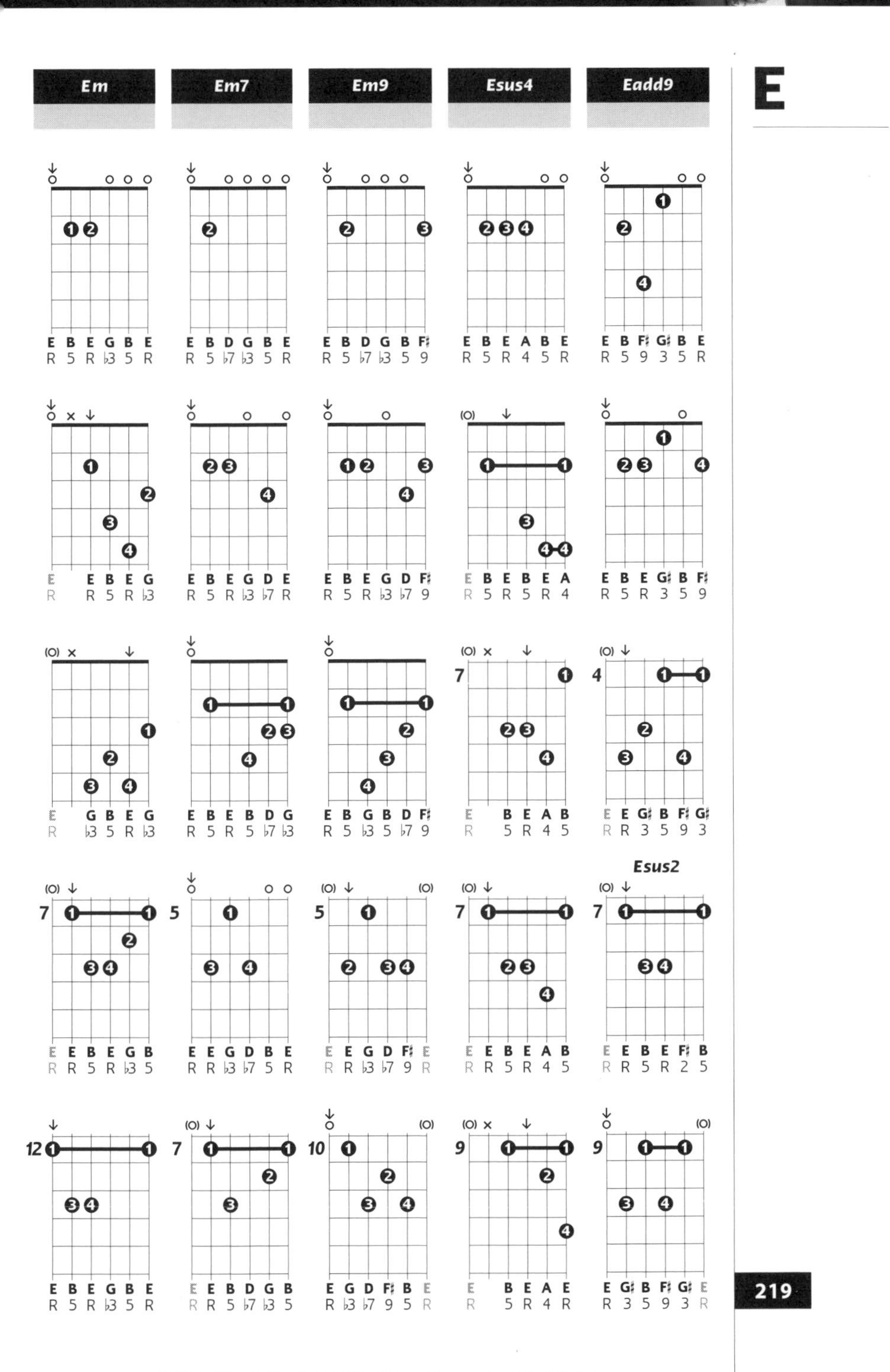
Em
Em7
Em9
Esus4
Eadd9
E B E G B E
R 5 R ♭3 5 R
E B D G B E
R 5 ♭7 ♭3 5 R
E B D G B F♯
R 5 ♭7 ♭3 5 9
E B E A B E
R 5 R 4 5 R
E B F♯ G♯ B E
R 5 9 3 5 R
E E B E G
R R 5 R ♭3
E B E G D E
R 5 R ♭3 ♭7 R
E B E G D F♯
R 5 R ♭3 ♭7 9
E B E B E A
R 5 R 5 R 4
E B E G♯ B F♯
R 5 R 3 5 9
E G B E G
R ♭3 5 R ♭3
E B E B D G
R 5 R 5 ♭7 ♭3
E B G B D F♯
R 5 ♭3 5 ♭7 9
E B E A B
R 5 R 4 5
E E G♯ B F♯ G♯
R R 3 5 9 3
Esus2
E E B E G B
R R 5 R ♭3 5
E E G D B E
R R ♭3 ♭7 5 R
E E G D F♯ E
R R ♭3 ♭7 9 R
E E B E A B
R R 5 R 4 5
E E B E F♯ B
R R 5 R 2 5
E B E G B E
R 5 R ♭3 5 R
E E B D G B
R R 5 ♭7 ♭3 5
E G D F♯ B E
R ♭3 ♭7 9 5 R
E B E A E
R 5 R 4 R
E G♯ B F♯ G♯ E
R 3 5 9 3 R

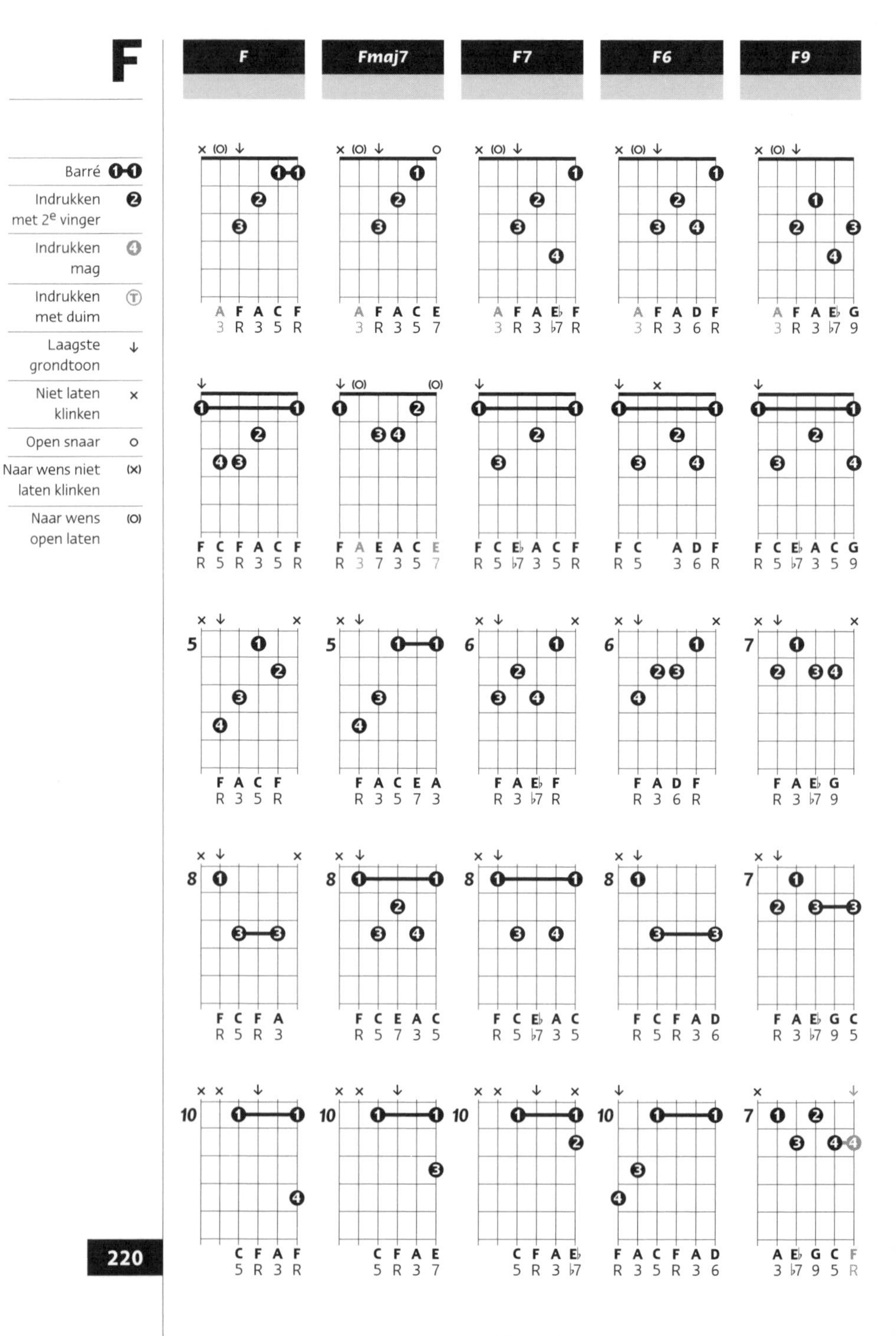
F
Barré
Indrukken met 2e vinger
Indrukken mag
Indrukken met duim
Laagste grondtoon
Niet laten klinken
Open snaar
Naar wens niet laten klinken
Naar wens open laten
F
Fmaj7
F7
F6
F9
A F A C F
3 R 3 5 R
A F A C E
3 R 3 5 7
A F A E♭ F
3 R 3 ♭7 R
A F A D F
3 R 3 6 R
A F A E♭ G
3 R 3 ♭7 9
F C F A C F
R 5 R 3 5 R
F A E A C E
R 3 7 3 5 7
F C E♭ A C F
R 5 ♭7 3 5 R
F C A D F
R 5 3 6 R
F C E♭ A C G
R 5 ♭7 3 5 9
5
F A C F
R 3 5 R
5
F A C E A
R 3 5 7 3
6
F A E♭ F
R 3 ♭7 R
6
F A D F
R 3 6 R
7
F A E♭ G
R 3 ♭7 9
8
F C F A
R 5 R 3
8
F C E A C
R 5 7 3 5
8
F C E♭ A C
R 5 ♭7 3 5
8
F C F A D
R 5 R 3 6
7
F A E♭ G C
R 3 ♭7 9 5
10
C F A F
5 R 3 R
10
C F A E
5 R 3 7
10
C F A E♭
5 R 3 ♭7
10
F A C F A D
R 3 5 R 3 6
7
A E♭ G C F
3 ♭7 9 5 R

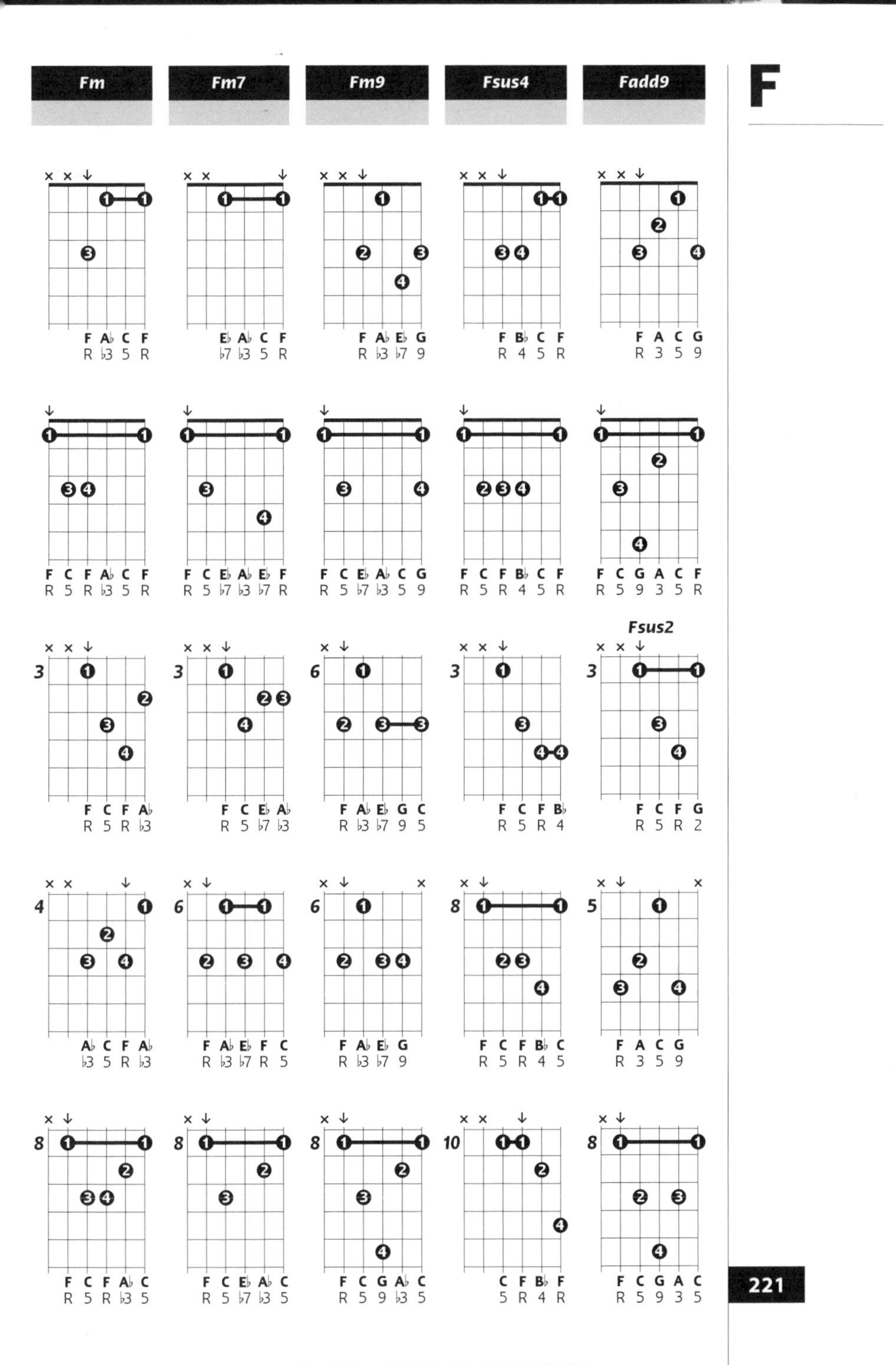
Fm
Fm7
Fm9
Fsus4
Fadd9
F
F A♭ C F
R ♭3 5 R
E♭ A♭ C F
♭7 ♭3 5 R
F A♭ E♭ G
R ♭3 ♭7 9
F B♭ C F
R 4 5 R
F A C G
R 3 5 9
F C F A♭ C F
R 5 R ♭3 5 R
F C E♭ A♭ E♭ F
R 5 ♭7 ♭3 ♭7 R
F C E♭ A♭ C G
R 5 ♭7 ♭3 5 9
F C F B♭ C F
R 5 R 4 5 R
F C G A C F
R 5 9 3 5 R
Fsus2
3
F C F A♭
R 5 R ♭3
3
F C E♭ A♭
R 5 ♭7 ♭3
6
F A♭ E♭ G C
R ♭3 ♭7 9 5
3
F C F B♭
R 5 R 4
3
F C F G
R 5 R 2
4
A♭ C F A♭
♭3 5 R ♭3
6
F A♭ E♭ F C
R ♭3 ♭7 R 5
6
F A♭ E♭ G
R ♭3 ♭7 9
8
F C F B♭ C
R 5 R 4 5
5
F A C G
R 3 5 9
8
F C F A♭ C
R 5 R ♭3 5
8
F C E♭ A♭ C
R 5 ♭7 ♭3 5
8
F C G A♭ C
R 5 9 ♭3 5
10
C F B♭ F
5 R 4 R
8
F C G A C
R 5 9 3 5

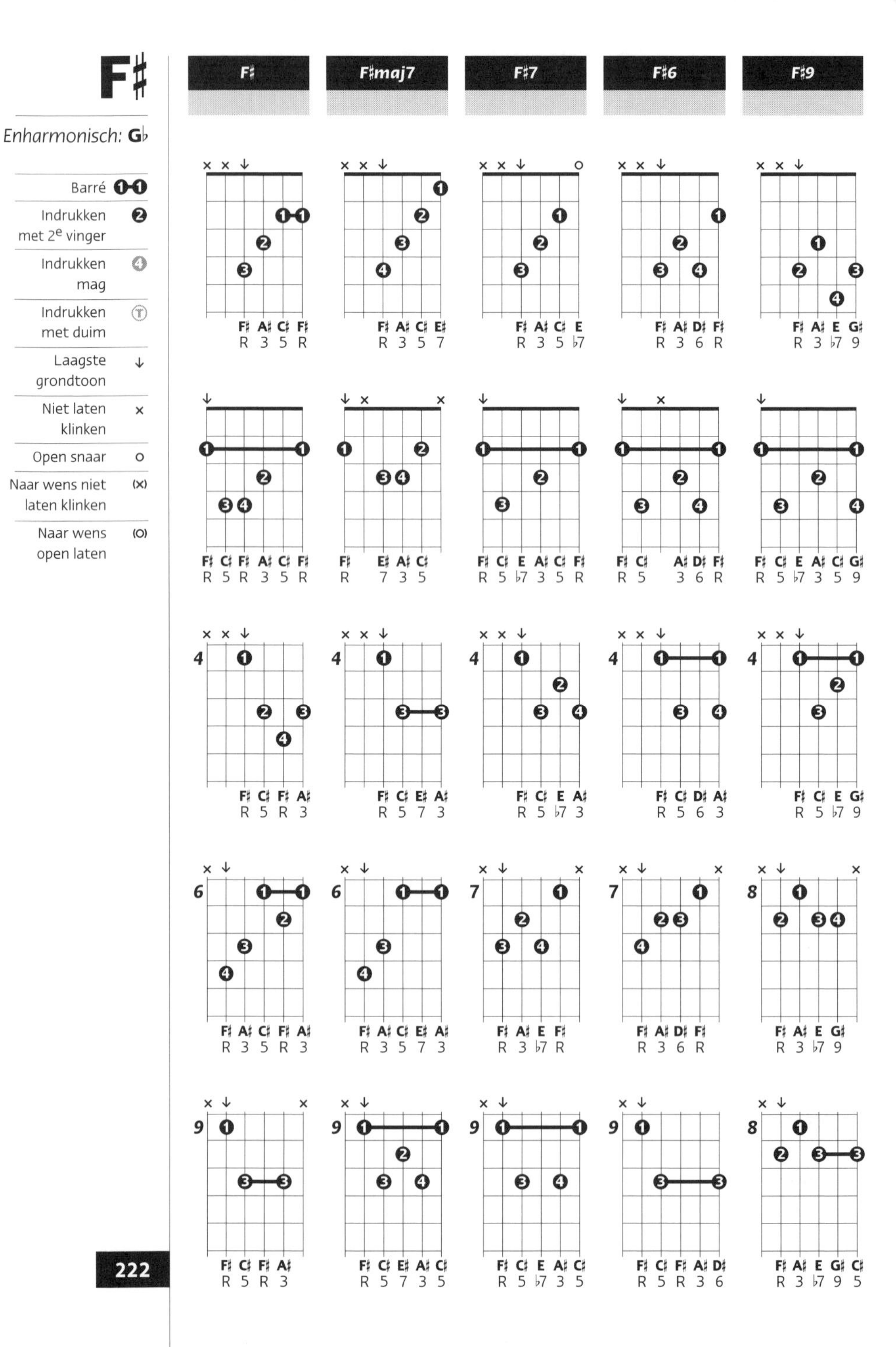
F♯
Enharmonisch: G♭
Barré
Indrukken met 2e vinger
Indrukken mag
Indrukken met duim
Laagste grondtoon
Niet laten klinken
Open snaar
Naar wens niet laten klinken
Naar wens open laten
F♯
F♯maj7
F♯7
F♯6
F♯9
F♯ A♯ C♯ F♯
R 3 5 R
F♯ A♯ C♯ E♯
R 3 5 7
F♯ A♯ C♯ E
R 3 5 ♭7
F♯ A♯ D♯ F♯
R 3 6 R
F♯ A♯ E G♯
R 3 ♭7 9
F♯ C♯ F♯ A♯ C♯ F♯
R 5 R 3 5 R
F♯ E♯ A♯ C♯
R 7 3 5
F♯ C♯ E A♯ C♯ F♯
R 5 ♭7 3 5 R
F♯ C♯ A♯ D♯ F♯
R 5 3 6 R
F♯ C♯ E A♯ C♯ G♯
R 5 ♭7 3 5 9
4
F♯ C♯ F♯ A♯
R 5 R 3
4
F♯ C♯ E♯ A♯
R 5 7 3
4
F♯ C♯ E A♯
R 5 ♭7 3
4
F♯ C♯ D♯ A♯
R 5 6 3
4
F♯ C♯ E G♯
R 5 ♭7 9
6
F♯ A♯ C♯ F♯ A♯
R 3 5 R 3
6
F♯ A♯ C♯ E♯ A♯
R 3 5 7 3
7
F♯ A♯ E F♯
R 3 ♭7 R
7
F♯ A♯ D♯ F♯
R 3 6 R
8
F♯ A♯ E G♯
R 3 ♭7 9
9
F♯ C♯ F♯ A♯
R 5 R 3
9
F♯ C♯ E♯ A♯ C♯
R 5 7 3 5
9
F♯ C♯ E A♯ C♯
R 5 ♭7 3 5
9
F♯ C♯ F♯ A♯ D♯
R 5 R 3 6
8
F♯ A♯ E G♯ C♯
R 3 ♭7 9 5

F♯

Enharmonisch: **G♭**

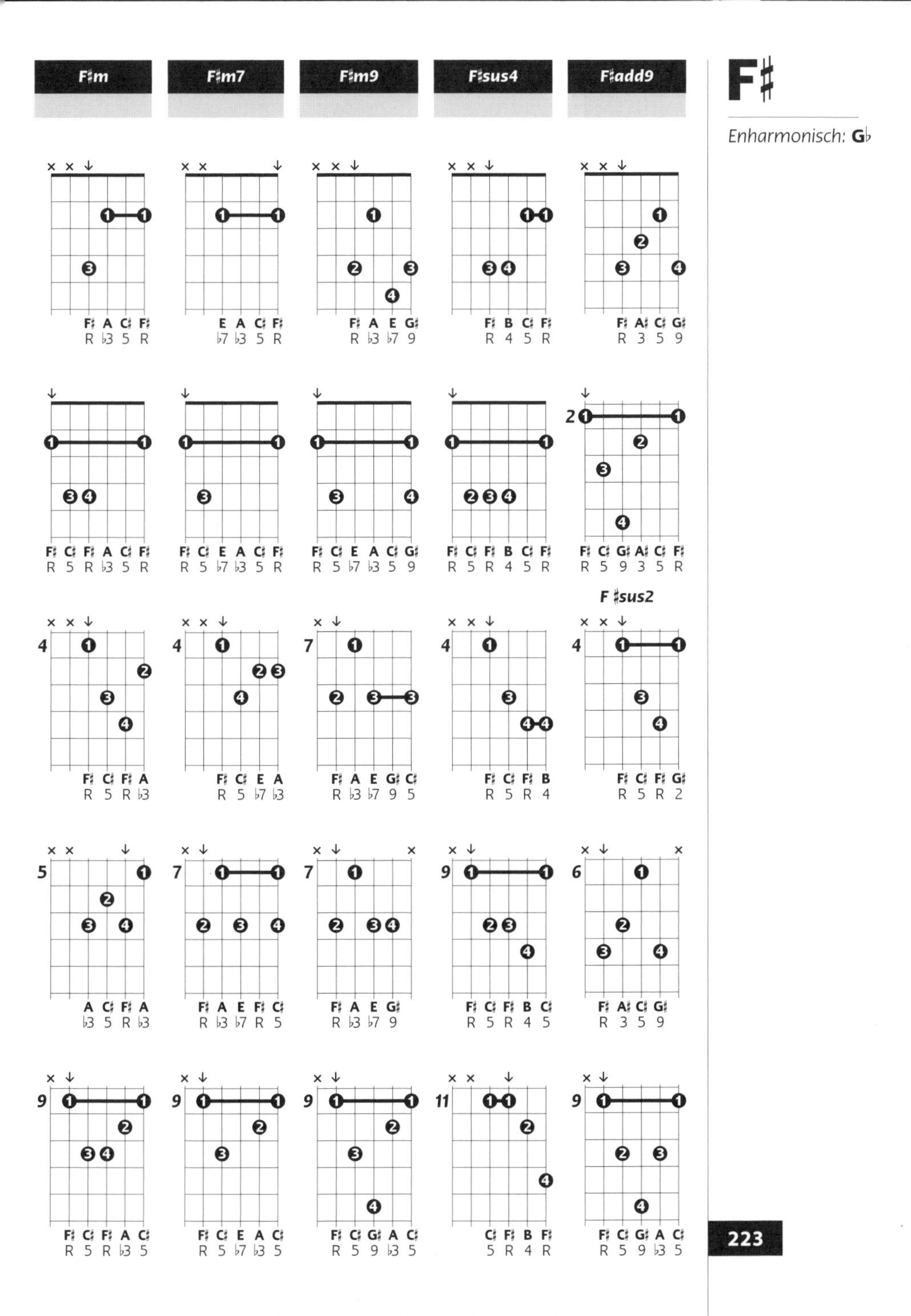

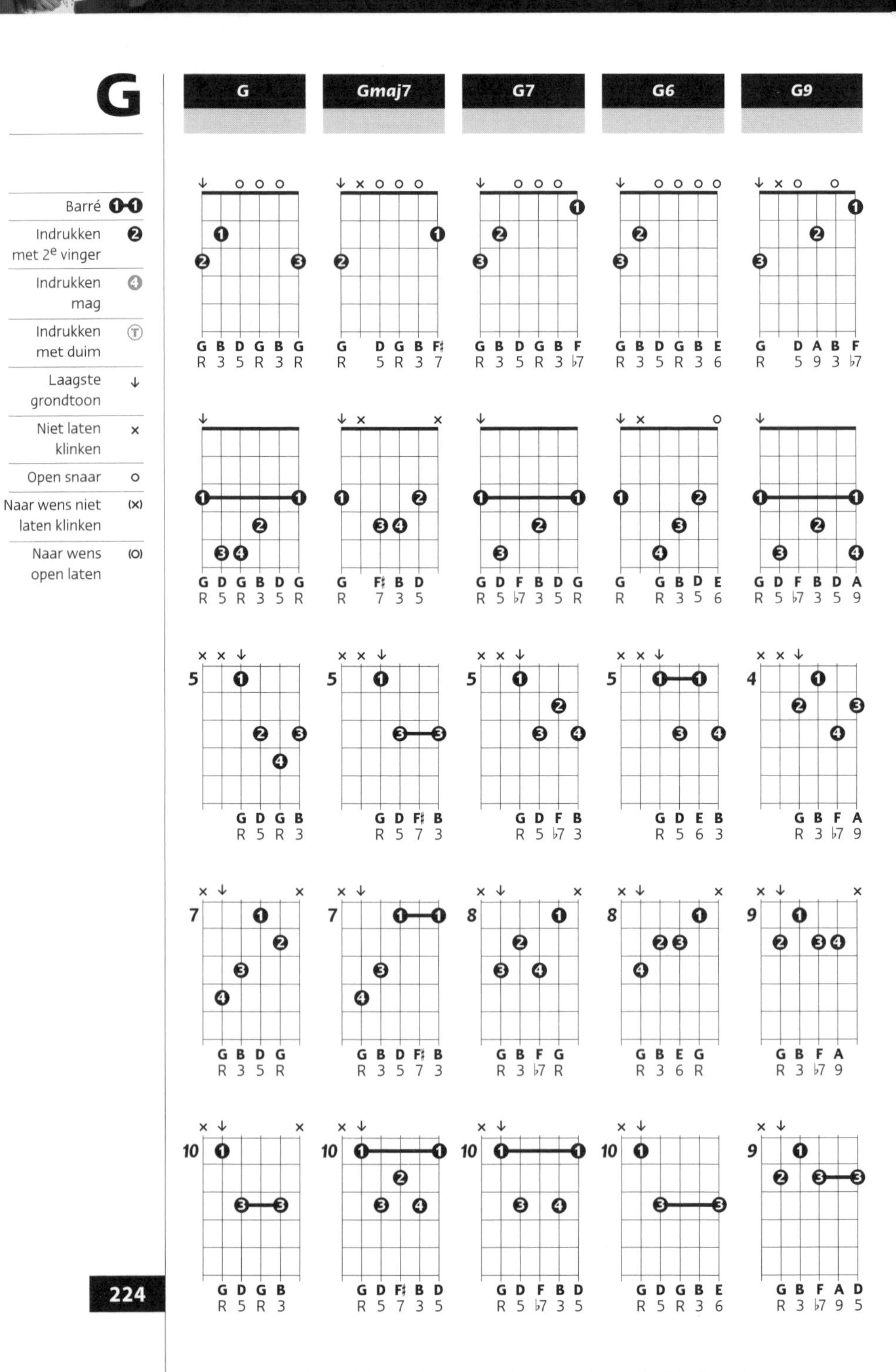
G
G
Gmaj7
G7
G6
G9
Barré
Indrukken met 2e vinger
Indrukken mag
Indrukken met duim
Laagste grondtoon
Niet laten klinken
Open snaar
Naar wens niet laten klinken
Naar wens open laten
G B D G B G
R 3 5 R 3 R
G D G B F♯
R 5 R 3 7
G B D G B F
R 3 5 R 3 ♭7
G B D G B E
R 3 5 R 3 6
G D A B F
R 5 9 3 ♭7
G D G B D G
R 5 R 3 5 R
G F♯ B D
R 7 3 5
G D F B D G
R 5 ♭7 3 5 R
G G B D E
R R 3 5 6
G D F B D A
R 5 ♭7 3 5 9
5
G D G B
R 5 R 3
5
G D F♯ B
R 5 7 3
5
G D F B
R 5 ♭7 3
5
G D E B
R 5 6 3
4
G B F A
R 3 ♭7 9
7
G B D G
R 3 5 R
7
G B D F♯ B
R 3 5 7 3
8
G B F G
R 3 ♭7 R
8
G B E G
R 3 6 R
9
G B F A
R 3 ♭7 9
10
G D G B
R 5 R 3
10
G D F♯ B D
R 5 7 3 5
10
G D F B D
R 5 ♭7 3 5
10
G D G B E
R 5 R 3 6
9
G B F A D
R 3 ♭7 9 5

G

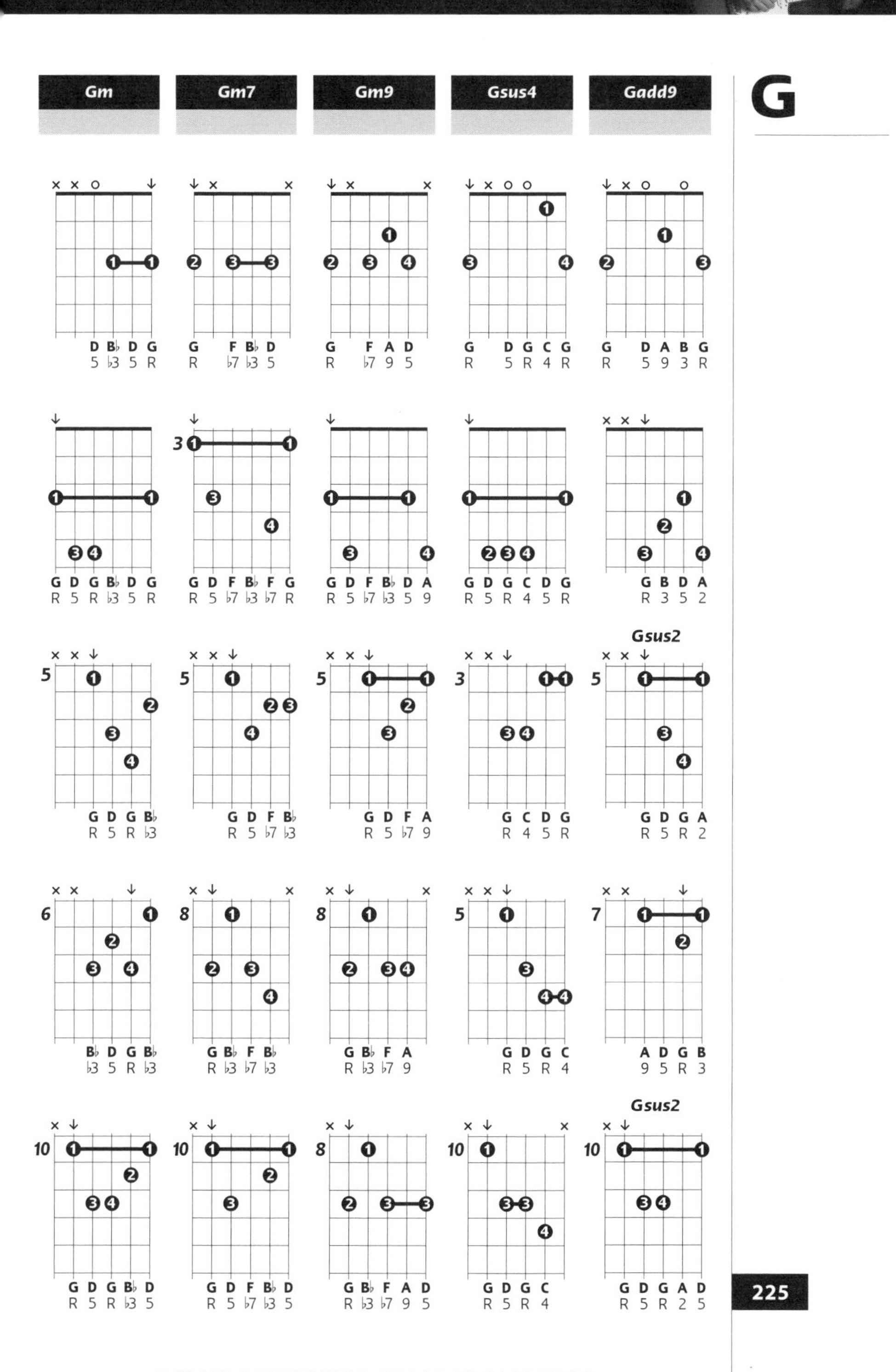
Gm
Gm7
Gm9
Gsus4
Gadd9
D B♭ D G
5 ♭3 5 R
G F B♭ D
R ♭7 ♭3 5
G F A D
R ♭7 9 5
G D G C G
R 5 R 4 R
G D A B G
R 5 9 3 R
G D G B♭ D G
R 5 R ♭3 5 R
G D F B♭ F G
R 5 ♭7 ♭3 ♭7 R
G D F B♭ D A
R 5 ♭7 ♭3 5 9
G D G C D G
R 5 R 4 5 R
G B D A
R 3 5 2
Gsus2
G D G B♭
R 5 R ♭3
G D F B♭
R 5 ♭7 ♭3
G D F A
R 5 ♭7 9
G C D G
R 4 5 R
G D G A
R 5 R 2
B♭ D G B♭
♭3 5 R ♭3
G B♭ F B♭
R ♭3 ♭7 ♭3
G B♭ F A
R ♭3 ♭7 9
G D G C
R 5 R 4
A D G B
9 5 R 3
Gsus2
G D G B♭ D
R 5 R ♭3 5
G D F B♭ D
R 5 ♭7 ♭3 5
G B♭ F A D
R ♭3 ♭7 9 5
G D G C
R 5 R 4
G D G A D
R 5 R 2 5

A♭

Enharmonisch: **G♯**

Barré	1–1
Indrukken met 2e vinger	2
Indrukken mag	4
Indrukken met duim	T
Laagste grondtoon	↓
Niet laten klinken	×
Open snaar	o
Naar wens niet laten klinken	(×)
Naar wens open laten	(o)

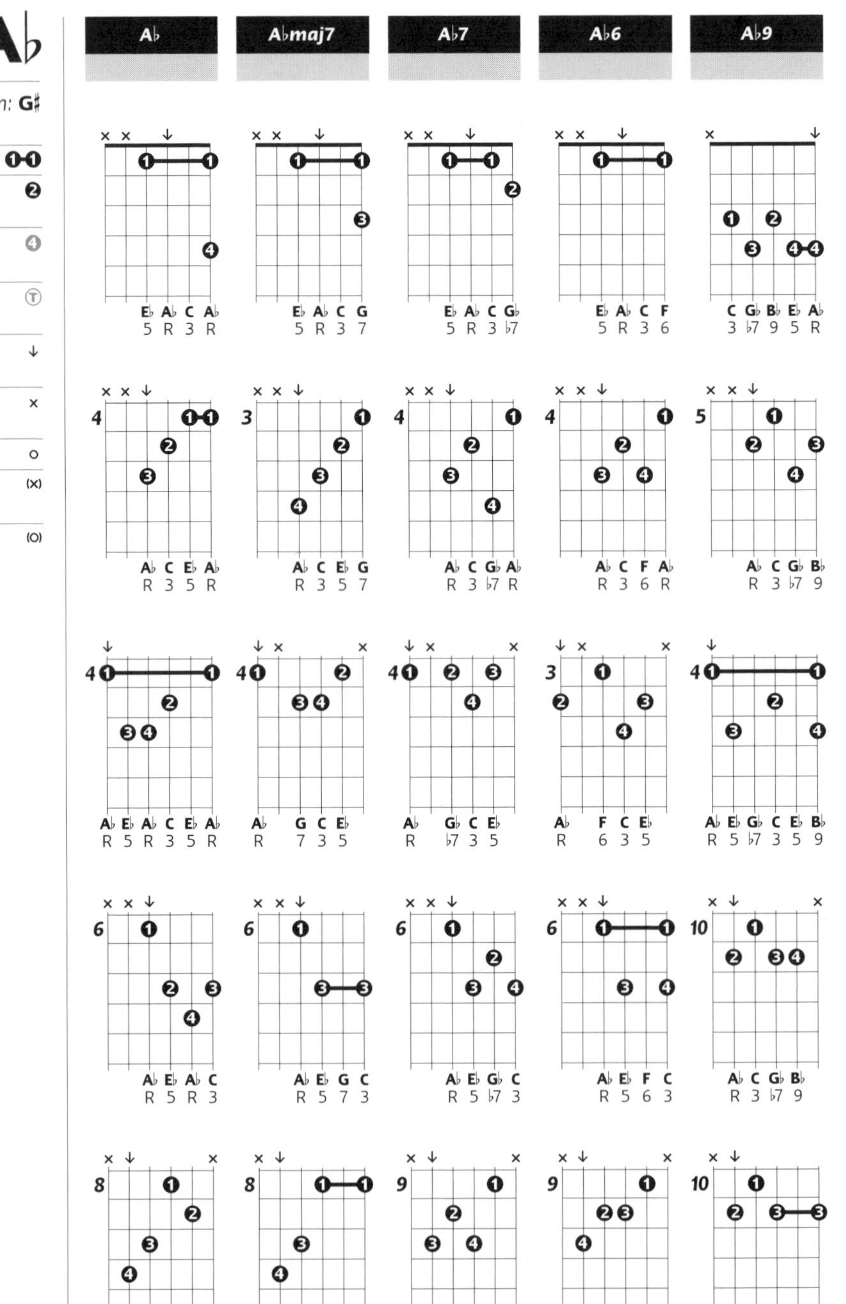

A♭

Enharmonisch: **G♯**

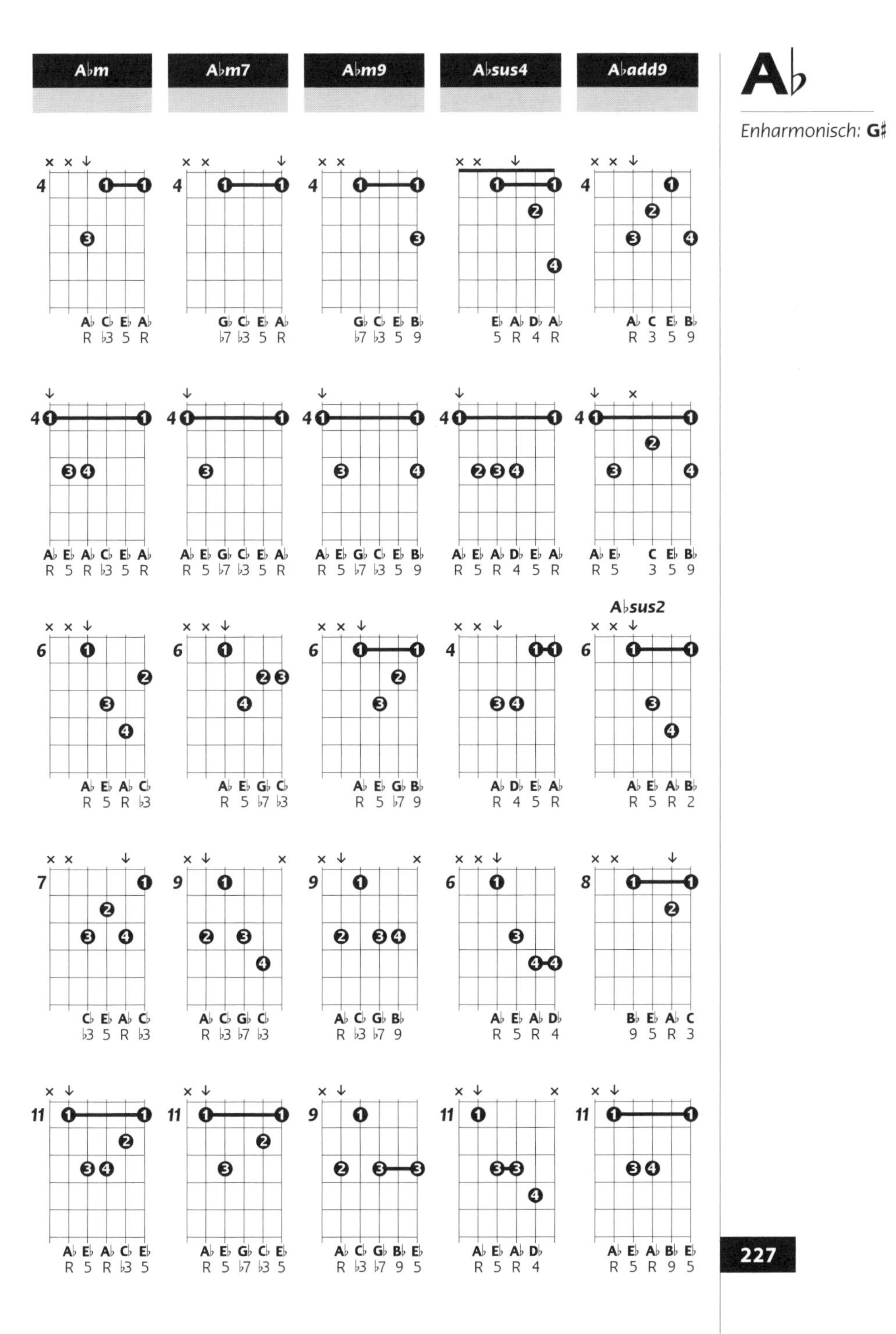

POWERCHORDS

De powerchords (zie bladzijde 198) op deze bladzijde kun je makkelijk leren spelen. Ze worden vooral veel gebruikt in popmuziek en heavy metal.

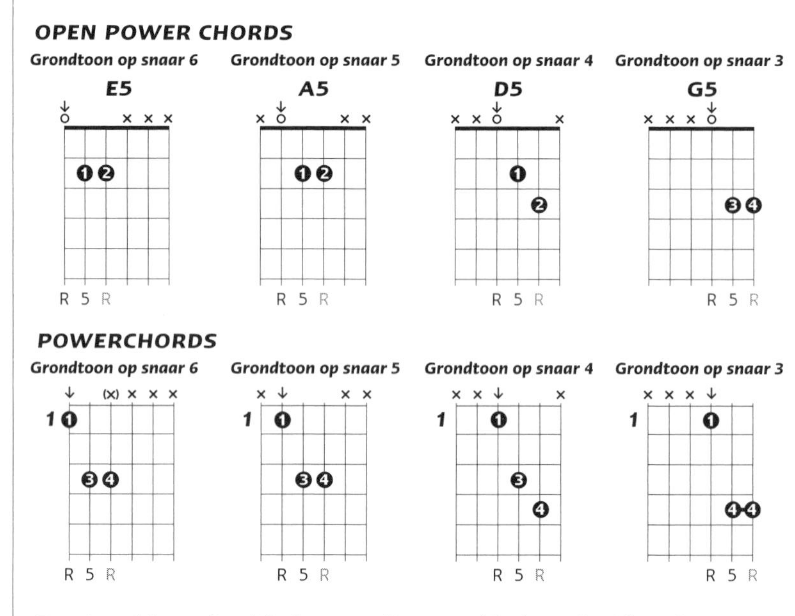

De vier akkoorden hierboven zijn *movable* (verschuifbare) powerchords in de eerste positie. Van links naar rechts zie je F5, Ais/Bes 5, Dis/Es 5 en Gis/As 5. Steeds als je zo'n akkoord een vakje opschuift, gaat het een halve toon hoger klinken. In de tabel hieronder zie je de namen van deze akkoorden in de eerste vijf posities.

1	**F5**	1	**A♯5 - B♭5**	1	**D♯5-E♭5**	1	**G♯5 - A♭5**
2	**F♯5 - G♭5**	2	**B5**	2	**E5**	2	**A5**
3	**G5**	3	**C5**	3	**F5**	3	**A♯5 - B♭5**
4	**G♯5 - A♭5**	4	**C♯5 - D♭5**	4	**F♯5 - G♭5**	4	**B5**
5	**A5**	5	**D5**	5	**G5**	5	**C5**
	etc.		**etc.**		**etc.**		**etc.**

SCHUIFAKKOORDEN

Er zijn allerlei akkoorden die je heel eenvoudig over de hals kunt 'schuiven'. Dat zijn vaak akkoorden met een barré, waarbij je je wijsvinger over twee of meer snaren legt.

Voorbeeld

F-majeur is een bekend voorbeeld van zo'n barré-akkoord. Schuif één vakje op, en F-majeur wordt Fis-majeur. Weer een vakje verder wordt het G-majeur, dan Gis-majeur, enzovoort. Met elk vakje dat je opschuift, klinkt het akkoord een halve toon hoger. De gitaarhals en de tabellen op de bladzijdes hierna laten per positie de grondtoon van de getoonde barré-akkoorden zien.

Wijsvinger weg

Leuk om te weten: F-majeur is eigenlijk dezelfde greep die je ook voor E-majeur gebruikt, maar dan een vakje opgeschoven en met een wijsvinger (de barré) ervoor. Bij E-majeur is je topkam de barré, als het ware.

Zonder barré

Er zijn ook schuifakkoorden zonder barré, zoals je op bladzijde 232-233 ziet. Bij deze akkoorden worden vaak een of meer snaren gedempt of niet gespeeld. De grondtoon van deze akkoorden wordt aangegeven met het bekende pijltje en/of met de letter R (root note; grondtoon).

Met en zonder

Op de twee volgende pagina's vind je een aantal barré-akkoorden; op de bladzijden daarna volgt een aantal schuifakkoorden zonder barré. Sommige van deze akkoorden komen ook in het overzicht op bladzijde 204-227 voor.

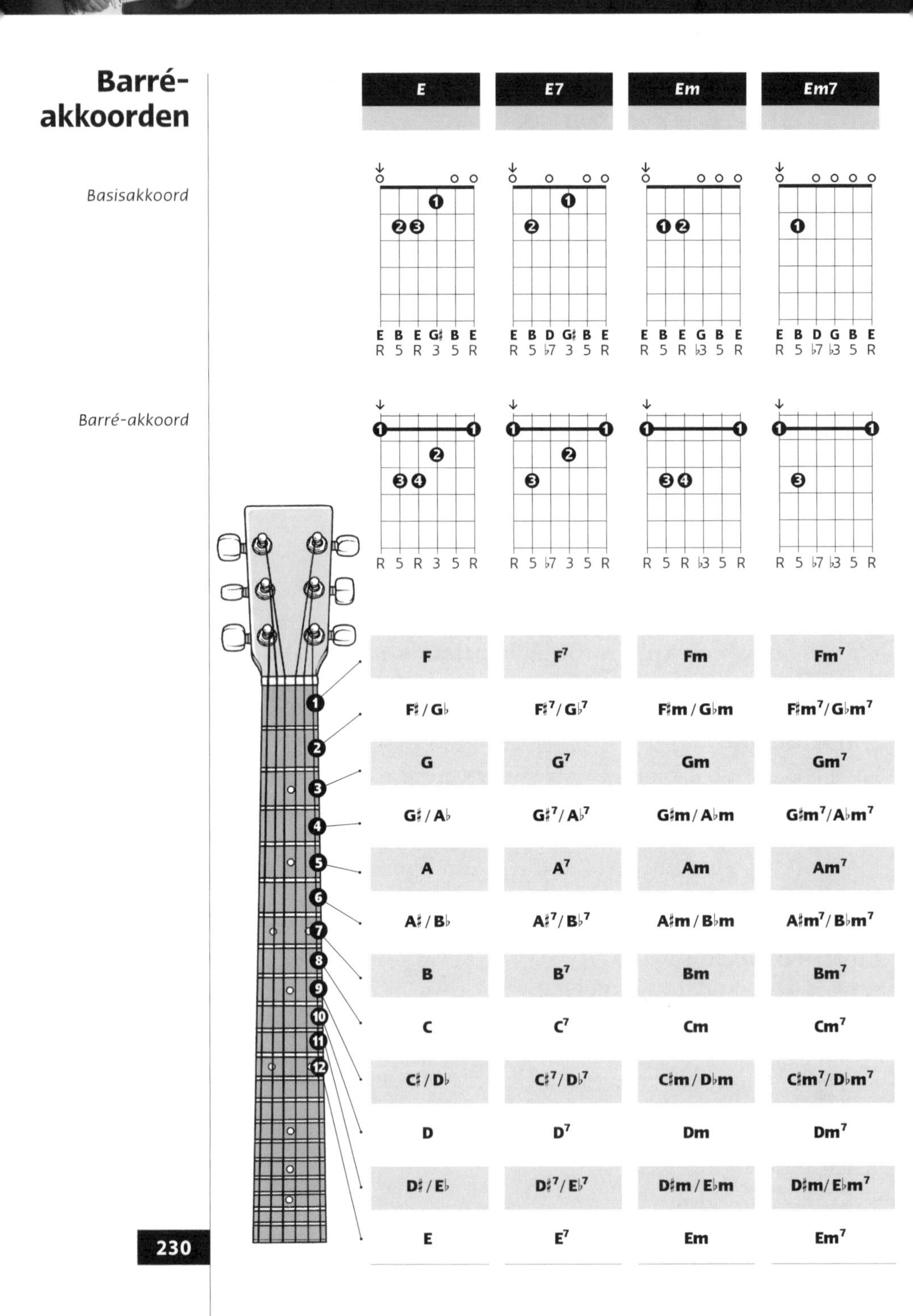
Barré-akkoorden
Basisakkoord
Barré-akkoord
E
E7
Em
Em7
E B E G♯ B E
R 5 R 3 5 R
E B D G♯ B E
R 5 ♭7 3 5 R
E B E G B E
R 5 R ♭3 5 R
E B D G B E
R 5 ♭7 ♭3 5 R
R 5 R 3 5 R
R 5 ♭7 3 5 R
R 5 R ♭3 5 R
R 5 ♭7 ♭3 5 R
F | F7 | Fm | Fm7
F♯ / G♭ | F♯7/G♭7 | F♯m / G♭m | F♯m7/G♭m7
G | G7 | Gm | Gm7
G♯ / A♭ | G♯7/A♭7 | G♯m / A♭m | G♯m7/A♭m7
A | A7 | Am | Am7
A♯ / B♭ | A♯7/B♭7 | A♯m / B♭m | A♯m7/B♭m7
B | B7 | Bm | Bm7
C | C7 | Cm | Cm7
C♯ / D♭ | C♯7/D♭7 | C♯m / D♭m | C♯m7/D♭m7
D | D7 | Dm | Dm7
D♯ / E♭ | D♯7/E♭7 | D♯m / E♭m | D♯m/E♭m7
E | E7 | Em | Em7
230

Barré-akkoorden

Basisakkoord

Barré-akkoord

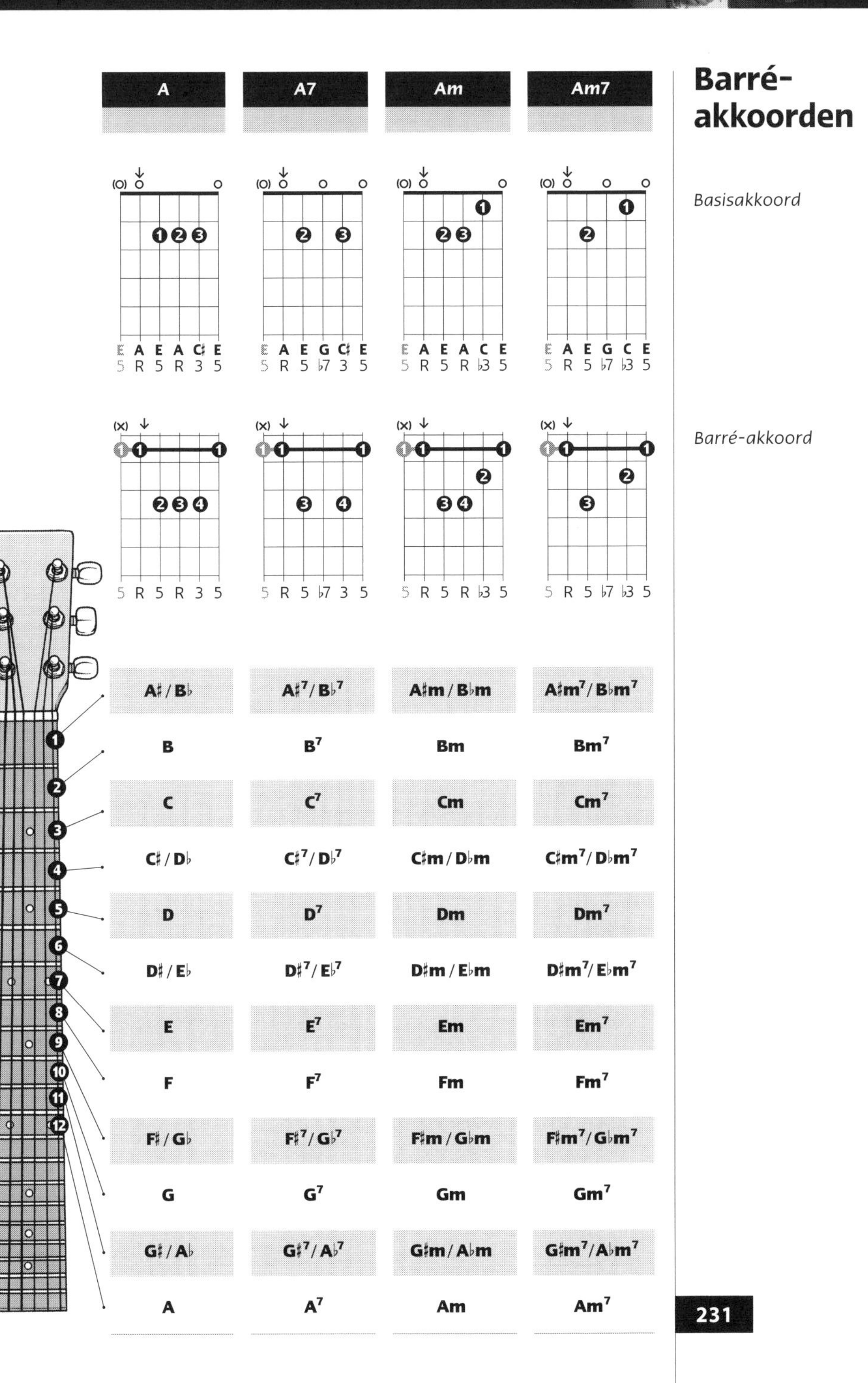

Schuif-akkoorden

- Barré
- Indrukken met 2e vinger
- Indrukken mag
- Indrukken met duim
- Laagste grondtoon ↓
- Niet laten klinken ×
- Open snaar o
- Naar wens niet laten klinken (×)
- Naar wens open laten (o)

Majeur – Grondtoon op snaar 6 | **Majeur** – Grondtoon op snaar 5 | **Majeur** – Grondtoon op snaar 4 | **9** | **Overmatig**

Majeur | *Majeur* | *Majeur*

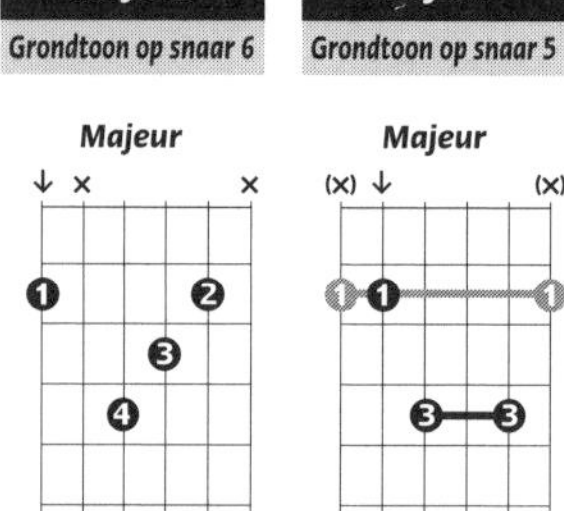
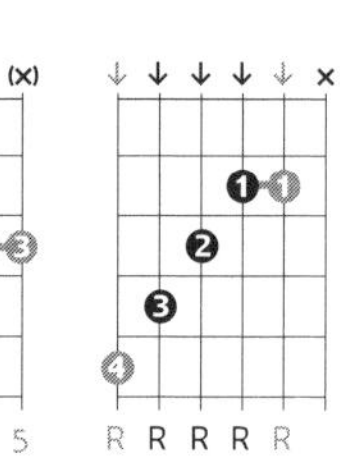
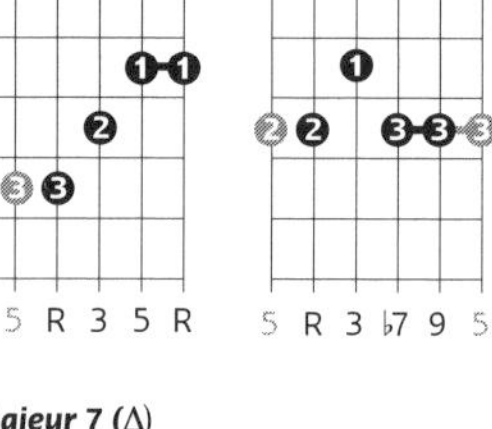

R R 3 5 | 5 R 5 R 3 5 | 5 R 3 5 R | 5 R 3 ♭7 9 5 | R R R R R

Majeur 7 (Δ) | *Majeur 7 (Δ)* | *Majeur 7 (Δ)*

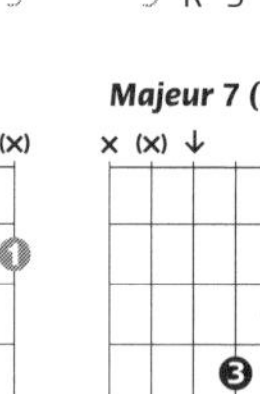
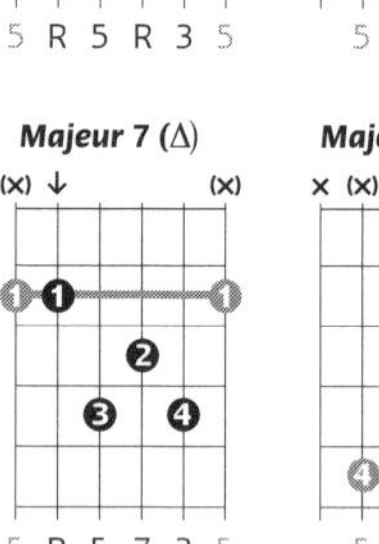
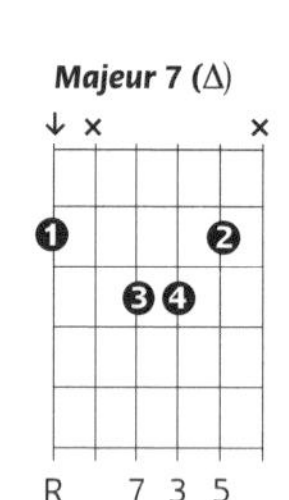
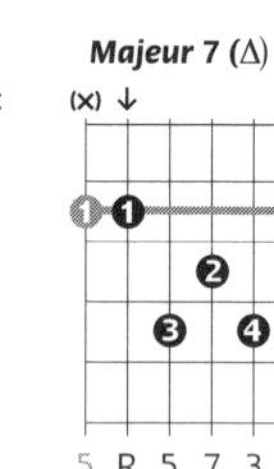
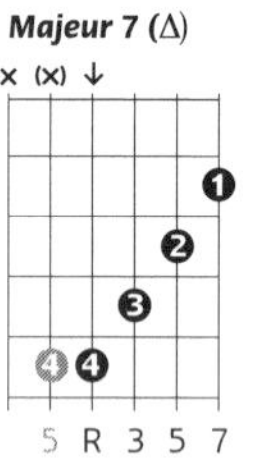
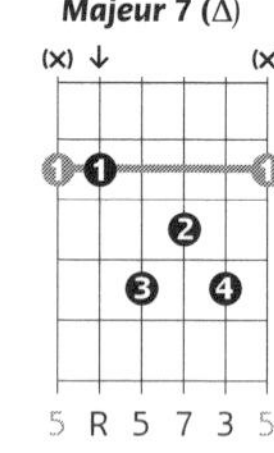
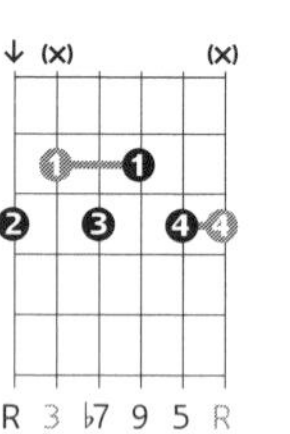
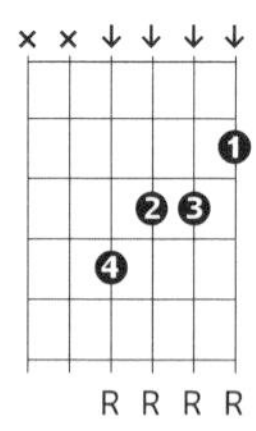

R 7 3 5 | 5 R 5 7 3 5 | 5 R 3 5 7 | R 3 ♭7 9 5 R | R R R R

Dominant 7 | *Dominant 7* | *Dominant 7* | **sus 4**

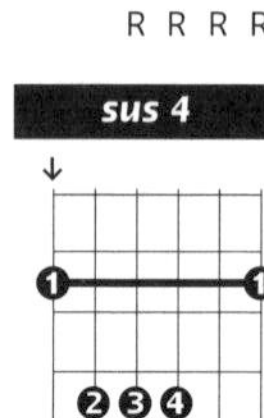
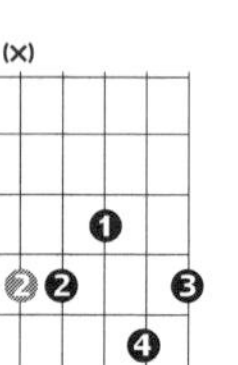
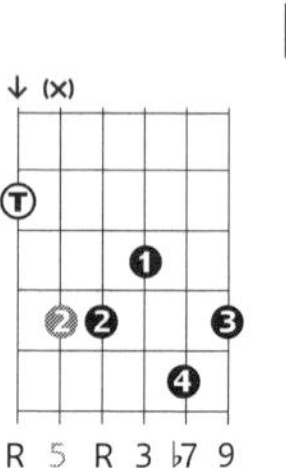
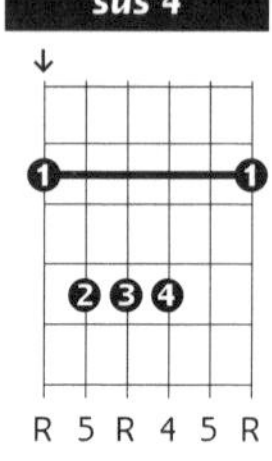

R ♭7 3 5 | 5 R 5 ♭7 3 5 | 5 R 3 ♭7 R | R 5 R 3 ♭7 9 | R 5 R 4 5 R

Majeur 6 | *Majeur 6* | *Majeur 6*

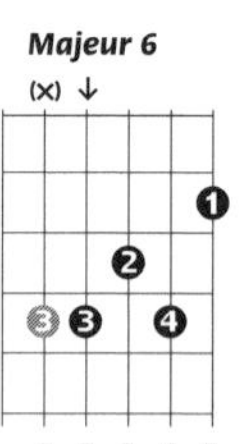
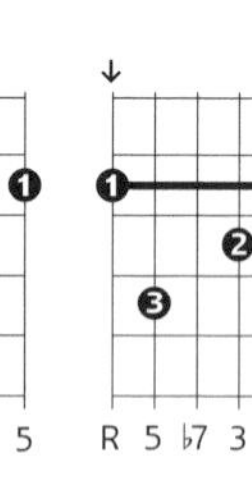
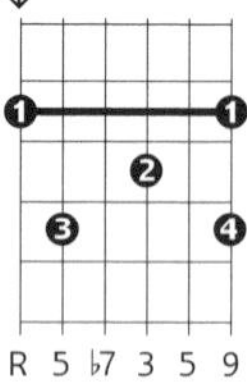
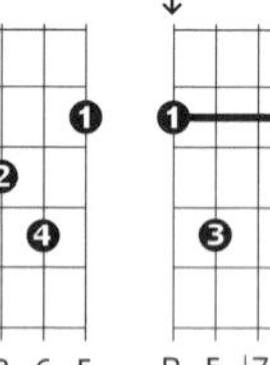
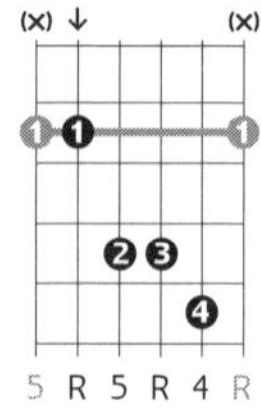

R 6 3 5 | R 5 6 3 | 5 R 3 6 5 | R 5 ♭7 3 5 9 | 5 R 5 R 4 R

Dom 7♯5 | *Dom 7♯5* | *Dom 7♯5*

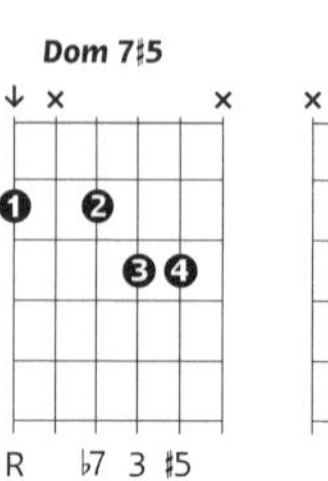
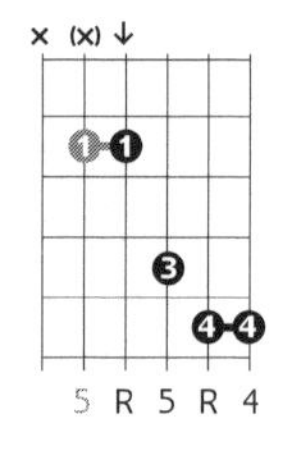
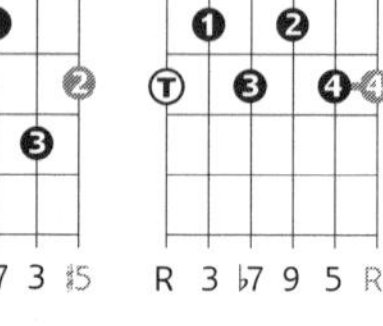

R ♭7 3 ♯5 | R ♯5 ♭7 3 | R ♯5 ♭7 3 ♯5 | R 3 ♭7 9 5 R | 5 R 5 R 4

Schuif-akkoorden

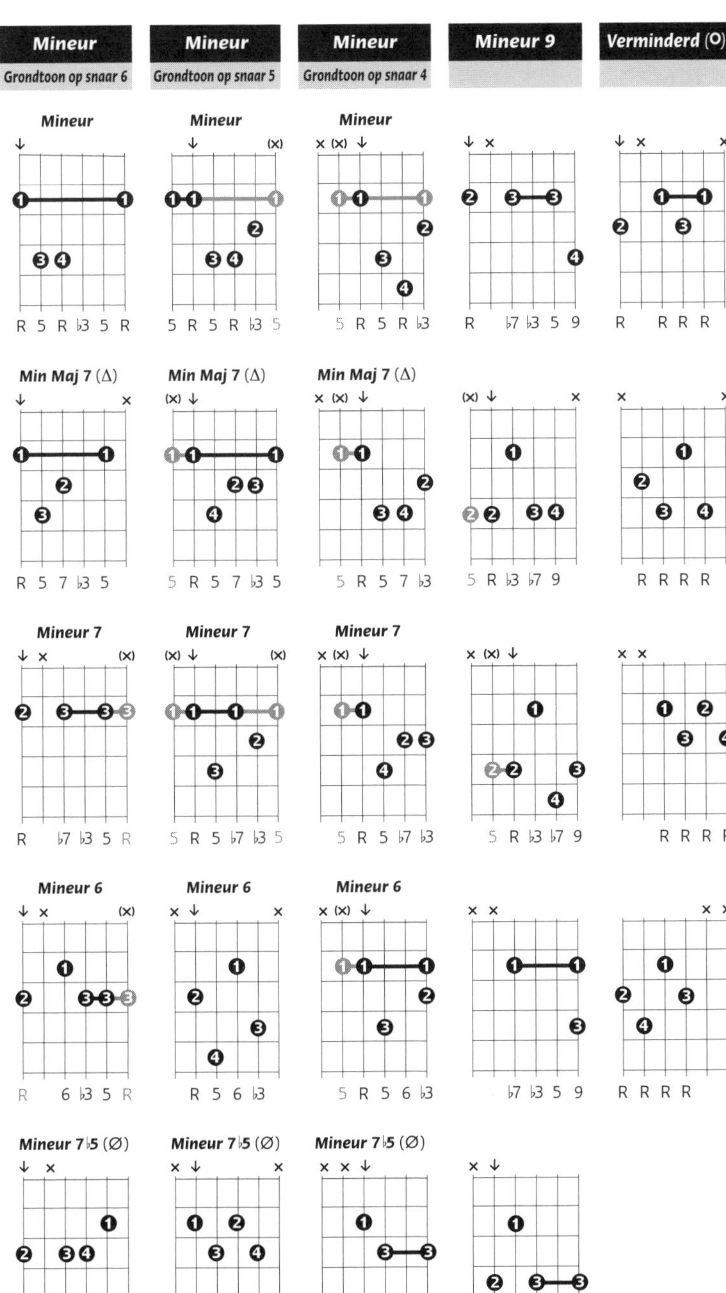

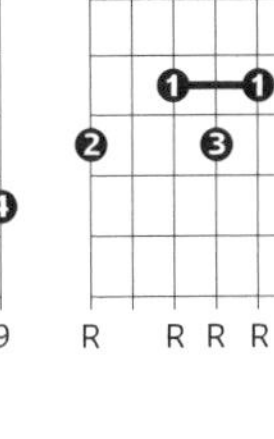

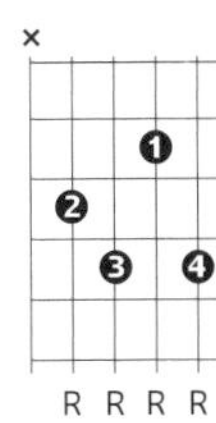

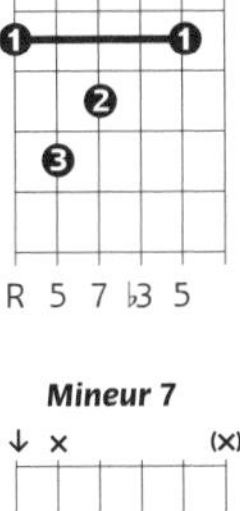

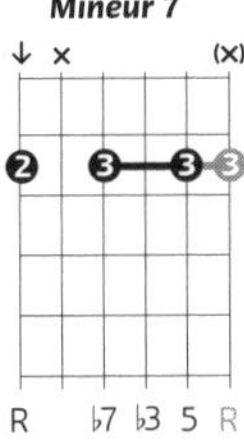

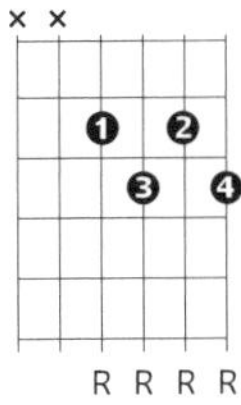

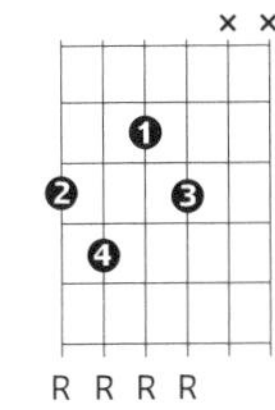

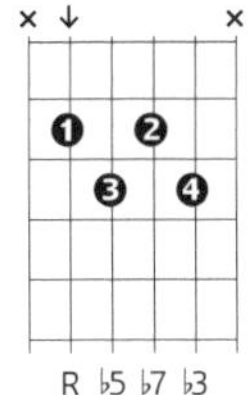

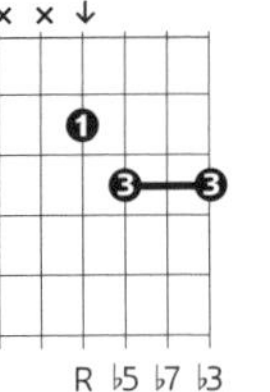

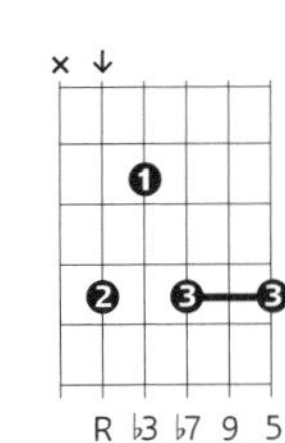

CAPO

Met een capo kun je een nummer een of meer halve tonen hoger spelen terwijl je gewoon dezelfde grepen gebruikt. Dat kan handig zijn als een song net iets lager klinkt dan jij of je zanger zingen kan. Hieronder zie je vier grepen en hoe ze zonder capo klinken, en dan diezelfde grepen met een capo in het derde vakje.

Met een capo in het tweede vakje klinken akkoorden een hele toon hoger.

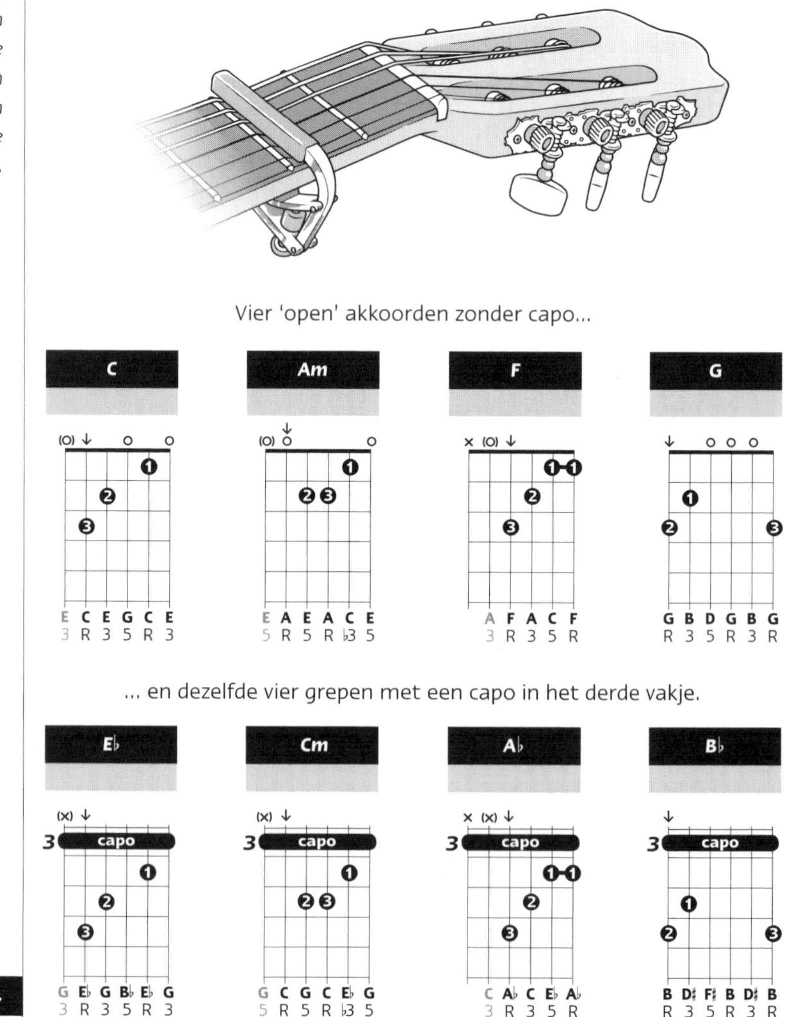

DRIE AKKOORDEN: I, IV, V

Veel popliedjes bestaan uit maar drie akkoorden. Die hebben dan meestal de verhouding 1:4:5. Dat wordt vaak in Romeinse cijfers opgeschreven, dus als I:IV:V. Deze liedjes eindigen altijd op het I-akkoord, en vaak beginnen ze er ook mee. Om de andere akkoorden te vinden, kijk je in de kwintencirkel hieronder. Het IV-akkoord is het akkoord links van het I-akkoord; het V-akkoord staat rechts van de I. Een voorbeeld: als een nummer eindigt op C-majeur, kom je er vast ook F-majeur (IV) en G-majeur (V) in tegen.

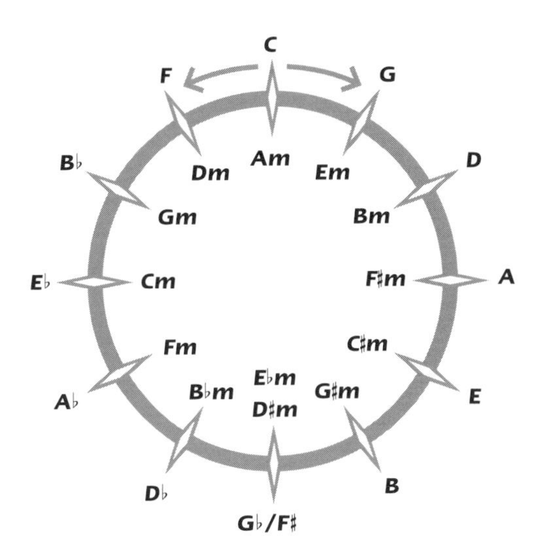

Buiten de kwintencirkel staan de majeurakkoorden (C, G, enzovoort). Binnen de cirkel zie je de mineurakkoorden (Am, Em, enzovoort).

Mineur

Voor wat variatie in de sfeer van het liedje worden deze drie akkoorden voor een deel wel vervangen door de mineurakkoorden die er aan de binnenkant van de kwintencirkel bij staan. Dan hoor je dus Am (VI) in plaats van C (I), Dm (II) in plaats van F (IV) of Em (III) in plaats van G (V).

AKKOORDENSCHEMA'S

Op de volgende vier pagina's vind je voorbeelden van veelgebruikte akkoordenschema's in pop en andere stijlen.
Tip: een schuine streep (/) betekent dat je het voorgaande akkoord moet herhalen. Veel plezier!

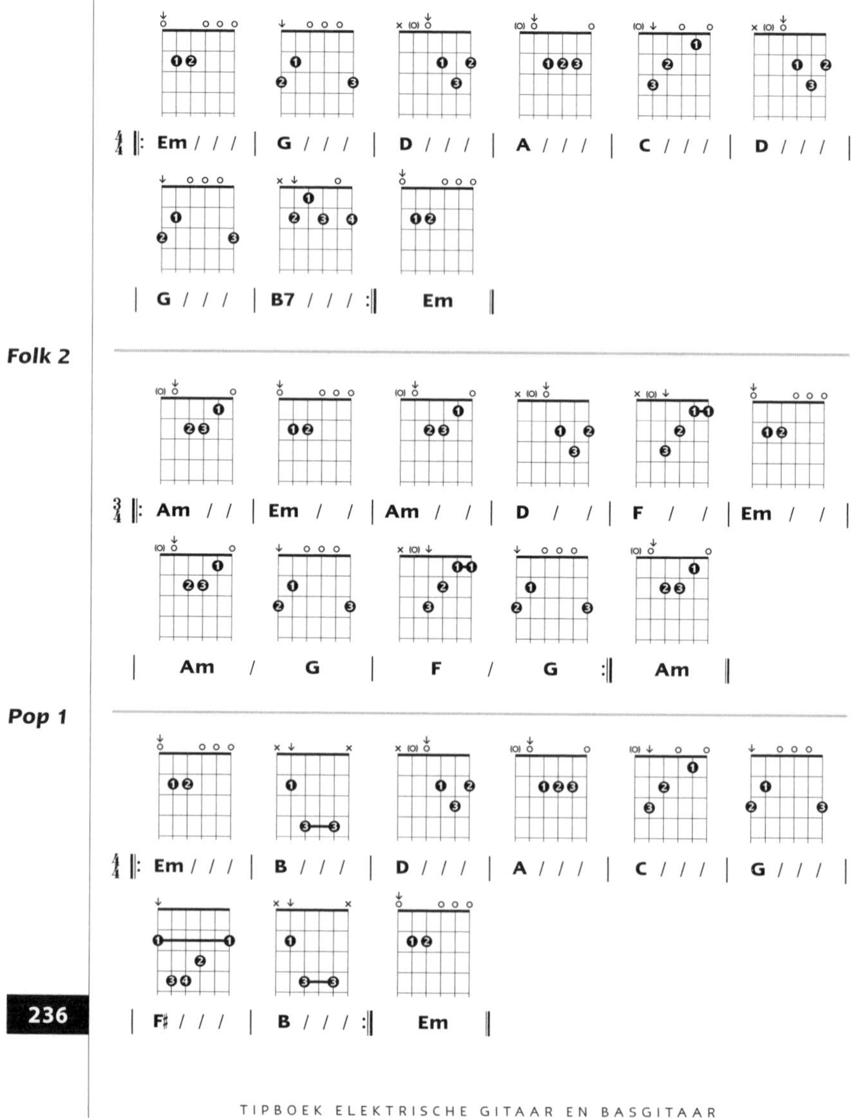

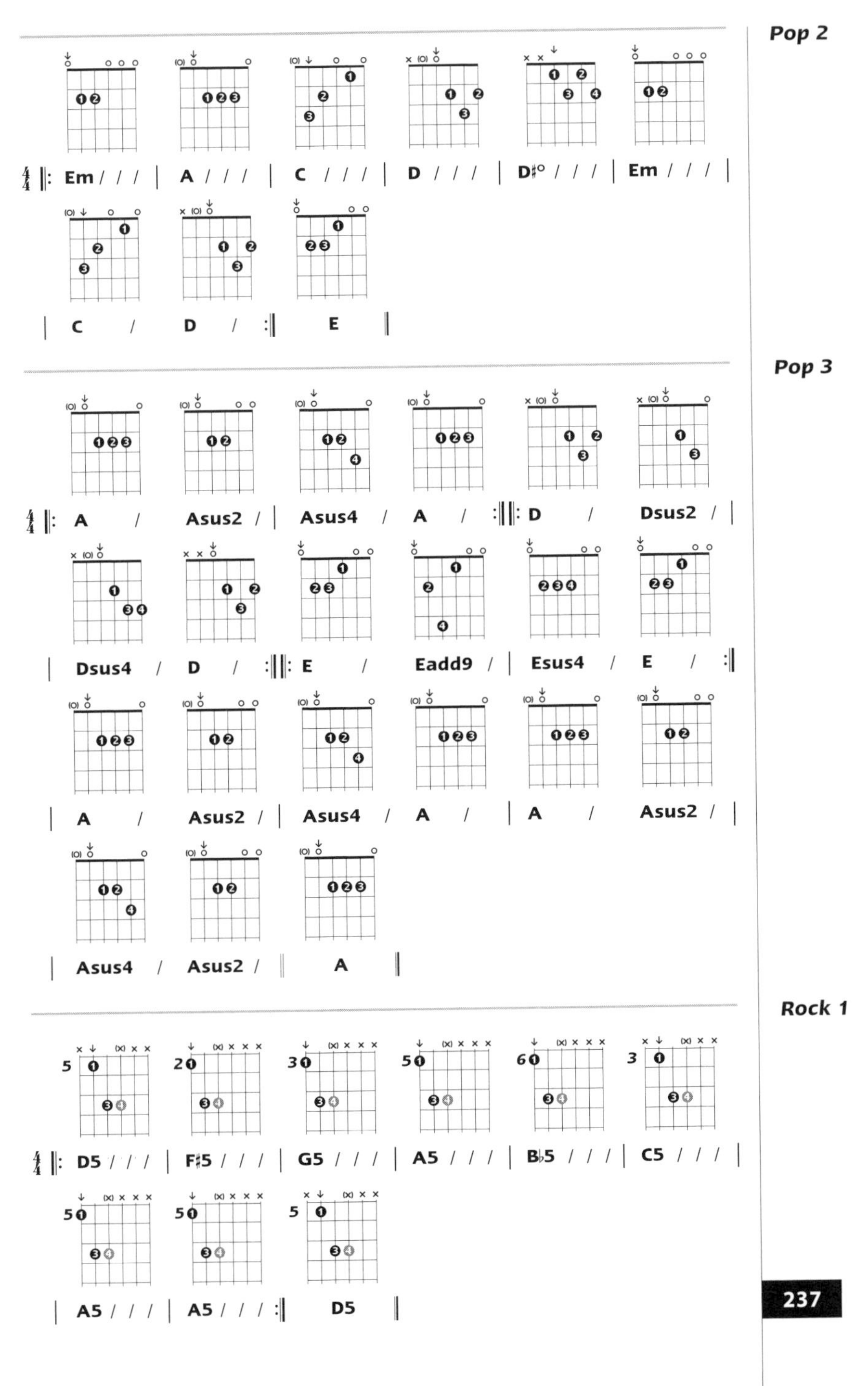

Pop 2

Pop 3

Rock 1

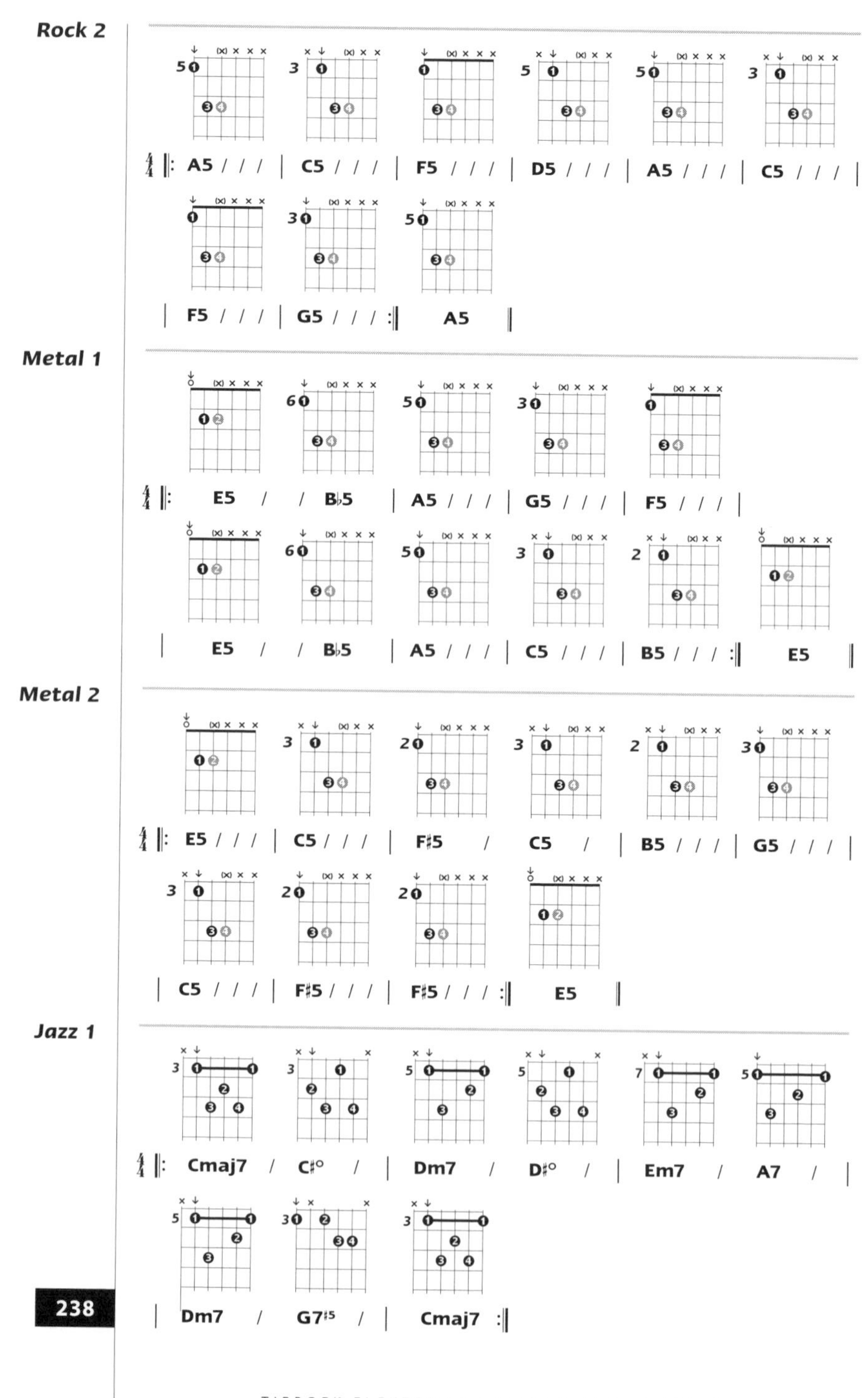
Rock 2
A5 / / / | C5 / / / | F5 / / / | D5 / / / | A5 / / / | C5 / / / |
F5 / / / | G5 / / / :|| A5 ||
Metal 1
E5 / / B♭5 | A5 / / / | G5 / / / | F5 / / / |
E5 / / B♭5 | A5 / / / | C5 / / / | B5 / / / :|| E5 ||
Metal 2
E5 / / / | C5 / / / | F♯5 / C5 / | B5 / / / | G5 / / / |
C5 / / / | F♯5 / / / | F♯5 / / / :|| E5 ||
Jazz 1
Cmaj7 / C♯° / | Dm7 / D♯° / | Em7 / A7 / |
Dm7 / G7♯5 / | Cmaj7 :||

Jazz 2

BIJ DE HAND

Bij verlies, diefstal of verkoop van je instrument is het altijd handig om alle gegevens bij de hand te hebben. Voor de verzekering, voor de politie of gewoon voor jezelf. Schrijf het hier allemaal op, en noteer dan meteen even welke snaren er op je instrument zitten. Makkelijk voor de volgende keer.

VERZEKERINGEN

Maatschappij:

Tel: Fax:

E-mail: Website:

Tussenpersoon:

Tel: Fax:

E-mail:

Polisnummer: Premie:

INSTRUMENTEN, VERSTERKERS EN EFFECTEN

Merk en model: Serienummer:

Kleur: Prijs:

Gekocht op (datum): Bij (winkel):

E-mail: Website:

Telefoon: Fax:

Merk en model: Serienummer:

Kleur: Prijs:

Gekocht op (datum): Bij (winkel):

E-mail: Website:

Telefoon: Fax:

Merk en model: Serienummer:

Kleur: Prijs:

Gekocht op (datum): Bij (winkel):

E-mail: Website:

Telefoon: Fax:

Merk en model: Serienummer:

Kleur: Prijs:

Gekocht op (datum): Bij (winkel):

E-mail: Website:

Telefoon: Fax:

SNAREN

Als je bijhoudt welke snaren je op je instrument zet en wat je ervan vindt, kun je ze later weer kopen – of juist niet. Hou je bij wanneer je je snaren verving, dan weet je ook hoe lang ze meegaan.

Merk:	Type:	Dikte:	Datum:	Opmerkingen:

INDEX

Een korte uitleg van de meeste termen in deze index is te vinden in de woordenlijst op bladzijde 183-188.

DE TIPBOEK-SERIE

De Tipboek-serie is een serie boeken over muziek en muziekinstrumenten. Twaalf delen gaan over populaire muziekinstrumenten, inclusief een deel over zingen. Daarnaast zijn er de Tipboeken Muziek op papier *(basistheorie) en* Muziek voor kinderen. *Tipboeken zijn handzame, makkelijk leesbare gidsen, die stuk voor stuk geschreven worden in samenwerking met muzikanten, muziekleraren, technici, fabrikanten en andere experts.*

Tipcodes

Alle Tipboeken die in of na 2001 verschenen, hebben Tipcodes waarmee je op www.tipbook.com toegang krijgt tot aanvullende informatie, variërend van korte filmpjes tot klankvoorbeelden. Op bladzijde XIV-XVI lees je hier alles over.

Tipboek Muziek op papier

Tipboek *Muziek op papier (basistheorie)* biedt je alles wat je weten moet om muziek te kunnen lezen en beter te leren begrijpen – of dat nu pop, klassiek of jazz is. Het leert je noten lezen vanaf het allereerste begin, maar ook onderwerpen als vreemde maatsoorten en akkoordsymbolen komen aan bod, en je leert in een paar pagina's hoe makkelijk transponeren eigenlijk is.
Voor iedereen die al muziek kan lezen, is het een handig naslagwerk, dat je door het handzame formaat makkelijk meeneemt.
Met de meer dan vijftig Tipcodes kun je de meeste muziekvoorbeelden uit het boek beluisteren op www.tipbook.com.

Instrumenten

Net als in *Tipboek Versterkers en effecten* zijn de eerste hoofdstukken van de Tipboeken over instrumenten steeds vooral bedoeld voor mensen die nog maar heel kort spelen, of nog niet eens begonnen zijn. Daarin lees je onder meer over de namen van de belangrijkste onderdelen van het instrument, de kosten en het leren spelen, het belang van een goede leraar en van noten leren lezen, oefentips, enzovoort.

Tipboek Akoestische gitaar

Tipboek Akoestische gitaar legt stap voor stap uit hoe je een goed instrument herkent, en helpt je om de klank, de bespeelbaarheid en alle andere aspecten van het instrument te beoordelen. Natuurlijk zijn er aparte hoofdstukken over de verschillende soorten snaren en hun eigenschappen (en over hoe je ze verwisselt en hoe je ervoor zorgt dat ze zo lang mogelijk meegaan), over stemmen, en zelfs over plectrums en hoe je je nagels goed houdt.

Tipboek Cello

Tipboek Cello besteedt veel aandacht aan wat de klank van een cello bepaalt (de exacte afmetingen van de klankkast, de stapel, de kam…), maar ook aan praktische zaken als de verschillende soorten stemsleutels, fijnstemmers en staartstukken. Natuurlijk lees je in deze gids alles over het vergelijken en uitzoeken van instrumenten en strijkstokken, en leer je over hoe belangrijk (stalen, nylon of darm)snaren voor de klank van je instrument zijn.

Tipboek Drums

Een trommel is een trommel is een trommel? Nee, zeker niet. *Tipboek Drums* vertelt alles over de verschillen tussen het ene drumstel en het andere: het gebruikte hout of andere materialen, de dikte en de diepte van de ketel, het model van de draagrand, het soort spanranden en spanbokken, de ophanging en nog veel meer. In aparte hoofdstukken wordt aandacht besteed aan drumstokken, vellen en bekkens. Stemmen en dempen, twee dingen die je echt onder de knie moet hebben om je drumstel zo goed mogelijk te laten klinken, leer je hier stap voor stap.

Tipboek Dwarsfluit en piccolo

Een dwarsfluit koop je al voor een paar honderd euro, maar je kunt er ook dertigduizend aan uitgeven. *Tipboek Dwarsfluit en piccolo* vertelt hoe het gebruikte materiaal, het vakmanschap en allerlei andere elementen voor die enorme prijsverschillen kunnen zorgen, en hoe je het instrument koopt dat het best

interactieve boeken met TIPCODES

past bij je budget, je smaak en je niveau. Een zilveren kop, open of dichte kleppen, een B-voet of een C-voet, wel of geen E-mechaniek, een uitgebouwde G of niet? Met dit boek bij de hand zijn al deze vragen makkelijk te beantwoorden.

Tipboek Elektrische gitaar en basgitaar

Elektrische gitaren en basgitaren zijn er in talloze modellen en uitvoeringen. Dit boek laat je de verschillen zien en vertelt alles over halsprofielen, frets, gebruikte houtsoorten en hun invloed op de klank, de verschillende soorten elementen, stemmechanieken, bruggen en – natuurlijk – snaren. Tips om de intonatie van je instrument af te stellen ontbreken niet.

Tipboek Keyboard & digitale piano

Als je een keyboard of een digitale piano gaat kopen of huren, krijg je te maken met allerlei termen die je waarschijnlijk niet eerder hoorde. In *Tipboek Keyboard en digitale piano* wordt al die vaktaal glashelder uitgelegd: van gewogen klavieren en midi tot layers en splits, arpeggiators en sequencers, expressiepedalen en multiswitches, en nog veel meer. Ook helpt dit boek je bij het beoordelen van de klank en de kwaliteit van de begeleidingsautomaat, en is er uitgebreid ruimte voor de bespreking van alle soorten aansluitingen en wat je ermee kunt doen.

Tipboek Klarinet

Elke klarinet klinkt anders. Hoe meer je over het instrument weet, des te makkelijker wordt het om die verschillen te horen en zo het beste instrument te kunnen kopen. In *Tipboek Klarinet* lees je alles over het belang van de boring (hoe ziet het instrument er vanbinnen uit), maar ook over het model van de beker en de invloed die dat op de klank heeft, over tussenringen, tapringen en toongaten, en over het mechaniek (van speciale duimsteunen tot het verschil tussen offset en in-line zijkleppen). In aparte hoofdstukken komen het selecteren van een mondstuk en het kopen, uitzoeken en bijwerken van rietjes aan bod.

Tipboek Muziek voor kinderen – een gids voor ouders

Tipboek Muziek voor kinderen geeft antwoord op alle vragen rond het muzikale deel van de opvoeding, met uitgebreide informatie over instrumentkeuze, privéleraar of muziekschool, oefenen, podiumangst, leren spelen, huren of kopen en tal van aanverwante onderwerpen.

Tipboek Piano en vleugel

Het uitzoeken van een kostbaar instrument als een piano of een vleugel wordt een heel stuk makkelijker met de kennis die je in *Tipboek Piano en vleugel* opdoet. Hoe belangrijk is de grootte van het instrument, wat doet een zangbodem en waarom moet die wel of niet van massief hout zijn, hoe beoordeel je een klavier, wat zijn er voor verschillen in kleppen en kasten… Ook zijn er hoofdstukken over accessoires, hybride en digitale piano's, en over waarom het regelmatig laten stemmen en afregelen van het instrument zo belangrijk is.

Tipboek Saxofoon

Op het eerste gezicht lijken alle altsaxofoons sprekend op elkaar. En alle tenorsaxen ook. Toch spelen en klinken ze allemaal heel anders. In *Tipboek Saxofoon* lees je waar 'm dat in zit, met alle informatie over verschillende materialen en klepsystemen, polsters, kurkjes en veertjes, enzovoort. Vanzelfsprekend zijn er aparte hoofdstukken over mondstukken (en hoe die de klank en de bespeelbaarheid van het instrument sterk bepalen) en over aanschaf, selectie en het bijwerken van rietjes.

Tipboek Trompet en trombone, bugel en kornet

Ook als je een trompet, een trombone of een ander koperblaasinstrument gaat kopen of huren, is het handig om er wat meer vanaf te weten. Wat is bijvoorbeeld de invloed van het materiaal waar de beker van gemaakt is, en hoe belangrijk is de boring voor de klank? *Tipboek Trompet en trombone, bugel en cornet* vertelt je verder alles over verschillende soorten ventielen, mondpijpen, waterkleppen en andere onderdelen van je instrument, zonder ook maar ergens te technisch te worden. Dat geldt natuurlijk net zo voor het hoofdstuk over mondstukken, waarbij uitgebreid aandacht wordt besteed aan de maat en het model van de cup, de rand, de boring en het gebruikte materiaal – van zilver tot hout.

Tipboek Versterkers en effecten

Alles wat je moet weten als je je instrument of je stem wilt versterken, lees je in *Tipboek Versterkers en effecten*, het enige Nederlandstalige boek over dit onderwerp. Alle vaktermen worden helder uitgelegd, en het boek is van begin tot eind ook voor niet-technici uitstekend leesbaar. Behalve versterkers en effecten komen ook microfoons, elementen, snoeren en draadloze systemen aan bod, en natuurlijk is er aandacht voor PA's.

Tipboek Viool en altviool

De ene viool klinkt heel anders dan de andere. Hoe je die verschillen leert ontdekken en hoe de klank van een viool of altviool bepaald wordt, lees je in *Tipboek Viool en altviool*. Natuurlijk lees je daar ook hoe je de klank van je instrument nog sterk kunt bijsturen door de juiste snaren te kiezen, en leer je meer over fijnstemmers, strijkstokken, kinhouders en staartstukken.

Tipboek Zang

Tipboek Zang laat je kennismaken met het meest persoonlijke muziekinstrument: je zangstem. Zonder dat het een biologieles wordt, lees je hier hoe je stem werkt en hoe je optimaal kunt zingen zonder stemklachten te krijgen, of je nu in een kerkkoor of in een rockband zingt. Ook onderwerpen als zuiver zingen, luid zingen zonder pijn, registers en stembereiken komen aan bod, en je krijgt talloze tips over de uitspraak en het leren onthouden van teksten. Zing je met een microfoon? Dan leer je hier ook alles wat je moet weten om er een aan te schaffen.

DE TIPBOEK-SERIE MUZIEK EN MUZIEK-INSTRUMENTEN

Tipboek Akoestische Gitaar	978-90-8767-007-9
Tipboek Cello	90-76192-17-0
Tipboek Drums	978-90-76192-04-8
Tipboek Dwarsfluit en piccolo	90-76192-12-X
Tipboek Elektrische gitaar en basgitaar	978-90-8767-005-4
Tipboek Keyboard en digitale piano	90-76192-19-7
Tipboek Klarinet	978-90-8767-016-0
Tipboek Muziek op papier	90-76192-02-2
Tipboek Muziek voor kinderen	90-76192-18-9
Tipboek Piano	978-90-8767-006-1
Tipboek Saxofoon	978-90-8767-003-0
Tipboek Trompet en trombone	90-76192-11-1
Tipboek Versterkers en effecten	978-90 8767-010-8
Tipboek Viool en altviool	978-90 8767-009-2
Tipboek Zang	978-90-76192-08-6

Op de hoogte blijven van nieuwe titels? Stuur dan een mailtje naar info@tipbook.com.